聚焦三农：农业与农村经济发展系列研究（典藏版）

城乡转型与农地非农化的互动关系

胡伟艳　著

本书获国家自然科学基金（70373054）、中央高校基本科研业务费专项资金（2009RW007）、教育部人文社会科学研究青年基金支持

科 学 出 版 社

北 京

内 容 简 介

城乡转型作为 18 世纪以来世界范围内一种重要的社会经济现象，是一个动态多层面、内涵十分丰富的概念，包括人口、社会、文化、经济、环境、生态、物质、管治等方面。在目前国内外研究成果分析的基础上，本书根据中国城乡非均衡发展的实际，从城乡人口转型、城乡就业转型和城乡产业转型三个角度对城乡转型与农地非农化的过程、特征、相互关系、互动机理进行了多方位宏观统计规律和微观机理的研究，最后构建基于成本效益分析和人口/就业分析的土地非农化决策框架，并提出城乡转型与农地非农化协调发展的相关措施。本书的研究为高效管理控制土地非农化、合理利用土地资源，促进城乡良性互动和城乡经济可持续发展提供依据。

本书可供从事土地管理、经济地理、区域经济、城乡规划等专业的科研人员，实践工作者及高等院校师生参考。

图书在版编目（CIP）数据

城乡转型与农地非农化的互动关系／胡伟艳著. —北京：科学出版社，2012（2017.3 重印）

（聚焦三农：农业与农村经济发展系列研究：典藏版）

ISBN 978-7-03-033134-2

Ⅰ.①城…　Ⅱ.①胡…　Ⅲ.①城乡建设－研究－中国　②农村－土地问题－研究－中国　Ⅳ.①F299.2　②F321.1

中国版本图书馆 CIP 数据核字（2011）第 272571 号

丛书策划：林　剑

责任编辑：林　剑／责任校对：张凤琴
责任印制：钱玉芬／封面设计：王　浩

科 学 出 版 社 出版

北京东黄城根北街 16 号
邮政编码：100717
http://www.sciencep.com

北京京华虎彩印刷有限公司 印刷
科学出版社发行　各地新华书店经销
＊

2012 年 1 月第 一 版　　开本：B5（720×1000）
2012 年 1 月第一次印刷　印张：13
2017 年 3 月印　　刷　　字数：243 000

定价：**88.00** 元
（如有印装质量问题，我社负责调换）

总　序

农业是国民经济中最重要的产业部门，其经济管理问题错综复杂。农业经济管理学科肩负着研究农业经济管理发展规律并寻求解决方略的责任和使命，在众多的学科中具有相对独立而特殊的作用和地位。

华中农业大学农业经济管理学科是国家重点学科，挂靠在华中农业大学经济管理学院和土地管理学院。长期以来，学科点坚持以学科建设为龙头，以人才培养为根本，以科学研究和服务于农业经济发展为己任，紧紧围绕农民、农业和农村发展中出现的重点、热点和难点问题开展理论与实践研究，21世纪以来，先后承担完成国家自然科学基金项目23项，国家哲学社会科学基金项目23项，产出了一大批优秀的研究成果，获得省部级以上优秀科研成果奖励35项，丰富了中国农业经济理论，并为农业和农村经济发展作出了贡献。

近年来，学科点加大了资源整合力度，进一步凝练了学科方向，集中围绕"农业经济理论与政策"、"农产品贸易与营销"、"土地资源与经济"和"农业产业与农村发展"等研究领域开展了系统和深入的研究，尤其是将农业经济理论与农民、农业和农村实际紧密联系，开展跨学科交叉研究。依托挂靠在经济管理学院和土地管理学院的国家现代农业柑橘产业技术体系产业经济功能研究室、国家现代农业油菜产业技术体系产业经济功能研究室、国家现代农业大宗蔬菜产业技术体系产业经济功能研究室和国家现代农业食用菌产业技术体系产业经济功能研究室等四个国家现代农业产业技术体系产业经济功能研究室，形成了较为稳定的产业经济研究团队和研究特色。

为了更好地总结和展示我们在农业经济管理领域的研究成果，出版了这套农业经济管理国家重点学科《农业与农村经济发展系列研究》丛书。丛书当中既包含宏观经济政策分析的研究，也包含产业、企业、市场和区域等微观层面的研究。其中，一部分是国家自然科学基金和国家哲学社会科学基金项目的结题成果，一部分是区域经济或产业经济发展的研究报告，还有一部分是青年学者的理论探索，每一本著作都倾注了作者的心血。

本丛书的出版，一是希望能为本学科的发展奉献一份绵薄之力；二是希望求教于农业经济管理学科同行，以使本学科的研究更加规范；三是对作者辛勤工作的肯定，同时也是对关心和支持本学科发展的各级领导和同行的感谢。

李崇光
2010 年 4 月

序

　　推动城乡快速健康转型是促进城乡社会经济全面、协调和可持续发展，实现现代化的必由之路，已被中国政府列为基本战略之一。2010 年中国城镇化水平达到了 49.68%，已进入快速转型期，但是表现为城乡社会结构转型滞后，乡村人口比重高；城乡产业结构转型滞后，第三产业产值比重低；城乡就业结构转型滞后，农业从业人员比重高，第三产业从业人员较低等城乡非均衡发展的特征，已成为 21 世纪制约中国社会全面、协调和可持续发展的重大结构性矛盾。土地作为重要的生产要素，其非农化成为一种不可回避的社会经济现象，在未来很长时期内对耕地流失造成很大的威胁。

　　经验表明，城乡转型与农地非农化之间是一个互动的过程：一方面，快速的城乡转型不可避免地对农地非农化造成现实的或潜在的压力，另一方面农地非农化导致大量优质农地流失，对城乡转型产生制约。由此可见，如果不能有效协调二者之间的关系，势必影响中国政府的两项政策目标：有序的城乡转型和粮食安全。因此，有效协调二者之间的关系既是理论探讨的需要，也是实际应用的要求。开展城乡转型与农地非农化互动关系的研究，对进一步加快城乡转型的进程，高效管理、控制土地非农化，合理利用土地资源，实现城乡协调发展目标等都具有重要的理论和现实指导意义。

　　作者根据中国城乡非均衡发展的实际，从城乡人口转型、城乡就业转型和城乡产业转型三个角度，应用聚类分析方法、Pearson 相关分析方法、Granger 因果检验方法、普通最小二乘法和两阶段最小二乘法，采用 Excel 软件、SPSS 软件、Eview 计量软件，以及 Mapinfo 成图软件对城乡转型与农地非农化的过程、特征、相互关系、互动机理进行了多方位宏观统计规律和微观机理的研究，最后构建基于成本效益分析和人口/就业分析的土地非农化决策框架，提出协调城乡转型与农地非农化有序发展的相关措施。

该书坚持"过程—关系—机理—协调"的基本研究思路，目的在于揭示城乡转型与农地非农化的作用机制，为协调两者的关系提供理论和实证基础；提出通过加快地方政府公共资本品的供给，变"以地生财"为"以地生人"、"以人生才"的土地非农化决策机制，对有效协调城乡转型与农地非农化的关系具有重要的指导意义。该书经过精心的组织和设计，结构严谨，引用资料详实，论述充分，写作规范。该书可供从事土地管理、经济地理、区域经济、城乡规划等领域的研究人员和实践工作者参考。

华中农业大学土地管理学院院长、博士生导师　张安录
2011 年 11 月

前　　言

城乡转型是 18 世纪以来世界范围内的一种重要的社会经济现象。根据国际经验，目前中国处于快速的城乡转型期，但已突出地表现出：城乡社会结构转型滞后，乡村人口比重高；城乡产业结构转型滞后，第三产业产值比重低；城乡就业结构转型滞后，农业从业人员比重高，第三产业从业人员比重较低。中国城乡的非均衡发展，已经成为 21 世纪制约中国社会全面、协调和可持续发展的重大结构性矛盾。因此，加快中国城市化进程，推进城乡快速转型已经引起各级政府部门的高度关注，很多地区把它作为社会经济发展的基本战略。然而，快速的城乡转型正在对农地非农化造成现实的或潜在的威胁。城乡转型与农地非农化的关系协调已经上升为转型国家的战略问题。开展城乡转型与农地非农化互动关系的研究，对进一步加快城乡转型的进程，合理利用土地资源，实现城乡协调发展目标等都具有重要的理论和现实指导意义。

本书综合运用发展经济学、区域经济学、新经济地理学、城市经济学、土地经济学、统计学和空间统计学、计量经济学、公共政策理论的原理和方法进行研究，采用宏观研究和微观研究相结合、定性研究与定量研究相结合、静态研究与动态研究相结合、规范研究和实证研究相结合等一般性的研究方法。本书共分五章，围绕"过程—关系—机理—协调"分析框架对城乡转型与农地非农化的互动关系进行了尝试性的探讨。

第 1 章　城乡转型与农地非农化的时空过程和特征。在从城乡人口转型、城乡就业结构转型和城乡产业结构转型三个角度界定城乡转型概念、农地非农化概念的基础上，全面系统分析城乡转型与农地非农化的时空过程，归纳城乡转型与农地非农化的五大特征，初步揭示两者之间的关系，为后续研究提供依据。

第 2 章　城乡转型与农地非农化的相互关系。在对城乡转型与农地非农化相互关系研究文献进行综述的基础上，构建了一个包括相关关系、库兹涅茨曲线关系以及因果关系的相互关系研究框架。首先对城乡转型与农地非农化的相关关系以及库兹涅茨曲线关系进行了一般性的考察，然后着重对两者因果关系的研究方法进行了论述，并运用中国时序数据、Panel 数据以及典型地区的数据对城乡转型和农地非农化的因果关系进行系统的研究。从宏观上发现了城乡转型与农地非农化之间的正向相关关系，它们之间的双向因果关系可能存在区域性特征。

第3章　城乡转型与农地非农化的互动机理。将新经济地理理论作为主要的理论基础，首先，在简述这些理论研究进展的基础上，从微观上系统地分析了城乡转型与农地非农化的互动机理；最后，扩展 Carlino - Mills 模型，应用两阶段最小二乘法和普通最小二乘法对中国 232 个地级及以上城市层面的数据进行实证研究。研究结论进一步证实了城乡转型与农地非农化的相互影响、相互作用的关系，城乡转型对农地非农化产生显著的正的影响，其中，城市人口对农地非农化的影响要大于非农就业对农地非农化的影响。反过来，农地非农化对城市人口产生显著的正的影响，但对就业非农化的影响并不显著。

第4章　城乡转型与农地非农化的协调发展。前几章总体的研究结论认为，当前中国城乡转型的程度还很低，城乡转型的结构性偏差严重，还需要大量的土地加快城乡转型的进程，农地非农化是不可避免的，但要与就业的非农化、人口的城市化同步。为协调两者的关系，政府干预十分必要，因为农地非农化归根结底是政府决策行为的结果。但是政府决策行为的目标重点应该是鼓励农地非农化支撑更多的人口、提供更多的就业机会。因此，本章在陈述农地非农化决策研究文献的基础上，从公共政策决策的视角，分析了农地非农化决策的方法——成本效益分析的优势和不足，提出了将其与人口/就业分析相结合的决策方法。在此基础上，提出加快城乡转型，控制农地非农化的六大建议。

第5章　结论与展望。总结和归纳全文的主要研究结论，并对本书存在的不足进行讨论，指出未来的研究展望。

本书在以下几个方面进行了尝试性的创新：构建了城乡转型与农地非农化互动关系的"过程—关系—机理—协调"理论分析框架，将城乡转型与农地非农化结合起来，从宏观和微观层次进行了系统研究；应用 Granger 因果检验方法，利用中国时序数据、Panel 数据，以及处于不同转型阶段的典型地区数据对城乡转型与农地非农化的因果关系进行了检验；提出了将成本效益分析与人口/就业分析相结合的农地非农化公共政策决策方法，为协调城乡转型与农地非农化的关系提供了长效、有力的工具。

受到数据、研究时间和笔者能力的限制，本书还有许多不足，需要进一步展开研究，主要存在以下两点：一是用特定的学科来审视人口、就业和产业三个层面，充分利用遥感影像数据，从理论上和实证上深入揭示城乡转型与农地非农化的作用机理；二是通过考虑外部性和农业部门发展的因素，解释城乡转型与农地非农化的关系对农业经济的影响，为政策制定提供更有价值的依据。

胡伟艳

2011 年 9 月

目　录

导　论

0.1　研究背景、目的与意义

0.1.1　研究背景

自从物质世界产生以来，生物和人类社会就处在不断"进化"或"发展"的演变过程之中，不断由一种状态向另一种状态提升和发展。这种事物从一种运动形式向另一种运动形式转变的过程就是"转型"。城乡转型是18世纪以来世界范围内的一种重要的社会经济现象，包括现有城市的再城市化（或城市现代化）和农村地区的城镇化（或初次城镇化）两个层面。城市化是全球普遍存在的经济社会发展过程，而实现城乡转型是这一过程的必然结果。无论是发达国家还是发展中国家都不可能脱离这一人类社会发展的客观规律。经济史学家金德尔伯格说过：城市化是个世界性现象……一个与世界城市化完全背道而驰的趋势是不可能的（查尔斯·金德尔伯格和布鲁斯·赫里克，1986）。如表0-1所示，无论是发达国家还是发展中国家都经历或正在经历城市化水平的迅速提高，当前发达国家已进入了成熟的城市化时代，人口城市化水平相继超过70%，而发展中国家迎头赶了上来，人口城市化水平快速上升。

表0-1　发达国家、发展中国家和中国人口城市化水平比较

年　份	发达国家/%	发展中国家/%	中国/%
1900	26.1	6.5	—
1925	39.9	9.3	—
1950	52.5	16.7	13
1960	58.7	21.9	16
1970	66.6	25.4	17.4
1975	68.6	27.2	17.4

年　份	发达国家/%	发展中国家/%	中国/%
1980	70.2	29.2	19.6
1990	72.5	33.6	27.4
1999	74.4	—	31.4
2000	77.0	39.3	35.8
2005	78.0	44.0	40.4

资料来源：赵红军，2006

2007 年中国拥有城市 655 个，比改革开放之初的 190 个增加了 465 个。人口城市化水平已达到 44.9%，居住在城市（镇）的人口为 5.94 亿左右，比改革开放之初，即 1978 年的数据分别增加了 27% 和 4.21 亿左右[①]。从绝对数来看，中国的城市化已取得了骄人的成绩，但与世界人口城市化水平（2007 年为 49.5%）相比，其水平仍然较低，仍然滞后于工业化和经济发展水平，落后于与中国经济发展水平相当的其他发展中国家，具体表现为城乡社会结构转型滞后、乡村人口比重高的实际状况。目前，中国已经初步实现工业化，但作为"农民大国"的基本人口格局迄今仍未出现根本改观。联合国关于人口城市化的指标是人均 GDP 为 1000 美元时，城市人口占总人口的比重应达到 62%。1999 年玻利维亚、菲律宾、保加利亚人均 GDP 为 1000～1300 美元时，人口城市化分别达到 62%、58% 和 69%。2003 年，中国人均 GDP 突破 1000 美元，但城镇人口占全国总人口的比重为 40.5%（靳相木和杨学成，2004）。低人口城市化水平是影响和制约中国城乡经济社会持续发展的一个主要原因。当今粗放的经济增长方式、失衡的产业结构、城乡就业压力、环境恶化与资源浪费、"三农"（农业、农村、农民）问题等无不与低人口城市化水平密切相关。

其他结构性转型指标也低于现在的人均 GDP 经济水平应当达到的标准，突出的表现是：城乡产业结构转型滞后，第三产业产值比重低；城乡就业结构转型滞后，农业从业人员比重高，第三产业从业人员比重较低。一般来说，当城市化水平达到 30% 左右时，工业就业人口比重与城市人口比重之间的比例关系如下：发达国家为 2∶3，欠发达国家为 1∶3，而中国仅为 1∶0.8（赵红军，2005）。改革开放以来，中国在人口城镇化快速推进的同时，第一产业的就业比重逐步减少，由 1978 年的 70.5% 减少到 2007 年的 40.8%；第二产业就业比重由 17.3% 上升到 26.8%；第三产业就业比重由 12.2% 稳步上升到 32.4%

---

① 数据来源于《中国统计摘要》（2008 年）。

（表 0-2），符合城乡经济转型的一般规律。但长期以来中国注重人口的空间转换而不是职业转换，导致就业非农化水平尤其是第三产业就业所占比重低。从国际比较看（表 0-2），以 2007 年为例，中国第一产业和第二产业的就业水平接近中等偏中上等收入的国家和地区，而第三产业就业比重（32.4%）仅接近中等偏中下等收入的国家和地区。如果按照世界银行制定的第三产业就业人数阶段性标准（樊安群，2005），人均 GNP 水平 2280 美元对应的第三产业就业标准应该在 37% 左右，而中国第三产业就业比重仅为 32.4%，二者相差 5% 左右。从与各产业占总产值的比重比较来看，中国第一产业就业比重为 40.8%，而非农就业比重偏低。

表 0-2　中国就业非农化的国际比较

国家类别	人均 GNP /美元	各产业占总产值的比重/%			各产业就业占总就业的比重/%		
		I	II	III	I	II	III
低收入国家和地区	430	25	38	35	73	13	15
中下等收入	1 670	13	36	49	54	17	29
中等收入	2 390	11	35	52	44	22	34
上中等收入	4 260	9	37	53	30	28	42
发达国家	24 930	2	32	66	6	38	56
中国（1978 年）	190	28.2	47.9	23.9	70.5	17.3	12.2
中国（1997 年）	734	18.7	49.2	32.1	49.9	13.7	26.4
中国（2007 年）	2 280	11.3	48.6	40.1	40.8	26.8	32.4

资料来源：中国 1978 年和 2007 年数据根据《中国统计年鉴（2008）》计算整理，其余数据来源于樊安群（2005）

中国城乡人口、就业和产业的非均衡发展，已经成为 21 世纪制约中国社会全面、协调和可持续发展的重大结构性问题（季任钧等，2008）。《2008 年世界发展报告》[①] 指出，转型国家脱贫致富的途径包括发展农村非农产业，促进人口农转非。因此，加快中国城市化进程，推进城乡快速转型是促进城乡经济发展、提高国民经济效率、全面实现现代化的必由之路。

随着城乡转型的快速推进，尖锐而复杂的土地问题也日益暴露出来，尤为严峻的是，农地非农化侵占了大量优质农田，耕地数量变化的态势仍然严峻，成为最紧迫的全球性问题之一（Hailu，2002）。在美国，城市扩张占用的农地超过 60% 来源于耕地，流失的耕地中有 90% 是优质良田，优质耕地占土地总转

---

① http：//agec.ruc.edu.cn/personalweb/longwenjin/read.php/427.htm.

移量的35%；在加拿大，流转的土地中57%为适应性强的土地，在其中部的一些城市周围这一比例更高：查萨姆（Chatbam）为98%，多伦多（Toronto）为97%，珍妮（St. Jean）为96%，温索（Windsor）为93%，奥沙瓦（Oshawa）为91%，蒙特利尔（Montreal）为74%，渥太华（Ottawa）为55%，魁北克（Quebec）为37%（Pond and Yeates, 1993）。就中国而言，随着城市化的快速转型，耕地占用数量不断增加，从而耕地总数量不断减少，这使得中国人多地少的矛盾更加突出。如图0-1所示，2007年中国耕地面积为12 173.52万 hm²，比1996年的13 003.92万 hm²减少了830.4万 hm²，年均减少69.2万 hm²。人均耕地面积从1996年的0.106hm²减少到2007年的0.092hm²，不到世界人均耕地的一半，耕地资源的稀缺性日益凸显。

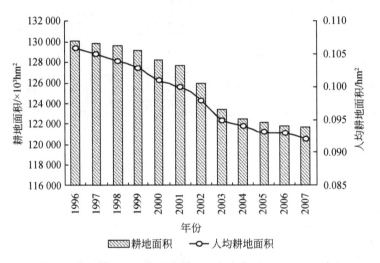

图 0-1　中国耕地面积和人均耕地面积变化（1996～2007 年）

资料来源：根据《中国国土资源年鉴》和《中国统计年鉴》整理计算

耕地面积减少的主要原因包括建设占用、灾害损毁、生态退耕和农业结构调整四个方面。从图0-2可以看出，耕地减少由以农业结构调整的可逆占用为主变为以生态退耕为主，最后到2007年转变为以不可逆的建设占用为主。农业结构调整导致的耕地流失在2000年较多，是耕地占用的主要形式，2000年占用耕地总面积达57.82万 hm²，占耕地减少量的比重为36.9%，但是近两年其占用耕地面积及其在耕地减少量中的比重均呈波动下降趋势，并且由于农业用地结构内部的调整方向是双向的，可以由耕地向其他农用地流转，也可以由其他农地向耕地流转，加上未来粮食安全的考虑，农业结构调整不会成为耕地流失的长期诱因。

1998年以来，国家大力实行退耕还林、还草、还湖等生态建设政策，耕地占用以农业结构调整的可逆占用为主、非农建设和灾毁等不可逆占用为辅转变为以生态退耕为主。生态退耕虽然成为导致农地流失的第一大原因，但调整的耕地数量毕竟是有限的，并且生态成本非常高，从经济社会可持续发展出发，生态退耕势在必行。灾害损毁耕地面积波动比较平稳，并且基本不受人类控制。尽管在2007年，耕地面积减少速度明显趋缓，但是，耕地面积减少幅度下降的一个主要原因是生态退耕和灾害损毁的大幅减少及农业结构调整净减耕地大幅下降。而建设占用的耕地是每年农地非农化中比例较大的部分，1984～1994年，共减少耕地940.4万 hm²，其中建设占用耕地量为233.46万 hm²，占24.8%；建设占用耕地量占年内耕地减少量的比重由1984年的16%上升到1994年的34.68%。1998～2007年，共减少耕地1200.874万 hm²，其中建设占用耕地量177.355万 hm²，占14.77%；建设占用耕地量占年内耕地减少量的比重由1998年的30.89%上升到2007年的79.61%。而且，耕地一旦被开发成建设用地，农业生产的基本要素耕作层土壤不复存在，耕地非农化的不可逆性使其在未来很长时期内成为耕地流失最主要的原因（Du and Chen，2007）。

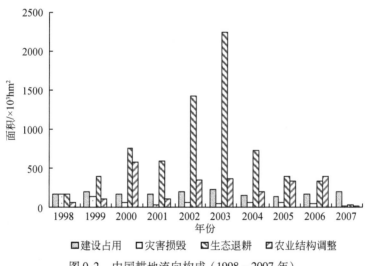

图 0-2　中国耕地流向构成（1998～2007年）

资料来源：《中国国土资源年鉴》（1999～2008年）

　　农地转为城乡建设用地（包括开发区等）不但总量多，而且人均占有量也已大大超标。1996年10月《中国土地资源调查数据集》显示，中国城乡建设用地总量已达21.8×10⁶hm²，位居世界第一；城镇人均占地133 m²，是一般城市国家标准上限的133%，是首都和特区城市国家标准上限的111%，高于世界城市人均实际占地的160%。纽约是美国城市"过度郊区化"最严重的城市，人均占地（包括郊区）112.5 m^2，也比中国城镇人均占地 133 m^2 低很多。农村居民点人均占地 182 m^2，是国家标准上限的 121%。2005 年《全国土地利用变更调查报告》表明，仅"十五"期间城乡建设用地就增加了 $1.6 \times 10^6 hm^2$，5 年中每个国人就多了超过 $10 m^2$ 的城乡建设用地（刘文甲，2006）。谭荣和曲福田（2006）以及彭开丽（2008）通过构建生产函数模型估计土地资源在农业和非农业部门的边际效益曲线，获取最优流转量，然后根据实际流转量减去最优流转量分别计算出全国农地"过度非农化"数量，如表 0-3 所示。刘文甲（2006）认为中国存在农地"过度非农化"已成为不争的事实，但这种现象并没有像以巴西为代表的拉美地区、加勒比地区和非洲一些国家出现的人口"过度城市化"和以美国为代表的某些发达国家出现的城市"过度郊区化"一样被普遍和充分地认识。

表 0-3　中国农地的过度非农化

省 （自治区、市）	过度流转量/hm^2		省 （自治区、市）	过度流转量/hm^2	
	数据 1	数据 2		数据 1	数据 2
北京	31 741	34 698	湖北	67 111	95 396
天津	15 167	17 821	湖南	34 132	56 084
河北	69 948	104 249	广东	66 806	104 093
山西	36 585	60 222	广西	30 508	39 586
内蒙古	30 089	54 377	海南	9 296	18 031
辽宁	57 382	69 092	四川	90 563	105 917
吉林	20 000	40 167	贵州	27 887	34 578
黑龙江	53 860	91 665	云南	35 955	43 976
上海	62 343	79 880	西藏	4 763	3 579
江苏	135 275	226 830	陕西	35 531	49 832
浙江	90 687	154 460	甘肃	17 373	17 042
安徽	81 219	123 499	青海	2 593	3 445
福建	25 475	40 264	宁夏	8 845	12 942
江西	21 021	52 109	新疆	31 781	48 489
山东	147 367	225 836	全国	1 424 434	2 130 970
河南	83 127	122 812			

资料来源：数据 1 来自于谭荣和曲福田（2006）文献；数据 2 来自于彭开丽（2008）文献

　　土地非农化虽然支撑着经济的发展，但快速过度的非农化已经或将带来许多不利的影响（图 0-3），主要有以下几点：

第一，影响国家粮食安全。粮食生产是粮食安全的根本保证，衡量粮食生产状况的基本指标是粮食总产量。粮食总产量取决于播种面积和单产，土地非农化造成耕地面积的大量减少、耕地质量的下降，最终通过作用于播种面积和单产水平而对粮食总产量产生影响，从而对中国粮食安全产生负面影响（李振声，2009）。

第二，影响国家经济安全。土地快

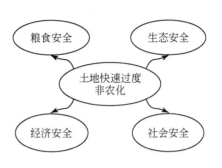

图 0-3　土地快速过度非农化的负面影响

速非农化降低了农业生产能力，从而削弱国民经济发展的基础。部分城市存在大量违法违规用地、破坏浪费耕地、搞低水平重复建设的现象，尤其是开发区存在的大量盲目圈地，影响了整个经济的平稳健康运行。

第三，影响国家社会安全。近年来随着经济的发展，征用农民集体所有土地的现象大量发生。征地过程中往往存在截留、挪用、拖欠征地补偿安置费用的现象，由此产生了不少"种田无地、上班无岗、低保无份"的生活在城镇周围的"三无游民"。农民失去了土地，又得不到合理的补偿安置，生活失去了长远保障，反过来又增加城市的就业压力。根据国务院发展研究中心统计，1987～2001 年，全国至少有 3400 万农民因征地失去或减少了土地，按现在的经济发展速度，2000～2030 年失地和部分失地农民将超过 7800 万人，如果不解决这些人的就业和生活保障问题，对未来社会稳定的威胁将更加严重（曲福田等，2007）。

第四，影响国家生态安全。农用地不仅具有为国民经济发展提供产品、累积资本等经济功能，而且还具有保护植被、涵养水源、净化水体、改良土壤、净化空气、美化环境和提供各种可供可再生的生物资源、保存物种基因等生态功能。土地非农化导致农地的这些生态功能消失，是一种明显的美学损坏，特别是对某些相当脆弱的客体，如环境或生态系统有较大的冲击。

0.1.2　研究目的

加快城市化进程、推动城乡快速转型是必然的战略选择，而面对农地非农化"过度"现象，为确保粮食安全、经济安全、社会安全和生态安全，我们又不得不控制农地非农化，限制农地资源转变为建设用地。郧文聚的一项研究表明，绝大部分城市坐落于中国优质耕地的分布区域①。这说明中国最强劲的城乡转型区域与最需要保护的优质耕地分布区域是重合的，未来中国城镇发展所用土地的绝大多数将来自占用耕地。城乡转型与农地保护似乎成为一对面对面的、不可调和的矛盾。推进城乡转型的进程似乎会加剧农地的非农化，而过度限制农地非农化，会导致农村家庭收入减少，不利于农村的发展，而不加控制的农地非农化则可能加剧农村的贫穷，也不利于城乡转型（Satterthwaite and Tacoli，2003）。

今日之中国是要将更多的农地资源转变为建设用地，来确保城市化的快速推进，还是限制农地资源转变为建设用地来保护人类社会最基本的生命线呢？如何解决当前中国快速推进城乡转型的过程中出现的"土地城市化快于人口城市化，就业城市化快于人口城市化"② 等不完全的城市化现象呢？很显然，就城乡转型论城乡转型，就土地论土地是不可能得到满意的答案的。许多农地非农化问题的解决必须依赖于农地非农化以外的城乡转型的有效管理，而许多城乡转型问题可能在其以外的农地非农化的有效管理中得到解决。

因此，城乡转型与农地非农化互动关系的研究势在必行。城乡转型与农地非农化之间是否存在客观的联系？是否存在互动性？如果存在联系和互动性，那么联系的方式是什么？程度如何？如何协调他们之间的关系以达到"双赢"的局面？针对这些问题形成本书的以下研究目的。

第一，针对中国城乡非均衡发展的实际，从城乡人口转型、城乡就业转型和城乡产业转型三个角度界定城乡转型，描述城乡转型与农地非农化的时空过程和特征，为城乡转型与农地非农化互动关系的研究提供依据。

第二，揭示城乡转型与农地非农化互动关系的宏观统计规律和微观机理，建立互动关系模型，定量分析城乡转型与农地非农化的影响因子。

第三，整合成本效益分析和人口/就业分析，构建农地非农化的理性决策方法，为协调城乡转型与农地非农化的良性互动关系奠定基础。

0.1.3　研究意义

城乡转型与农地非农化互动作用关系是人地关系地域系统研究的重要内容。伴随全球快速的城乡转型，城市化作为一种重要的形式，正在对农地非农化或农地保护造成现实的或潜在的威胁，城乡转型与农地非农化的关系协调已

---

① http://scitech.people.com.cn/GB/7149029.html.

② http://www.ycwb.com.cn/big5/xkb/2007-07/02/content_1534635.com.

经上升为转型国家的战略问题。开展城乡转型与农地非农化的互动关系的研究，对进一步加快城乡转型的进程、合理利用土地资源、实现城乡协调发展目标等都具有重要的理论和现实指导意义。

关于城乡转型的理论大多关注劳动力与资金的转移，而对土地要素的城乡配置很少涉及。例如，在传统的二元经济模型（Todaro，1969；Harris and Todaro，1970）中，城乡两部门的空间结构是给定的，距离和土地质量并不对劳动力的迁移产生影响。Krugman（1991）使 NEG（new economic geograpy）模型得到发展。其后一些学者由于在生产要素方面引入了物质资本、人力资本、知识资本、中间投入品等，而得到了一系列扩展模型。尽管学者们认识到了土地要素的重要性，但中心和外围地区似乎只有"点"的概念，也不存在土地在城乡之间重新配置的问题（Henderson，2004）。因此，城乡转型与农地非农化互动关系的研究对进一步丰富城乡转型理论具有重要的理论意义。

关于农地非农化的理论研究国内外学者有两大学派（胡伟艳和张安录，2007）：其一是以生态学家、环境学家、地理学家为代表的自然学家，基于对资源的保护和生态环境的恢复，利用 RS 和 GIS 技术主要通过建立细胞自动机模拟模型、经验统计评价模型等对农地非农化的格局、演化过程进行研究，即对"地"的研究；其二是以城市经济学家、农业经济学家、城市地理学家为代表的社会科学家，从城市和乡村的发展，以及人口、产业和各项设施等直接或间接与"人"相关的角度对农地非农化的驱动机制进行研究。当前对农地非农化的研究出现了融合的趋势，但最大的障碍是缺乏全面和综合的人地关系相互作用理论（蔡运龙，2001）。我们将城乡转型与农地非农化结合起来进行研究，在一定程度上对丰富人地相互作用理论、推动跨学科综合研究的深入开展具有重要的理论价值。

推动城乡转型已经引起了各级政府部门的高度关注，很多地区把它作为社会经济发展的基本战略。政府在"十五"规划《城镇化发展重点专项规划》中，提出要积极稳妥、因势利导、循序渐进地推进城市化。党的十六大报告提出："农村富余劳动力向非农产业和城镇转移，是工业化和现代化的必然趋势。要逐步提高城镇化水平，坚持大中小城市和小城镇协调发展，走中国特色的城镇化道路。"政府在"十一五"规划中再次强调"要协调推进城镇化与新农村建设，合理把握城镇化的速度，积极稳妥引导农村人口转移"。针对城乡转型过程中农地无序的非农化及其对粮食安全、经济安全、社会安全和生态安全构成的威胁，中国自改革开放尤其是 1985 年以来实施了日渐严厉的耕地保护政策①。这些政策对减缓农地非农化的势头起到了一定的作用，但仍然存在农地非农化过度的现象，由此引发一系列的社会、经济问题。2007 年，国务院总理温家宝作政府工作报告时严正提出"在土地问题上，我们绝不能犯不可改正的历史性错误，遗祸子孙后代。一定要守住全国耕地不少于 18 亿亩②这条红线"。很显然，许多农地非农化问题的解决必须依赖于农地非农化以外的城乡转型的有效管理，而许多城乡转型问题可能在其以外的农地非农化的有效管理中得到解决。因此，对于政策制定者来讲，要扩大政策的关注面以有效利用资源解决农地非农化的问题，而不引起新的城乡转型的问题；反之，解决了城乡转型的问题，而不引起新的农地非农化问题。因此，研究城乡转型与农地非农化的互动关系，对政府制定相关的政策，在未来既稳步推进城乡转型，又能促进农地城市的有序流转和耕地保护，有重要的现实指导意义。

0.2　相关研究文献评述

城乡转型和农地非农化是国内外社会学界、经济学界、地理学界以及环境学界长期关注的问题之一，至今涌现了一大批理论成果。城乡转型的研究包括：转型模式、转型水平、最优城市化水平、城乡转型与经济发展的关系、城乡转型的过程及决定因素。农地非农化的研究包括：不同土地利用类型现在和将来的供需、城乡资源冲突和城市扩张产生的外部性问题、控制农地非农化和保护农地的土地利用政策、土地非农化的过程及其影响因素。我们的研究均属

---

① 1986 年 6 月 25 日通过《中华人民共和国土地管理法》，规定国家实行土地用途管制制度，严格限制农用地转为建设用地，控制建设用地总量，对耕地实行特殊保护；1987 年 4 月 1 日，国务院制定《中华人民共和国耕地占用税暂行条例》；1987 年 6 月 11 日农牧渔业部、国家土地管理局发布《关于在农业结构调整中严格控制占用耕地的联合通知》；1994 年十四届三中全会将"十分珍惜和合理利用每寸土地，切实保护耕地"列为中国一项基本国策；然而 20 世纪 90 年代中期以来，由于 1993～1994 年的《粮食市场危机》、1995 年 Lester Brown《谁来养活中国人》的出版，以及耕地流失的日益严重，引起了中国高层领导对农业用地的快速流失前所未有的关注。1994 年 7 月 4 日国务院发布《基本农田保护条例》；1995 年 1 月 1 日，《中华人民共和国土地管理法》颁布实施；1995 年制定确保粮食供应的政府责任制；1995 年 2 月 17 日，农业部发布《关于立即制止乱占耕地的通知》。1996 年提出《耕地总量动态平衡战略》。1997 年，中央 11 号文件就进一步加强土地管理、切实保护耕地做出重大决策，中央提出要用世界上最严格的措施保护耕地；1997 年 3 月 14 日全国八届人大五次会议通过了《刑法》，增设了破坏耕地罪、非法批地罪和非法转让土地罪。1997 年 4 月 15 日，中共中央、国务院发出《关于进一步加强土地管理切实保护耕地的通知》，决定冻结非农建设用地项目占用耕地一年，并冻结县改市的审批；1998 年新《土地管理法》颁布并于 1999 年实施，保护耕地成为不可侵犯的法律和行动规范；1998 年 12 月 27 日，国务院发布《基本农田保护条例》（1994 年颁布的《基本农田保护条例》同时废止）。从 2000 年开始，中国的耕地保护政策有了一定的松动，各地可以提前使用 2005 年乃至 2010 年以前的耕地占用指标，同时自 2001 年开始，一些省、市、区内部可以进行建设用地占用耕地指标的异地调剂。地方政府受眼前利益的驱动，设立数以千计的开发区，出现很多圈而不用，或用地效率极低等现象，2003 年的数据显示，全国共有各级各类开发区 3837 个，其中经国务院批准的只有 232 个，占 6%；省级批准的 1019 个，占 26.6%；其他 2586 个都是省级以下开发区，占 67.4%。因此，2004 年 4 月国务院暂停农用地转用审批，2004 年 10 月，国务院颁发《国务院关于深化改革严格土地管理的决定》（国发〔2004〕28 号）。

② 1 亩≈666.67m²。

于过程与影响因素类。

0.2.1 国外研究状况

国外学者对两者关系的研究可追溯到19世纪中叶以前，古典经济学的奠基人威廉·配第认识到自然条件对财富的制约，提出了"土地为财富之母，劳动为财富之父"的著名论断。之后，英国著名经济学家托马斯·马尔萨斯、大卫·李嘉图和约翰·缪勒对两者的关系进行了论述，分别提出了"资源绝对稀缺论"、"资源相对稀缺论"和"静态经济"。随着19世纪70年代边际革命的兴起，以英国阿尔弗雷德·马歇尔和阿瑟·庇古为代表的新古典经济学家开始研究在资源稀缺或资源数量既定的条件下，如何实现资源的最佳配置问题，他们认为科技进步可以提高土地等生产要素的生产率，可以减缓规模报酬递减的趋势；相对稀缺的资源通过价格机制进行分配，在较长时间内，不会产生资源的制约作用，这种观点在自20世纪60年代开始的快速的工业化产生资源的快速消耗之前，一直被推崇为经典理论，即浪漫的经济学理论（孙剑平，2002）。这一时期体现了土地要素的重要性不断下降。

0.2.1.1 城乡转型的研究视角

20世纪60年代以来，随着第三世界国家的独立解放所带来的如何加快工业化和城市化的问题，以及西方发达国家人口、资本、技术以最快的速度向大城市及周围地区集聚，大城市出现人口、工业、服务业郊区化倾向，城市边缘新城大量涌现，国外学者构建了许多城市化研究的理论框架（顾朝林，2008）：经典传统方法，即二元结构理论；自上而下的发展理论，即不平衡发展理论、现代化理论、扩散理论；历史主义方法，即累积理论、核心边缘理论；激进主义政治经济学方法，即依附论、社会剩余价值集聚理论、世界体系理论；自下而上范式，即来自底层的发展；后现代主义方法以及新经济地理理论。许多学者对城市化的动力机制进行了大量的理论和实证研究。

在理论研究方面，经济学家奥沙利文（2003）认为推动城乡转型的基本动力包括：①农业劳动生产率水平的提高，一方面可以提供更多的剩余农产品，另一方面可以从农业部门释放出大量的劳动力从事非农经济活动；②工业革命促使机器普遍用于生产，生产中的规模经济效应得以体现，吸引大量劳动力从乡村迁移到工业生产集中之地；③交通技术的改革和发展使得农产品、工业品等各种商品的运输成本大大降低，而且速度加快，促使资源向具有比较优势的区位集中；④建筑方法和建筑材料的革新改变了人类的聚落方式和景观，加速了从乡村向城市的转型。芒德福（2005）强调了农业革命的积极意义、人口的增长、瓦特发明的蒸汽机、新的铁路运输网以及城镇对周边地区人口和劳动力的吸收5个方面的要素对推动城乡转型的作用。Diederiks（1981）在系统研究了西欧自1500年以来的城市化进程后，总结和概括了促进西欧城乡转型的主要驱动力：工业化及由此带来的专业化、劳动力市场的发育以及大量乡村劳动力向城市迁移、交通技术的发展、投资资本形成与城镇基础设施建设、比较强的消费需求、强烈的企业家精神、城镇与区域发展规划。联合国人居中心（1999）认为一个国家的经济发展水平、政府所制定的城镇化政策、农业人口规模以及非农产业发展水平对推动城乡转型尤为重要。利维（2003）认为，全国人口增长、农业机械化水平的提高、工业革命、交通的发展以及与城市发展相关的技术创新5大动力推动美国的城乡转型（胡必亮，2008）。Njegac和Toskic（1999）认为，推动克罗地亚Croatia城乡转型的6个主要因素包括：不利的农业结构（如地块产权的细分）、相对低的农场收入、农民的社会地位低、第二次世界大战以后非农就业的快速发展、年轻人非农就业教育以及城市工业文明的吸引。芒德福（2005）和McGee（2008）特别强调在推动城乡转型的过程中，城乡之间紧密联系的重要性。芒德福（2005）认为，城镇繁华丰富的生活终究还是植根于乡村地区农业的进步。McGee（2008）通过引入全球化理论分析了东亚地区城乡转型的驱动力，认为城乡转型基本上是由城乡联系推动的，这种城乡联系网络包括人口、商品、信息和资本在空间上的自由流动。

在实证研究方面，Firebaugh（1979）建立了以下城市化模型，$U = f(E, R, HG)$，U是城市化水平（城市人口比率），E是经济发展水平（人均能源消耗量与人均电话数量的加权指数），R是农村地区的状况（农业密度，即单位耕地的农村劳动力数），HG是各样本的历史和地理因素（用过去的城市化水平表示）。研究结果表明，在1950~1970年亚洲和拉丁美洲欠发达国家，经济发展对城市化的影响最大，农业密度、过去的城市化水平也对城市化有较为显著的正向效应，这些变量可以解释城市化水平变动的大约3/4。Moomaw和Shatter（1996）认为，一个国家城市人口的比重随人均CDP、工业化程度、出口导向的增加而增加，一国农业份额越大，城市人口越少。Davis和Henderson（2003）利用世界各国1960~1995年的面板数据建立了城市化的实证模型，被解释变量是各国城市人口，解释变量包括总人口、人均收入、GDP中农业所占份额、GDP中制造业与服务业的比值、土地面积、贸易开放度等。实证结果表明，一国总人口、人均收入、制造业与服务业产值的比率提高，则城市人口增加，农业产值比重越大、土地面积越大，则一国城市人口越少。Poudyal

等（2007）对美国1990~2000年城市退休人员增长的决定因素的研究表明城市宜人环境的重要性。他认为招商引资或税收政策等传统的经济发展战略由于对生态环境和生活质量产生负面影响已受到广泛的批评，并且指出，地方政府应该限制使用这些工具发展地方经济，通过公共资本品的提供、基础设施的完善吸引人口，发展地方经济。

上述城市化研究的理论框架在早期均不考虑土地要素的影响，体现了经济学家对土地问题认识的深化（丰雷等，2008）。随着农业社会被工业社会所取代，工业化的大生产成为经济的主导方式，对土地特性做出以下假设符合实际：一是土地与资本、劳动可以相互替代，土地可视为资本的一种；二是技术进步可以抵消土地总量供给不变对经济增长的制约作用；三是为了经济分析和处理的简便。如果将土地看做劳动和资本以外的生产要素，会使原已十分复杂的完全竞争理论、垄断竞争理论和收入分配理论更加复杂，却又不能增加我们对经济的理解，既然如此，将土地视为一种资本而不是单独分析就是一种好的处理方式。

然而随着城市化进程的推进，为了满足城市迁移人口的需要，越来越多的土地用于生产产品和提供服务，越来越多的土地用于居住（Lu and Sasaki，2008），忽略土地特性的假设是不行的。很多时候土地的以下经济特性居于主导地位：一是土地也许并不总是那么容易被替代；二是土地区位因素的差异；三是土地的空间和时间特性所导致的制度约束和市场结构的差异等。这些特性都会对土地资源的配置效率产生重要影响（丰雷等，2008）。

在后来的研究中，许多学者将土地要素融入上述城市化理论框架中研究土地价格、土地利用结构等对城市化的作用机制（Bruecnker and Zenou，1999；Brueckner and Kim，2001）。基本结论为随着城市化水平的提高，城市人口的增加导致土地租金的上涨，带来城市生活成本的增加，从而影响城市人口迁移的过程。Brueckner和Kim（2001）指出，30多年来许多文献丰富、扩展了发展中国家基本的城市化Harris-Todaro模型，尤其是对土地要素的考虑，使该模型的应用更适用（adaptability）、持久（durability）。

20世纪90年代以来的"新经济地理学"是城市化研究的重要理论基础。该理论认为，城市化是集聚力和扩散力相互作用的结果。但是，早期的模型是不考虑土地要素的，如Krugman（1991）假设空间是由工人数目内生决定，即城市土地是无限的。后来的许多追随者将空间异质性、土地要素以及城市内部结构交通成本扩展、整合到克鲁格曼CP模型（Fujita and Mori，1998；Suedekum，2006；Alonso-Villa，2002；Lu and Sasaki，2008；Steven et al.，2001）。研究结论认为经济活动的空间集聚提高了非贸易品（如土地）的价格，土地价格这种分散力的存在，使得研究结果并不像 Krugman（1991）提出的模型所描述得那么极端。

0.2.1.2　农地非农化的研究视角

随着城市化的推进，人们越来越发现城市化过程中的许多负面因素，如城市土地资源的浪费、农业用地的流失等。国外学者对农地非农化的研究总体上可归纳为两大学派、四类模型：两大学派是指以生态学家、环境学家、地理学家为代表的自然科学家对"地"的研究和以城市经济学家、农业经济学家为代表的社会科学家对"人"的研究；四类模型包括空间非经济模型、经济非空间模型、空间经济模型、空间经济结构模型（Irwin and Geoghegan，2001）。空间非经济模型是考虑空间因素、没有考虑人类行为本身的模型；经济非空间模型是考虑人类行为本身、没有考虑空间的模型；空间经济模型既考虑空间因素，又考虑人类行为本身；空间经济结构模型是在空间经济模型的基础上，又考虑空间相互作用以及变量的内生性等问题。研究文献总体上体现了"人-地"的融合研究态势。

（1）空间非经济模型

以生态学家、环境学家、地理学家为代表的自然科学家应用 RS 技术和 GIS 技术构建空间模型，对农地非农化的格局、演化过程进行研究，观察的对象是"地"，包括单元像素（individual pixel）和地块景观，构建的模型可分为模拟模型、经验统计评价模型以及综合模型。

1）模拟模型。模拟模型主要指元胞自动机模拟模型（cellular automata，CA）。元胞自动机模拟模型被用来研究自组织系统的演变过程。一个 CA 系统通常包括 4 个要素：元胞（cells）、状态（states）、邻域范围（neighbors）和转换规则（rules）。元胞是 CA 的最小单位，状态则是元胞的主要属性。根据转换规则，元胞可以从一个状态转换为另外一个状态，转换规则是基于邻域函数来实现的。元胞自动机是一种时间、空间和状态均离散，空间的相互作用及时间上的因果关系皆局部的格子动力学模型。其自下而上的研究思路，强大的复杂计算功能，固有的平衡计算能力、高度动态以及具有空间概念等特征，使得它在模拟空间复杂系统的时空演变方面具有很强的能力，目前被广泛应用于城市增长、扩张以及土地利用演化方面的模拟（柯长青和欧阳晓莹，2006）。但是，CA 模型在 LUCC 研究方面也存在不足：第一，转换规则是在假定元胞空间相互关系的基础上根据元胞单元特性与邻域单元状态人为制定的；第二，模型中用人为制定的转换规则替代人类决策，忽略了人类行为的影响；第三，不能区分可能产生相同发展模式的外生变量变化的影响，不利于规划和政策的制定。

2）经验统计评价模型。经验统计评价模型研究文献较多（Irwin and Geoghegan，2001），主要采用多元统计分析对 LUCC 过程进行量化评价，分析每个外在因子对 LUCC 的贡献率，从而找出 LUCC 的外在原因。研究表明，经验统计评价模型方法有助于从复杂的土地利用系统中分离出主要的驱动因子，并确定 LUCC 与驱动因子的定量关系。经验统计评价模型简化问题，易抓住复杂系统中的主要矛盾，容易被应用，因此研究文献较多（甘红等，2004）。但是该模型不是建立在因果关系的基础上，是道路的修建引起人口的增加，继而导致土地用途的转换，如农地转换为住宅用地，还是农地转换为住宅用地后才有道路的修建呢？是制度遏制了城市的扩张，还是城市的扩张导致了制度的建立？它们之间的因果关系都不是一定的，而传统的回归模型对这些关系的描述能力很有限。

3）综合模型。综合模型结合模拟模型和经验统计评价模型预测外生变量（exogenous）的变化对土地利用变化的影响。早期建立的模型是基于简单的栅格的 Markov 模型，通过建立转换矩阵，根据某时间段土地利用变化率预测未来的变化。然而土地利用变化不仅与时间有关，还与许多其他解释变量有关。在后来的研究中，建立了包含经济、人口等的解释变量，并且结合 CA 模型用于土地利用空间变化的预测。近年来，一些自然科学家建立 LUCAS 模型和 CLUE 模型，揭示了坡度、土壤、海拔、地貌、位置等自然因素和人口、国民生产总值等社会经济因素对不同类型土地利用变化的影响，并利用评价模型，根据不同情形对土地利用变化的影响进行了模拟。例如，利用 LUCAS 模型模拟伐木（logging）或道路建设对土地利用变化的影响；利用 CLUE 模型模拟城市化，自然公园的消失、扩张，土壤侵蚀，农作物减产，火山爆发等的影响（Irwin and Geoghegan，2001）。

在许多案例研究中，空间非经济模型能够很好地解释土地利用变化的空间过程和结果，但还存在以下问题：第一，忽略了人类行为本身对土地利用变化的影响。模型中的解释变量虽然包含了土壤、坡度、海拔、距离城市中心的距离以及人口、国内生产总值等直接或间接反映经济效果的变量。但是，这些因素表征的是人类行为的结果，而不是人类行为本身。第二，选择变量仅从个人偏好出发，而不是源于试图丰富地解释经济过程。Elena G. Irwin 和 Jacqueline Geoghegan 指出影响土地利用变化的因素还应包括土地经营者的特征如家庭规模、非农收入（offfarm）教育水平、健康状况以及承受风险的能力等。第三，从经济学角度构建模型，观察的单元是个人决策者而不是地物，而空间非经济模型观察的单元要么是单元像素（individual pixel），要么是地块景观单元的总量数据。

（2）经济非空间模型

自然科学家在 LUCC 过程及影响因素的研究中主要考虑的是自然因素，尽管在后来的研究中考虑了社会经济因素，由于没有考虑人类行为本身，对社会经济因素的选择主观性较大。土地利用变化是在一定的环境、经济和社会约束条件下人类选择的结果，因此，研究中应该融合人类行为。以城市经济学家、农业经济学家、城市地理学家为代表的社会科学家，从城市和乡村的发展，以及人口、产业和各项设施等直接或间接与"人"相关的角度，通过建立经济模型对农地非农化的经济过程进行研究，观察的对象是个人决策者，包括个人、企业和政府。经济非空间模型分为两类：微观经济模型和区域经济模型。

1）微观经济模型。微观经济模型包括冯·屠能的土地租金模型以及在此基础上扩展的被广泛应用的阿郎索投标租金模型（bid-rent model）。阿郎索提出的投标租金模型（bid-rentmodel）或单一中心模型（monocentric model）是传统的研究土地利用变化的经济模型，是在冯·屠能的土地租金模型基础上的进一步拓展，其假设条件为：第一，城市只有一个交易点，所有的农产品交易都在该点完成，交易场所是外生的。第二，所有土地都是同质的，不存在土地本身质量的差异。第三，距离城市中心的距离是土地利用变化的决定因素。他认为，单个土地所有者在可达性（交通费用）和土地租金两者中进行权衡选择，距离城市中心的距离是土地利用变化的决定因素。有许多研究农地非农化影响因素的文献均基于这两个理论（Muth，1961；Tweeten，1998；Kline et al.，1999；Hardie et al.，2000；Kuminoff，2001；Cruz，2001；Reynolds，2001；Ahn，2002）。

近来，新经济地理理论建立了许多城市经济模型，将城市空间结构的形成视为内生过程，认为城市空间结构是经济活动主体、权力机构在空间上相互作用的配置结果，并且根据相互关系的类型和程度，得出单一中心、多中心或完全分散的土地利用模式。该类模型在解释集聚（agglomerations）现象和城市空间结构方面，比传统的投标租金模型更有力。

2）区域经济模型。区域经济模型是用于解释人口和经济活动在区域内流动的区域经济模型，如扩散模型、引力模型和网络模型（Wegener，1994）等。区域经济模型把城市视为许多有限的离散区域，每个区域有许多个人和厂商，区域与区域之间由交通线连接。个人和厂商根据距离和区位偏好在区域之间流动达到均衡，这类模型用于交通规划和区域规划。在研究城市化对农地非农化的影响研究文献中，利用上面的模型来反映城市化指标。然而，也有学者认为，用距离和人口规模来反映城市化没有全面考虑城市化对农地非农化的影响，并提出"城乡互动"（urban-rural interface）的概念，将其用于城市化与土地利用变化的研究。

（3）空间经济模型

尽管经济非空间模型对解释土地利用变化及其过程非常有用，但在空间问题的处理上过于简单，如假设土地是同质的，忽略了土地的异质性特征，因此无法解释空间过程。另外，也有人对模型"理性人"的假定提出批评，因为人类行为不一定理性，他们仅考虑经济收益的最大化，没有考虑个人偏好和价值判断的不同。鉴于此，近来环境经济学家通过整合 Hedonic 理论来处理土地的异质性，建立了基于空间框架下土地所有者的经济决策模型（Chomitz and Gray，1996；Landis，1997；Landis and Zhang，1998）。在后来的研究中对个人异质性和决策环境的不确定性问题进行了完善和发展。例如，Li（1996）利用离散选择模型揭示了印度 Lafayette 西部的城乡结合部的农地城市用途转换过程以及不同的土地利用规制战略对城市化模式的影响。Cho（2002）利用选择价值方法构建了不确定条件下的土地利用变化决策的离散选择模型，揭示了美国西部五大洲土地利用规制、不确定性收益和其他社会经济空间因素对农地城市用途转换的影响，并进一步研究了对土地用途规制强度的影响。Bockstael 提出两阶段方法，建立了基于单个土地所有者住宅用地转换的空间经济模型，预测研究区域内每一个单元开发的可能性，揭示了 Patuxent 流域 LUCC、空间动态变化及其对社会经济的影响。

（4）空间经济结构模型

空间非经济模型能够很好地解释土地利用变化的空间过程和结果，但不能解释人类行为对土地利用变化的空间过程和结果的影响。虽然有些模型包含了反映经济效果的解释变量，但这些因素表征的是人类行为的结果，而不是人类行为本身。经济非空间模型有严格的经济理论支撑，但对空间处理太粗糙而没有考虑地块的异质性问题。空间经济模型将经济理论与土地利用变化的空间相结合，但不能解释和预测土地利用变化空间模式的变化，没有考虑其他变量如何长期影响土地用途的转换。另外，对于 LUCC 研究中的内生性问题、空间相互关系问题的处理也是很重要的。为克服上述问题，建立土地利用变化的空间经济结构模型，根据单个个人的土地利用决策来描述土地利用空间模式的变化是必要的（Irwin and Geoghegan，2001）。

土地利用变化的空间经济结构模型通过直接模拟人类行为，能够清楚地解释与经济活动主体共同作用的土地利用变化的时空动态过程，更清楚地陈述内生性问题，考虑了空间相互作用，有利于进行政策模拟和从事计量经济问题研究。例如，Irwin 和 Bockstael 建立了空间经济结构模型来预测 1990～1997 年城市化区域土地利用变化的模式。研究结论认为，考虑空间相互作用的模拟模型与没有考虑空间相互作用的模拟模型相比，前者的模拟结果更接近于实际的开发模式。近年来，许多学者用研究人口和就业变化的区域增长模型尤其是结构模型的技巧来研究农地非农化的影响因素（Hailu，2002；Hailu and Rosenberger，2004；Hailu and Brown，2005；Nzaku and Bukenya，2005；Mojica and Bukenya，2006）。

建立空间经济结构模型对提高 LUCC 的解释能力非常重要。但是，任何使用空间数据的模型存在如何创造性地使用数据和如何正确地使用数据两个问题。前者指从模型的空间数据中构造变量，后者指空间经济计量问题。创造性地使用数据，使空间数据能够被用于模型并更好地预测空间过程。例如，在许多传统的 LUCC 模型中，空间通常简化到研究区域与城市中心市场距离的单一尺度的度量，但是土地价值和土地使用的决策没有受到市场通达性的限制。某块土地的利用方式和周边的景观格局很可能对它的价值和使用有重要的影响，比如，周围工业土地利用对住宅土地利用有负面的影响，对邻近公园则有正面的影响。

Geoghegan 等（1997）在对 Patuxent Watershed 的研究中，借助景观生态学理论创造性地使用了土地利用破碎度的指标，以测量其对住宅用地价格的影响，并且通过经验统计上的显著检验，创造性地使用数据使土地价格模型得到了进一步的完善与发展。正确地使用数据涉及计量经济学的空间相互关系问题。数据测量错误或变量的遗漏，可导致空间的错误。分析一个实质上基于位置的问题而忽略观测位置的相互作用的可能性，与不知道观测资料的年代顺序而分析一个时间序列问题相类似。所有在时间序列分析中遇到的计量经济问题如自相关、时间动态、结构变化与空间分析都是相似的。因此，在空间数据相互关系的处理中，采用标准的计量经济工具将会出现不一致或无效的估计，从而得出关于假设检验的错误结论。

自 LUCC 项目开展以来，国际学术界对 LUCC 的认识有了显著提高。由于 LUCC 的表现极其复杂，其动因与广泛的人类活动及其自然变化相关，其结果将影响全人类的生存和发展，其研究涉及从自然科学到社会科学的众多学科。因此，不能再简单地沿袭传统土地利用研究的思路和方法，必须不断提出新的研究论题，寻求新的综合研究途径。国外学者对农地非农化的研究体现了一种融合的趋势，包括数据的融合、方法的融合和理论的融合。数据的融合主要包括遥感影像数据、土地利用数据和社会经济统计数据的融合；方法的融合包括数学方法、计算机技术（RS、GIS 技术方法）以及计量经济学尤其是空间计量经济学的融合；理论的融合包括经济学、社会学、环境学、地理学等的融合。

0.2.2　国内研究状况

0.2.2.1　城乡转型的研究视角

20 世纪 70 年代，尤其是改革开放以来，南京大学吴友仁先生于 1979 年发表《关于中国社会主义城市化问题》的论文后，中国城市地理学界和城市规划学界开始将中国城市化纳入重要研究领域。随后，中国城市化研究成为众多学科学者共同关注的科学问题。至今，研究成果林林总总、纷繁复杂，归纳起来，目前中国城市化的研究大致集中于以下几类：一是城市化的发展模式；二是城市化水平是否低于或高于最优城市化水平的问题；三是城乡人口迁移的动机；四是城市化的内在动因及决定因素。

城市化动力机制的研究是城市化研究的核心。长期以来，经济学家、社会学家、人口学家对这一问题的研究没有停歇过。发展经济学家早就注意到，在一般的城市化过程中，城市的吸引力和乡村的排斥力，或称"推力"和"拉力"是构成城市化持续推进的动力机制（冯云廷，2005）。但是，这两种基本力源的具体问题有：乡村的"推力"有哪些类型；是如何作用的；各类城镇的"拉力"有哪些；它们的作用原理是什么。以往的研究大多把"拉力"、"推力"和具体的作用力割裂开来，因此我们既不知道农民是受哪些因素影响而被推入城市中去的，也不清楚农民到城市中去是受什么吸引。

20 世纪 80 年代初期，中国学者对城市化的动力进行了初步探讨（冯雨峰，1983；马清裕，1983），指明了中国存在两种基本类型的城市化：其一是自上而下的城市化，主要是城市的"拉力"在起作用；其二是自下而上的城市化，是农村的"推力"和小城镇的"拉力"共同作用的结果。与上面笼统的表述不同的是，"若干经济较发达地区城市化道路"课题组于 1983 年首次明确地概括了中国城市化的五个动力：国家有计划投资、大中城市自身发展与扩散、乡村工业化、外资引进的刺激和地方经济的发展。其中，外资引进的"刺激"可以看做除"拉力"和"推力"之外的第三种力量，即世界市场体系对中国城市化的作用力。除此之外，"国家有计划投资"和"大中城市自身发展与扩散"显然是由于城市的"拉力"，而"乡村工业化"、"地区经济的发展"则可以看做农村的"推力"和城镇的"拉力"的共同作用（何念如，2006）。

刘红星（1987）在对温州地区城镇化研究的过程中，提出城镇化的动力主要来自家庭企业和专业市场，而人口众多、耕地奇缺则加速农业人口的转化。

张安录（2000）认为，城乡转型的驱动力包括自上而下的扩散力、自下而上的集聚力、外资注入以及自然生态驱动力。其中自上而下的扩散力包括国家投资兴建新城或扩建旧城以实现城乡转型的推动力；开发区的发展带动力促进经济发展，形成经济增长点，促使城乡之间联系增强，城乡之间作用加剧、中心城区辐射与扩散作用力所形成的郊区化过程和城郊企业联动力。自下而上的集聚力包括城市附近农村的经济改革、农村经济发展、农村工业化和乡村城市化的推动力，文化、生活、收入差异形成的城市拉力，四周乡村城市型发展规划的亲和力。许学强等（1998）认为，政策制度是城乡转型的关键，农村工业化是其主要动力，而人的思想观念、基础设施建设及区位环境改善是实现城乡转型的重要条件。宁越敏（1998）和李迅等（2000）认为，政府、个人和企业是沿海地区城乡转型的动力机制。崔功豪和马润潮（1999）也强调了政策、资金、社区政府的作用，认为农民主体的行为、外来力量的作用等成为城乡转型的动力机制。段杰（1999）认为产业结构的转换力、科技进步的推动力、国家政策的调控力、城乡间的相互作用力是城乡转型的重要动力。母爱英等（2006）认为，沿海地区实现城乡转型是各种动力因素相互作用的结果，主要包括创新的管理制度、乡村工业化的迅速发展、较成熟的市场经济格局及农业发展和农村剩余劳动力的转化等方面。

另一类文献从产业发展的角度研究城市化动力机制，并认为城市化动力机制具有阶段性特征。赵新平和周一星（2002）认为，城市化的根本动力在城市化初期主要来自农业的发展和工业化，在中后期则主要来自城市服务业的发展与新兴产业的创新。严国芬（1988）利用灰色系统理论中的关联度分析方法来研究动力机制的阶段性差异和区域性差异，研究结果表明城市化的动力机制存在阶段性差异：1952～1978 年，中国城市化进程缓慢，很大程度上是受农业生产的影响，第二、第三产业是城市化的次要因素，农村的"推力"大于城市的"拉力"；而 1978～1984 年工业现代化以及由此带动的农业现代化则成为推动城市化的重要力量，城市的"拉力"等同甚至略微超过了农村的"推力"，而在这两个阶段，以第三产业为主体的"拉力"还没有对中国的城市化产生作用。从地区的分析看，发达地区的城市化已经开始受到第三产业的影响，先于全国其他地区进入了较高层次的城市化阶段，不发达的地区的城市化还是较多受到第一产业的束缚（何念如，2006）。

曹培慎和袁海（2007）提出了一个包含制度因素的城市化动力机制分析框架，将推动城市化进程的动力因素归结为初始动力、二级动力、后续动力与政策制度调控力，利用灰色关联方法分析了 1980～1995 年和 1996～2004 年两个时期各动力因素对城市化进程的影响。研究结论认为第三产业发展所形成的后续动力成为推动中国城市化的最主要动力因素。

张涛等（2007）利用中国1994~2004年654个城市的面板数据，对中国城市非农人口的增长与城市的总人口、经济发展水平、平均工资、土地价格变动以及制造业的关系进行了实证分析，研究发现城市总人口、人均产出和工资水平显著地促进城市化，但制造业、土地价格对城市化的影响则不明显。他指出，中国城市化应着力促进大城市第三产业和中小城市劳动密集型产业的发展。

Zhang和Song（2003）利用1978~1999年的时间序列数据和1998年的横截面数据分析了中国农村人口向城市转移的问题，提出1978~1999年农村人口向城市的转移是中国城市人口增加的主要来源（占75%），而农村人口转移的原因是经济增长，农村与城市收入的差距是造成农村人口向城市移动的重要原因，地理位置的远近对人口的跨省转移有影响。

人均国内生产总值和外商直接投资等反映城市劳动生产率的指标是影响中国城市人口增长的主要因素，而诸如房价、房租、政府财政支出等反映生活质量的因素则显得微不足道。另外，城市化速度在第二产业发达的城市反而较慢，城市人口增长的收敛性在全国范围内很显著，而在各个地区则不然（陈爱民和陈甫军，2002）。

另一项基于浙江省农户意愿的调查研究则表明，在经济发达的地区，现行农地制度、城市较高的就业风险和消费水平是阻碍劳动力向城市迁移的主要因素，而吸引他们进城的主要因素是城市良好的文教医疗条件、较高的收入和比较健全的城镇居民社会保障制度（陈欣欣和黄祖辉，2003）。

朱农和曾昭俊（2004）从城市发展的基本理论出发，利用计量经济学模型，分析了中国20世纪90年代城市人口增长的决定因素。实证分析的结果表明：①中国城市的发展具有趋同性，即城市规模越大，人口增长率越低；②迁移的惯性对城市人口增长起促进作用；③对外开放能显著促进城市的发展，在经济还处于相对封闭状态的内陆地区，其作用尤为显著；④基础设施条件能显著影响城市人口增长的节奏。

自1988年国家对土地制度进行改革以后，关于土地要素对城市化作用的研究逐渐增多，这进一步完善了城市化影响因素和动力机制的研究。根据文献资料，陈远新（1988）是最早从理论上研究城市化与土地利用变化关系的，他指出，城市化以城市集聚效益为特征，而提高土地效率是城市集聚效益的前提；在城市化过程中，土地更展示出其重要性，如何安排、规划与使用城市土地提高土地效率直接影响城市化水平和速度。近年来，城市化快速发展与资源供需日益短缺，中国人均资源禀赋远远低于世界平均水平，由此引发了学术界对中国城市化快速发展的担忧。

金东海和秦文利（2004）、陈波翀和郝寿义（2005）以及李少星和颜培霞（2007）就自然资源对城市化的作用机理进行了研究，研究结论为自然资源是中国城市化快速发展的约束。

姚洋（2004）通过构建一个动态的一般均衡模型讨论了土地禀赋对经济长期增长的影响，他指出在大国经济里，如果人口增长符合马尔萨斯原理，且工业存在规模经济效应，则较高的人地比例（人均土地资源较低）会导致土地投资的回报高于工业投资的回报，从而使中国进入高农业技术、低工业增长的经济发展路径。

史晋川（2005）在总结浙江经济发展模式中指出，在短期内农业生产技术无法有较大改进时，人均土地资源的匮乏会导致劳动力的边际农业产出率下降，而在非农产业具有更高的劳动回报率的条件下，大量追求自身利益最大化的农民会迅速向加工制造业和服务业等非农产业转移。

史晋川和钱陈（2005）在构建一个含有土地要素的城乡两部门的一般均衡模型，分析发现当技术条件和偏好不变时，土地稀缺程度将对中国的工业化和城市化水平产生重要的影响，他利用 1999 ~ 2002 年中国 262 个地级及以上城市的面板数据进行了经验分析，基本证实了这一结论。

0.2.2.2　农地非农化的研究视角

国内学者对农地非农化的研究较晚，在国际地圈 - 生物圈计划和全球环境变化中的人文领域计划于 1995 年联合提出以后，才真正开始土地利用变化过程与机理的研究，之前是为土地调查服务，十几年的时间出现了一大批研究成果。国内学者认为农地非农化的基本驱动因素是人口增加、城市化、经济发展、农业用地的比较利益等，而在转型期间，政府行为对耕地非农化规模和速度具有重要的作用。农业用地的比较利益低是耕地非农化最根本的原因，农业利用的低经济效益和城市土地价格的高涨产生了农业的"推力"和城市的"拉力"作用，在市场经济体制下，随着比较效益较低的耕地向效益较高的其他用地转换，耕地将进一步丧失。

农地非农化的驱动因素既包括非农产业的发展，也包括农业的发展。杨国良和彭鹏（1996）认为，农业发展是土地非农化的前提，农业发展为非农产业提供了农业剩余。土地非农化实际上是农业食物剩余的一种转移，经济的增长决定了土地非农化的速度。中国耕地非农化与经济发展和城市化高度相关，大量劳动力的非农化，对城市容量、交通运输及各种生产服务设施带来了巨大压力。鲁明中等（1996）的计量研究表明每增加 1 亿元的国民生产总值，需占用耕地 29.33hm²，每吸纳 1 万人的非农劳动力，需占用耕地 74.27hm²。黄宁生（1999）研究了广东耕地面积与经济发展、人口增加的关系，认为广东耕地面积减少的主要宏观驱动因子是经济增长，而人口的变化对耕地减少的作用不明显。叶嘉安和黎夏（1999）利用遥感数据对东莞市城镇用地的实证研究表明，城镇用地的扩张与人口及工业产值存在明显的相关关系，其中人口的因素对用地量需求所起的作用比工业产值的作用大。龙花楼和李秀彬（2001）根据 GTR 模型研究了长江沿线样带的土地利用结构变化，研究结果表明建设用地的扩张与最近的中心城市人口、当地的城市化水平、人均农业总产值呈正相关关系，与坡度和海拔呈负相关关系。谈明洪等（2003）对中国近 15 年城市用地扩张态势以及人口、经济增长和城市环境改善等驱动力进行了分析，单因子回归分析表明城市用地扩张与城市人口和 GDP 皆呈高度正相关关系。相对于经济发展的要素，制度上的因素是农地过度非农化的主要诱因。以土地产权主体缺位、土地征用权滥用为特征的基本制度缺陷和以中央和地方政府在土地资源配置上的非合作博弈为特征的政府治理缺陷，是土地资源配置效率低下的主要成因。张宏斌和贾生化（2001）的研究认为地方政府、村干部和农民都有动力促进土地非农化进程。

对于驱动机制的研究，上述文献仅关注其中的一个部分，研究工作大多是孤立的、分散的，缺乏可比性和系统性，没有建立完整的分析框架。张安录（1999）较为全面系统地分析了农地城市流转的驱动机制，他认为农地城市流转是在内在自发流转机制和外在人为激化或加速机制的作用下，由农村向城市以有序或混沌、加速或渐进、行政变异或产权更替、资源享有或土地投机等方式发生流转。内在自发机制包括城市的离心力机制、乡村的梯度克服和向心力机制、环境竞争机制、区位替代机制；人为加速机制包括利益驱动机制、价格激化机制、制度诱导机制和投机分割机制等。然而，这些研究大多停留在定性研究或者假说阶段，缺乏翔实的实证研究来支撑判断。

曲福田等（2007）认为农地非农化的驱动机制是指推动和约束土地非农化的各种经济力量的总称，他们在构建包括供给影响、需求影响因素和制度影响因素的驱动力机制分析框架的基础上利用 1995～1996 年和 1999～2001 年全国 30 个省、直辖市、自治区的截面时间混合数据进行了回归分析。研究表明，人口对土地非农化的影响最大，人口每增加 1 万，耕地非农化面积将增加 0.6hm² 左右。固定资产投资、资源禀赋、地方政府的土地收益、农地管制与土地非农化之间存在着高度正相关关系。而土地市场化配置与土地非农化之间存在负相关关系。

中国幅员辽阔，不同尺度土地非农化驱动因子具有较大的差异，目前仍缺少一系列不同尺度的综合研究和比较研究。闵捷等（2008）认为农地城市流转的驱动因子在不同的研究尺度可能发生的作用不同，他们从农地非农化社会经济因子出发，应用1999～2004年省级数据分析不同时空尺度下农地非农化的驱动机制，研究结论表明GDP、固定资产投资和人口增长一直是影响农地非农化的主要因素，但随着时间的推移，各影响因素的推动作用会不同，东部地区固定资产投资和GDP的影响最明显；西部地区产业结构升级和固定资产投资的影响最明显；西部地区GDP和总人口增长的影响最明显。另外，王磊等（2008）则从地理因子的角度，利用RS和GIS技术对1985～2000年京津冀都市圈耕地非农化的影响因素进行了研究，研究表明低海拔的平整农田是非农化最集中的区域，耕地非农化的空间变化与城市等级、道路等级密切相关。

0.2.3　研究文献述评

从城乡转型的研究态势来看，一直以来，国外学者构建的城乡转型理论如二元结构理论、核心边缘理论、新经济地理理论等均为浪漫的经济学理论，这些理论只关注劳动力和资金的城乡转移和流动，很少涉及土地要素的城乡配置。随着城乡快速转型的推进，为了满足城乡人口迁移的需要，越来越多的土地用于生产产品和提供服务，越来越多的土地转换为居住用地，理论研究必须考虑土地有限的特征。近来的诸多相关理论研究以及实证研究体现了城乡转型与农地非农化结合的研究趋势。

对农地非农化的研究呈现两大学派：一是以生态学家、环境学家、地理学家为代表的自然学家，基于对资源保护和生态环境的恢复，利用RS技术和GIS技术主要建立细胞自动机模拟模型、经验统计评价模型等对农地非农化的格局、演化过程进行研究，即对"地"的研究；二是以城市经济学家、农业经济学家、城市地理学家为代表的社会科学家，从城市和乡村的发展，以及人口、产业和各项设施等直接或间接与"人"相关的角度对农地非农化的驱动机制进行研究。当前对农地非农化的研究出现了融合的趋势，但仍然缺乏全面和综合的人地关系相互作用理论（蔡运龙，2001）。

综观文献，对城乡转型与农地非农化的研究有明显走向综合的趋势：一是表现为人们从经济学、社会学、生态学、人口学、地理学等多学科角度，全方位开展研究；二是表现为城乡转型和农地非农化结合的综合研究增多，体现了一种新的研究趋势。比较而言，国外侧重于微观层次的研究，而国内侧重于宏观层次的研究。虽然宏观层次的研究更有利于把握事物的规律，但微观层次的研究更有利于揭示事物的内部机制。在研究方法上，国内文献统计研究较多，大多数利用主成分分析法、因子分析法、灰色关联分析法、层次分析法、系统聚类法等统计分析方法研究城乡转型与农地非农化的相关关系，对因果关系的研究鲜有报道。总体上，深入系统研究两者互动关系的文献比较少见。

0.3　研究思路与方法

0.3.1　研究思路

将城乡转型与农地非农化结合起来，在分别剖析城乡转型和农地非农化时空过程的基础上，从宏观统计规律和微观机理两个层面对城乡转型与农地非农化的互动关系进行系统研究，并提出成本效益分析与人口/就业分析相结合的农地非农化公共政策决策方法，为有效协调城乡转型与农地非农化的关系、促进城乡良性互动和城乡社会经济可持续发展提供参考。本书采用的研究思路如图 0-4 所示。

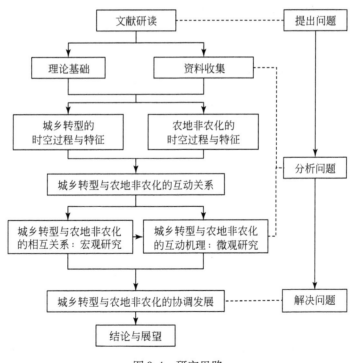

图 0-4　研究思路

0.3.2 研究方法

本书综合运用发展经济学、区域经济学、新经济地理学、城市经济学、土地经济学、计量经济学、公共政策理论的原理和方法对上述问题进行研究，采用宏观研究和微观研究相结合①、定性研究与定量研究相结合、静态研究与动态研究相结合、规范研究和实证研究相结合等一般性的研究方法。具体研究方法包括 Pearson 相关分析方法、Granger 因果检验方法、普通最小二乘法和两阶段最小二乘法。采用的工具有 Excel 软件、SPSS 软件、Eview 计量软件以及 Mapinfo 成图软件。本书共分 6 章，各章研究内容及研究方法如表 0-4 示。

表 0-4 研究内容及研究方法

章	研究内容	研究方法
导论	在对问题有感性认识的基础上，通过文献研读，进一步加深对问题的理解；明确研究意义和研究目的，形成本书的研究思路	文献阅读法 资料整理方法 定性研究方法
第 1 章	城乡转型与农地非农化的时空过程和特征。在从城乡人口转型、城乡就业结构转型和城乡产业结构转型三个角度界定城乡转型概念、农地非农化概念的基础上，全面系统分析城乡转型与农地非农化的时空过程，并归纳特征，初步揭示两者之间的关系，为后续研究提供依据	实证研究方法 定性研究方法 静态研究方法 动态研究方法 聚类分析方法
第 2 章	城乡转型与农地非农化的相互关系。在对城乡转型与农地非农化相互关系研究文献进行综述的基础上，构建了一个包括相关关系、库兹涅茨曲线关系以及因果关系的相互关系研究框架。首先对城乡转型与农地非农化的相关关系以及库兹涅茨曲线关系进行了一般性的考察，然后着重对两者因果关系的研究方法进行了论述，并运用中国时序数据、Panel 数据以及典型地区的数据对城乡转型和农地非农化的因果关系进行检验	Pearson 相关分析 Granger 因果检验 宏观研究方法

---

① 周一星和陈彦光（2004）认为宏观研究和微观研究可以从以下两个角度进行划分：一是按照空间的角度划分为宏观研究和微观研究；二是按照研究角度划分为宏观研究和微观研究。大多数文献一般按照第一种角度来划分。本书所指是按照第二种角度划分的，其中宏观研究是指不涉及个体行为、着眼于规律性的研究，而着眼于人类行为本身、利用效用最大化原理、揭示内部机理的研究则为微观研究。

章	研究内容	研究方法
第 3 章	城乡转型与农地非农化的互动机理。将新经济地理理论作为主要的理论基础,首先,在简述这些理论研究进展的基础上,从微观上系统地分析了城乡转型与农地非农化的互动机理;然后,扩展 Carlino-Mills 模型,应用两阶段最小二乘法(TSLS)和普通最小二乘法(OLS),利用中国 232 个地级及以上城市层面的数据进行实证研究	定性研究—定量研究(TSLS 和 OLS)—定性研究 规范研究—实证研究 微观研究
第 4 章	城乡转型与农地非农化的协调发展。在陈述农地非农化决策研究文献的基础上,从公共政策决策的视角,分析了农地非农化决策的方法——成本效益分析的优势和不足,提出了将其与人口/就业分析相结合的农地非农化公共决策方法,为协调城乡转型与农地非农化的关系提供长效、有利的工具。在此基础上,提出加快城乡转型、控制农地非农化的 6 大建议,以实现"双赢"的局面	规范研究方法
第 5 章	结论与展望。总结和归纳主要研究结论,并对存在的不足进行相关讨论,提出未来的研究展望	

第1章
城乡转型与农地非农化的
时空过程和特征

城乡转型是一个多层面、动态的、内涵十分丰富的概念。当前对城乡转型的研究从单纯讨论城乡转型是否滞后、城乡转型的发展水平演变为城乡转型是否协调及驱动机制。农地非农化是一个全球性现象，由此带来的粮食安全、生态安全和经济安全等已经引起国内外学者广泛的关注，包括农地非农化的趋势、驱动机制、后效、调控等。然而，系统的城乡转型与农地非农化时空过程这类基础性的研究比较少见。鉴于当前中国城乡结构转型中的突出矛盾，本章在从城乡人口转型、城乡就业结构转型和城乡产业结构转型三个角度界定城乡转型概念、农地非农化概念的基础上，全面系统地分析城乡转型与农地非农化的时空过程和特征，初步揭示两者之间的关系，为后续研究提供依据。

1.1 城乡转型与农地非农化的基本概念

1.1.1 城乡转型的概念、一般规律与度量指标

1.1.1.1 城乡转型的概念界定

在理论界，早就有一些学者在研究城乡关系时用到了城乡转型这个说法，用英文表示为"rural-urban transformation/transitions"，比如 Henderson 和 Wang (2005) 以及 McGee (2008) 等都提到了这个术语。在国内，学者张安录 (2000) 和胡必亮 (2008) 常用这个术语，而刘君德等 (1997)、许学强等 (1998)、景普秋 (2007)、季任均等 (2008) 等常用"乡村-城市转型"。归纳起来，上述学者从农村地区、城市地区和城乡边缘区三个角度阐述城乡转型。它们与城乡转型的关系，如图1-1所示。

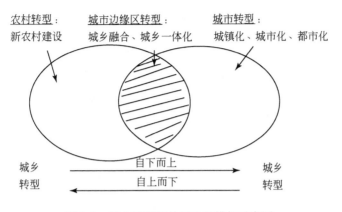

图 1-1　城乡转型相关概念的辨析示意图

　　其中，城市化是一个最大众化的概念，主要强调人口、就业等生产要素在城镇的集中过程，其着眼点在城市（许学强等，1998）。国外关于城市化的概念至今没有统一（表1-1），较早提出这一概念的 Eidridge 认为，人口集中的过程就是城市化的全部意义。目前比较经典的城市化概念主要有：①城市化主要是指农村生活方式向城市生活方式的转化过程，反映在城市人口增加，城市建成区扩展，景观、社会以及生活方式等的城市环境的形成中（顾朝林等，2008）。②城市化包含三个方面的含义：一是城市化，城市人口占总人口比重的增加；二是城市增长，城市和镇的人口增加；三是城市生活方式，城市生活的社会和行为特征在整个社会的扩展（顾朝林等，2008）。③城市化包括农村人口在城市的集聚导致的城市数量的增加以及单个城市人口的增加（Henderson and Wang，2005）。④城市化是社会的缩影，是物质、空间、体制、经济、人口以及社会特征的一种多维现象的反映（阎小培等，1994）。国内有林林总总的城市化研究成果，即使是同一学科的不同学者对城市化的定义也不尽相同（表1-1）。

表 1-1　国内外关于城市化的概念

概　念		内　涵	资料来源
国外城市化概念	1	城市化是一个社会城市人口与农村人口相比数量绝对增大的过程	《日本百科全书》
	2	城市化是指人口向城镇或城市地带集中的过程。这个集中化的过程表现为两种形式：一是城镇数目的增多，二是各个城市内人口规模不断扩充	《大英百科全书》

概　念		内　涵	资料来源
国外城市化概念	3	城市化是指城市在社会发展中作用日益增大的历史过程。城市化影响人口的社会结构、就业结构、统计结构、人们的文化和生活方式、生产力的分配及居住模式	《苏联百科全书》
	4	城市化作为国家或区域空间系统中的一种复杂社会过程，它包括人口和非农业活动在规模不同的城市环境中的地域集中过程、非城市型景观逐步转化为城市景观的地域推进过程，还包括城市文化、生活方式和价值观念向农村的地域扩张过程，前者被称为城市化过程I，后者被称为城市化过程II	Friedman，1966
国内城市化概念	1	城市化是社会生产力变革所引起的人类生产方式、生活方式和居住方式改变的过程	谢文蕙等，1996
	2	城市化是指居住地城镇地区的人口占总人口比例增长的过程，即农业人口向非农业人口转变并在城市集中的过程	吴楚才，1996
	3	城市化是一个综合的、系统的社会变迁过程，包括人口城乡之间的流动和变迁、生活方式的改变、经济布局和生产经营方式的变化，还包括整个社会结构、组织、文化的变迁	王春光和孙晖，1997
	4	城市化是指人口向城市或城市地带集中的现象或过程，它既表现为非农产业和人口向原城市集聚，城市规模扩大，又表现在非农产业和人口集聚的基础上形成的新的城市，城市数量增加	陈姬，1998
	5	城市化是指农村人口向城市转移和集聚的现象，包括城市人口和城市数量的增加以及城市经济社会化、现代化和集约化程度的提高	胡欣等，1999
	6	城市化是一种产业结构由以第一产业为主逐步转变为以第二产业和第三产业为主的过程；是一个以农业人口为主逐步转变为以非农业人口为主的过程；是由一种自然、原始、封闭、落后的农业文明，转变为一种以现代工业和服务经济为主并以先进的现代化的基础设施和公共服务设施为标志的现代城市文明过程；是对居民从思维方式、生活方式、行为方式、价值观念、文化素养上全面改善和提高的过程	秦润新，2000

概　念	内　涵	资料来源
7 国内城市 化概念	城市化是指城镇数量的增加和城镇规模的扩大，导致人口在一定时期内向城镇集聚，同时又在集聚过程中不断地将城市的物质文明和精神文明向周围扩散，并在区域产业结构不断演化的前提下衍生出崭新的空间形态和地理景观	顾朝林等，2002

资料来源：何念如和吴煜，2007；顾朝林等，2008

　　另外，一些名词如城乡一体化、城乡融合区等，"其着眼点在区域"（许学强等，1998）。城乡转型是自 18 世纪以来世界范围内的一种重要的社会、经济、文化现象，它带来人口向城镇集聚、地区经济结构变革、居民文化和生活方式转变的更新过程，它将"不同着眼点综合起来"，许学强等（1998）指出乡村－城市转型"强调的是在农村地区发生的由乡村向城市转化、由量变到质变的动态过程，内涵是全方位的，包括景观的、社会的、经济的、人口的转型过程"。城乡转型分为两个层面：一是现有城市的再城市化，可称为城市现代化；二是农村地区的城镇化，可称为初次城镇化。城乡转型是城镇化的本质特征，城镇化问题，从本质上讲应该就是城乡转型的问题，也就是说，城市（镇）化的本质应该是指一个综合性的、整体性的、全方位的转型过程，即从农业经济转变为工业与服务业经济（经济结构的转型）、从乡村社会转变为城市（镇）社会（社会形态的整体转型）、从乡村生活方式转变为城镇生活方式（生活方式的转型），进而从乡村文明转变为城镇文明（文明形态的转型）包括了经济、社会、政治、文化、人口等各方面的转型过程（胡必亮，2008）。因此，不言而喻，城市（镇）化、新农村建设、城乡融合等均为城乡转型的表象，而城乡转型是本质，这也是本书选题的用意所在。

　　通过对城乡转型与城市（镇）化概念的辨析，我们知道城乡转型是一个动态、多层面、内涵十分丰富的概念，包括人口、社会、文化、经济、环境、生态、物质、管治等（刘君德等，1997；许学强等，1998；弗里德曼，2007），这些方面中的任何一方面的发生，我们都可以把它称为城乡转型；如果同时发生了，实际上也就是一个完全的城乡转型过程（季任均等，2008）。美国学者弗里德曼将这一过程分为城乡转型Ⅰ和城乡转型Ⅱ，其中城乡转型Ⅰ是指人口向城镇集聚的过程，而城乡转型Ⅱ是城市文明向农村地区传播和扩散的过程。城乡转型Ⅰ是可见的、物化了的或实体性的部分，包括人口城镇化、就业非农化、产业非农化、土地非农化等；而城乡转型Ⅱ是抽象的、精神上的部分，包括文化、价值观、生活方式在城市文明作用下的转变。一般来讲，城乡转型Ⅰ是城乡转型Ⅱ的物质基础和前提，没有城乡转型Ⅰ的支撑和推动，城乡转型Ⅱ难以发生（信桂新和杨庆媛，2007）。城乡转型包含的人口、社会、文化、经济、环境、生态、物质、管治等几个方面是相互作用的，如图1-2所示。其中城乡转型Ⅰ与诸多因素密切相关，但在诸要素中，人口、就业、土地最为核心和基础，人口变化和就业变化是城乡转型的显著特征。

城乡转型（或城市化）一直是地理学家和区域经济学家的研究领域，近十年来，由于全球和区域气候变化，它已越来越受生态学家和环境科学家的关注，他们将城市化过程视为土地利用覆盖变化（LUCC）的过程（马晓东，2007）。这些因素相互关联，而不是彼此孤立（弗里德曼，2007），但为了研究的需要，本书略去掉其他要素，将人口城镇化、就业非农化、产业非农化视为城乡转型的一个子系统，将农地非农化视为另一子系统来研究城乡转型与农地非农化的互动关系，其中人口城镇化、就业非农化为形态转型（morphological transformation），产业非农化为功能转型（functional transformation）（Njegac and Toskic，1999）。因此，本书将城乡转型界定为农村人口向城镇人口转变、农业人口向非农业人口转变、农业经济向工业与服务业经济转变的过程。

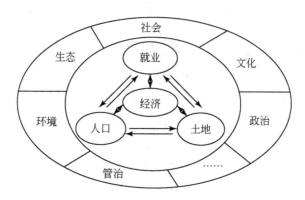

图1-2　城乡转型主要要素之间的关系示意图

1.1.1.2　城乡转型的一般规律

一方面，城乡转型是乡村人口转变为城镇人口的过程，即城乡人口转型，表现为人口城镇化水平的不断提高。美国著名经济地理学家诺瑟姆（Ray M. Northman）在总结世界各国共同发展经验的基础上，建立了反映城市化进程的"S"形曲线规律模型（图1-3）。他根据城市人口占总人口比重即城市化率来判断，以25%、59%、75%为分界线形成四个阶段，而25%和75%之间又可称为城市化的中期阶段，因而可划分为初期、中期、晚期三个阶段，中期中又有前后期的差别。

在每一个阶段都有不同的经济内涵和表现。一般来说，在城市化率尚未达到25%以前，城市化的物质基础薄弱、规模小、发展缓慢，是大发展的准备阶段和打基础阶段；25%～75%阶段是城市化飞跃发展时期，是第三产业增长阶

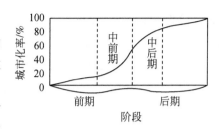

图 1-3　城乡人口转型过程的理论曲线

段；75%以后的阶段，经济社会各方面发展渐趋成熟，速度明显下降，进入城市化的晚期。50%前后两个阶段也有不同特点，在此以前的城市人口增长速度具有递增趋势，呈指数曲线攀升；在此后增长速度具有递减趋势，呈对数曲线扩展，同时城市分布和城市规模也开始发生扩散和缩小的变化（饶会林，1999）。

经济学家 H. 钱纳里将这一过程划分为非城市化阶段（$U < 20\%$）、工业化准备阶段（$20\% < U < 32.0\%$）、工业化初期阶段（$32\% < U < 36.4\%$）、工业化中期阶段（$36.4\% < U < 49.9\%$）、工业化成熟阶段（$49.9 < U < 65.2\%$）、工业化后期阶段（$65.2\% < U < 70\%$）和高度城市化阶段（$U > 70\%$）。也有学者将这一过程分为六个阶段（谢文惠，邓卫，1996）：史前阶段（$U < 10\%$）、起步阶段（$10\% < U < 20\%$）、加速阶段（$20\% < U < 50\%$）、基本实现阶段（$50\% < U < 60\%$）、高度发达阶段（$60\% < U < 80\%$）、自我完善阶段（$U > 80\%$）。叶裕民（2002）将整个过程分为五个阶段：前城市化阶段（K[①] < 0.5）、城市化前期阶段（$0.5 \leqslant K < 1$）、城市化中期阶段（$K \geqslant 1$）、初步城市社会阶段（城镇人口比重 $\geqslant 50\%$）、成熟城市社会阶段（城镇人口比重 $\geqslant 65\%$）。

另一方面，城乡转型是一种产业结构由以第一产业为主逐步转变为以第二产业和第三产业为主的过程，即城乡就业结构转型和城乡产业结构转型，表现为非农化水平的不断提高。

配第－克拉克定律指出，城乡就业结构是一个国家或地区经济发展阶段的重要标志，随着人均收入水平的提高，劳动力首先由第一产业向第二产业转移；当人均收入水平进一步提高时，劳动力便由第二产业向第三产业转移。配第－克拉克定理对工业化阶段的评价标准是：第一产业、第二产业和第三产业就业比重分别高于63.3%、低于17.0%、低于19.7%时为工业化准备时期，基本符合46.1:26.8:27.1比例时为工业化初期，基本符合31.4:36.0:32.6比

---

① K 为城镇人口增长系数，是指城镇人口增长规模与总人口增长规模的比值。

例时为工业化中期，基本符合 24.2∶40.8∶35.0 比例时为工业化成熟期，低于17%、高于45.6%、高于37.4%时，则进入工业化后期。

城乡就业结构变动依附于城乡产业结构的变动，有什么样的城乡产业结构就有什么样的城乡就业结构。福拉斯蒂埃（J. Fourastic）曾分析出 1800～1970年西方工业社会三次产业结构变化趋势，用图来说明城乡就业结构演变的规律（图1-4）。他认为，就宏观而言，第一产业就业比重在进入工业化时期后开始下降，第二产业就业比重迅速上升，但第二产业的就业比重有一个极限，一般不超过 50%，在达到这个极限后逐渐下降，这是由于第三产业的发展，第三产业就业比重超过了第二产业的比重。美国经济学家西蒙·库兹涅茨在配第－克拉克的基础上，通过对国民收入在城乡产业间分布结构的变化进行统计分析，提出库兹涅茨法则。该法则认为，随着时间的推移，第一产业在整个国民收入和全部劳动力中的比重均处于下降之中；第二产业和第三产业在整个国民收入中的比重基本上是上升的。

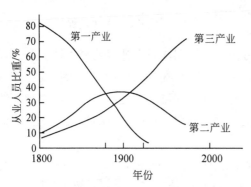

图 1-4　城乡就业转型过程的理论曲线
资料来源：周一星，1995

美国经济学家西蒙·库兹涅茨等的研究成果表明，工业化往往是产业结构变动最为迅速的时期，其演进阶段也通过产业结构的变动过程表现出来，即随着工业化的推进，第一产业比重持续下降，第二产业和第三产业比重不断提高并超过第一产业（李小健等，2006）。当第二产业增加值占 GDP 比重达到40%～60%时，工业化进入中期。其中还有两个重要的转折点，当第一产业比重降低到20%以下时，工业化进入中期阶段。当第一产业比重再降低到10%左右时，工业化进入后期阶段。此后，第二产业的比重转为相对稳定或有所下降。

1.1.1.3　城乡转型的度量指标

由于对城乡转型概念界定的不同，衡量城乡转型的指标设置就不同，归纳起来有单一指标法和复合指标法两种。

单一指标法中常用的指标：一是人口城镇化水平，即城镇人口占总人口的比重，这是国际上被认可和普遍使用的指标；二是土地利用的城市化倾向，反映城市化进程中城镇向外扩张的量的增长。

由于利用单一指标来度量城市化水平一般都具有片面性，只能反映出城市化的某一方面的特征。因此，国内外学者提出利用复合指标来测度城乡转型或城市化的水平。例如，1960 年日本城市学家稻永幸男、服部吉二郎、加贺谷一提出的城市度测量法包括的指标：①城市规模：面积，人口；②城市区位：离开市中心的时间和距离；③城市经济活动：年财政收入、工业产品率、商品销售率、耕地面积率、电话普及率；④城市就业：三次产业的就业人口、管理人口比率；⑤城市人口增长：人口增长率、通勤率和从业者率。1971 年日本"东洋经济新闻报社"在《地域经济纵览》提出的城市成长力系数法包括的指标：①地区总人口；②地方财政年度支出额；③制造业从业人数；④商业从业人数；⑤工业生产总值；⑥商业批发总额；⑦商业零售总额；⑧住宅建筑总面积；⑨储蓄率和电话普及率。联合国人居中心编制了由生产能力、基础设施、废品处理、健康与教育 5 个部分组成，共涉及 12 个指标的城市发展指数。国内学者一般从人口、经济、社会、空间等内涵构建衡量城乡转型的指标体系（李学鑫等，2000；叶裕民，2002；顾益康和许勇军，2004；侯学英，2008）。

当前，第三产业即服务业比重上升成为新的更为重要的指标。袁志刚和范剑勇（2003）认为就业份额变化是客观衡量一国经济快速发展时结构迅速转换的一个较为可信的指标。因此，根据城乡转型的概念界定并参考前人的这些研究成果，我们把人口城镇化水平、第二产业就业人数比例、第三产业就业人数比例和第二产业占 GDP 的比重、第三产业占 GDP 的比重作为指标，其中第一个指标为城乡人口转型指标，第二、第三个指标为城乡就业转型指标，最后两个指标为城乡产业转型指标（图 1-5）。

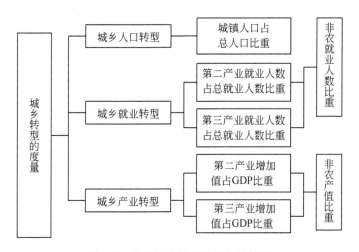

图 1-5　衡量城乡转型的指标结构图

1.1.2 农地非农化的概念界定

1.1.2.1 农地非农化的含义

非农化是劳动力、土地和资本等由农业部门向非农业部门流动，即农业生产要素在农业和非农业的重新配置和定位。农地非农化是指农用地转变为一切非农产业部门的建设用地的过程。国外农地非农化相关的提法通常有土地流转（land conversion on the urban fringe）、农地流转（farmland conversion）、农业用地城市化（urbanization of agricultural land）和城市扩展（urban fringe expansion 或 urban growth）等。当前中国理论界对农业用地转为建设用地这一过程有几种不同的提法：以张安录为代表的农地城市流转研究，研究对象为农业用地的城市用途转换（rural-urban land conversion）；以曲福田、张宏斌、蔡运龙等为代表的涉及农地转为非农业用地的所有情况，既包括农村土地转为城市建设用地，也包括农地转为农村集体建设用地的土地非农化研究；以中国科学院地理研究所李秀彬和中国农业科学院陈佑启等为代表的涉及农地转为各类建设用地的土地利用与覆盖变化的研究（李晓云，2007）。

农地非农化有两层含义：其一是土地利用性质变更，即农业用地转变为城市住宅、工业、商业、休闲、娱乐用地；其二是土地所有权变更，即农民集体所有土地变更为城市国家全民所有。中国土地实行的是公有制，公有制又有两种不同的土地所有制形式，即国家全民土地所有制和农村集体土地所有制。《中华人民共和国宪法》和《中华人民共和国土地管理法》规定，城市市区的土地属于国家所有；农村和城市郊区的土地，除由法律规定属于国家所有的以外，属于农民集体所有；宅基地和自留地、自留山属于农民集体所有。因此，在中国，土地流转应该包括三个层次，即农民集体土地所有制内部（农民集体所有土地）的土地权属和土地利用方式的转移、城市国家全民土地所有制内部（城市国有土地）的土地权属和土地利用方式的转移，以及农民集体所有土地向城市国家全民所有土地权属和利用方式的转移。其中，前两个层次的土地转移不发生土地所有权的转移，第三个层次的土地转移既发生土地所有权转移，又有土地利用方式的变更（张安录，1999）。

因此，农地非农化不仅包括土地利用方式的变更，还包括农业用地城市用途转换中的土地产权让渡问题。在现行土地制度下，农地非农化的途径主要有以下三类：一是国家直接以划拨、出让或"招拍挂"方式将国有农地转化为非农建设用地；二是国家首先征收或征用农村集体所有的土地，然后再以划拨、出让或"招拍挂"方式将农地转化为非农建设用地；三是集体或个人建设，在不改变集体土地所有权的情况下将农地转化为非农建设用地。其中，第一种途径和第三种途径不涉及土地所有权的转移，且数量较少；而第二种途径涉及土地所有权的转移，在全国各地普遍存在且数量巨大。

本书的研究对象农地非农化指建设占用耕地，是一种土地利用方式的变更，不涉及产权的让渡。广义上讲，农地非农化包括耕地、林地、草地、水面等转为各类建设用地。狭义上讲，农地非农化特指耕地非农化，包括建设占用耕地、农业结构调整、生态退耕、灾害损失的耕地非农化。由于耕地一旦被开发成建设用地，农业生产的基本要素耕作层土壤不复存在，耕地非农化的不可逆性使其在未来很长时期内成为耕地流失最主要的原因。

1.1.2.2 代表性的土地利用分类比较

1949 年以来，中国在土地利用现状调查与研究中曾制定过若干个土地利用分类方案，有代表性的方案（附录一）是：①全国农业区划委员会 1984 年颁发的《土地利用现状调查技术规程》中的《土地利用现状分类及含义》，其土地利用现状分类采用两级系统，一级按土地利用特点和主导功能分为 8 类，二级按土地利用的主导产品或具体功能分为 46 类，并可按实际情况进行三、四级分类；②国土资源部 2001 年发布《土地分类》，从 2002 年 1 月 1 日起试行，该分类体系采用三级分类体系，一级地类 3 个，二级地类 15 个，三级地类 71 个；③国家质量监督检验检疫总局和国家标准化管理委员会 2007 年 8 月共同发布的《土地利用现状分类》国家标准。

土地利用分类体系应该不断发展完善，并反映当时的土地管理重点，从土地利用分类比较来看（表 1-2），农用地和建设用地包含的地类也有所变化，从量的角度分析农地非农化的过程与特征，必须考虑这一点。1984 年土地利用分类体系中，农用地包括耕地、园地、林地、牧草地，建设用地包括居民点及工矿用地、交通用地与水域地类中的沟渠、水库面积和人工建筑物；2001 年土地利用分类体系中，农用地包括耕地、园地、林地、牧草地和其他农用地，建设用地包括商服用地、工矿用地、公用设施用地、公共建筑用地、住宅用地、交通运输用地、水利设施用地中的水库面积和人工建筑物以及特殊用地；2007 年土地利用分类体系中，农用地包括耕地、园地、林地、草地，建设用地包括商服用地、工矿仓储用地、住宅用地、公共管理与公共服务用地、特殊用地、交通运输用地（水库面积、滩涂、人工建筑物、空闲地）、水域及水利设施用地。

表 1-2　有代表性的土地利用分类体系

1984 年全国农业区划委员会土地利用分类		2010 年国土资源部土地利用分类		2007 年国家质量监督检验检疫总局和国家标准化管理委员会土地利用分类	
耕地 园地 林地 牧草地	农用地	耕地 园地 林地 牧草地 其他农用地[1]	农用地	耕地 园地 林地 草地	农用地
居民点与工矿用地 交通运输用地[2] 水域	建设用地	商服用地 工矿仓储用地 公用设施 公共建筑 住宅 交通运输用地 水利设施用地 特殊用地	建设用地	商服用地 工矿仓储用地 住宅用地 公共管理与公共服务用地 特殊用地 交通运输用地 水域及水利设施用地	建设用地
未利用地		未利用地 其他土地		其他土地[2]	

　1）包括畜禽饲养用地、设施农业用地、农村道路、坑塘水面、养殖水面、农田水利用地、田坎、晒谷场等用地；2）包括农村道路

　资料来源：刘平辉，2003；陈百明，周小萍，2007

1.2　城乡转型的时空过程

　　过程是强调事件和现象发生、发展的程序和动态特征，是"逐步地改变状况和发展阶段"（曾菊新，1996），包括时间过程和空间过程。空间过程是指空间格局发生、发展的动态特征，表现为格局在时间序列上的演化，与时间过程具有同相性（马晓东，2007）。对时间过程的研究往往采用阶段划分（顾朝林等，2008）或类型划分的方法，对空间过程的研究方法有以下两种：一是在人类活动已知的情况下空间区位选择的变化，例如，顾朝林等（2008）运用空间分析方法从城市分布的空间变化角度研究中国城市化的空间过程；马晓东（2007）对江苏城市化空间过程的研究。二是在空间区位已知的情况下，人类活动的组合方式和空间形态的变化（李小健等，2006）。本书采用阶段划

分的方法以及空间过程研究的第一种方法对城乡转型的时空过程进行研究。

1.2.1 城乡转型的时间过程

表 1-3 为 1952～2007 年中国城乡转型的时间过程。

表 1-3 中国城乡转型的时间过程（1952～2007 年）

年　份	城乡人口 转型/%	城乡就业 转型/%	城乡产业 转型/%	年　份	城乡人口 转型/%	城乡就业 转型/%	城乡产业 转型/%
1952	12.5	16.5	49.5	1980	19.4	31.3	69.9
1953	13.3	16.9	54.2	1981	20.2	31.9	68.2
1954	13.7	16.8	54.3	1982	21.1	31.8	66.7
1955	13.5	16.8	53.7	1983	21.6	32.9	67.0
1956	14.6	19.4	56.8	1984	23.0	36.0	68.0
1957	15.4	18.8	59.8	1985	23.7	37.6	71.6
1958	17.5	41.8	65.9	1986	24.5	39.1	72.9
1959	18.4	37.8	73.4	1987	25.3	40.0	73.2
1960	19.7	34.3	76.6	1988	25.8	40.7	74.3
1961	19.3	22.9	63.9	1989	26.2	39.9	75.0
1962	17.3	17.8	60.6	1990	26.4	39.9	72.9
1963	16.8	17.6	59.6	1991	26.9	40.3	75.5
1964	18.4	17.8	61.5	1992	27.5	41.5	78.2
1965	18.0	18.4	62.1	1993	28.0	43.6	80.1
1966	17.9	18.5	62.4	1994	28.5	45.7	79.7
1967	17.7	18.3	59.8	1995	29.0	47.8	79.5
1968	17.6	18.3	57.9	1996	30.5	49.5	79.6
1969	17.5	18.4	62.1	1997	31.9	50.1	80.9
1970	17.4	19.2	64.8	1998	33.4	50.2	81.4
1971	17.3	20.3	66.0	1999	34.8	49.9	82.3
1972	17.1	21.1	67.2	2000	36.2	50.0	83.6
1973	17.2	21.3	66.6	2001	37.7	50.0	84.2
1974	17.2	21.8	66.1	2002	39.1	50.0	84.7
1975	17.3	22.8	67.6	2003	40.5	50.9	85.6
1976	17.4	24.1	67.1	2004	41.8	53.1	84.8
1977	17.6	25.5	70.5	2005	43.0	55.1	87.8
1978	17.9	29.5	71.9	2006	43.9	57.4	88.7
1979	19.0	30.2	68.8	2007	44.9	59.2	88.7

资料来源：《中国统计摘要》（2008 年）；《新中国统计汇编（1949～2004）》；《中国人口和就业统计年鉴》（2008 年）

为了更加直观地反映出中国城乡转型的时间过程，我们根据表1-3的数据绘制出1952~2007年中国城乡转型的趋势图（图1-6）。从城乡人口转型、城乡就业转型和城乡产业转型均可看出，1952~2007年中国城乡转型总体上按照时间序列呈现迅速上升趋势，但呈现阶段性特征。

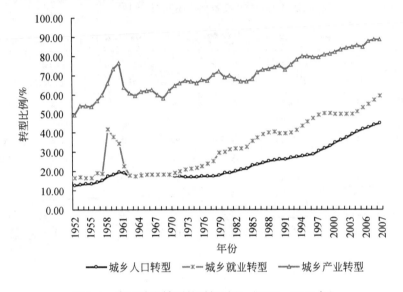

图1-6　中国城乡转型的时间过程（1952~2007年）

为了更清楚地观察城乡转型的这种阶段性特征，我们使用了多元统计分析中的聚类分析方法，对1952~2007年的数据进行了聚类。我们使用了SPSS 11.0 for Windows的Hierarchical Cluster程序来进行研究，根据树状图（图1-7）可以看出，当粗略地将1952~2007年的数据划分为两类时，结果为1952~1991年为一类，1992~2007年为另一类，这说明1992年为一个重要的转折点；当划分为三类时，结果为1952~1977年为一类（除1958~1960年三年"大跃进"外），1978~1991年为一类，1992~2007年为一类。接下来本书结合各时期的主要政策以及时间的连续性将城乡转型划分为以下7个阶段，分别揭示其时间过程。每个阶段的主要政策以及指标如表1-4所示。

第一阶段：城乡正常发展期（1952~1957年）。中国制订了优先发展工业的"一五"计划，伴随国家工业化发展，原苏联支援156项大工业项目上马，各省、市、县建立工业体系以及地方工业，围绕限额以上的694个重点工业建设项目，采取"重点建设，稳步前进"的工业化发展方针，中国的城乡转型得到了较快的发展（图1-8）。非农产值比重从1952年的49.5%上升到1957年的59.8%，其中第二产业的产值比重从1952年的20.9%上升到1957年的29.7%，

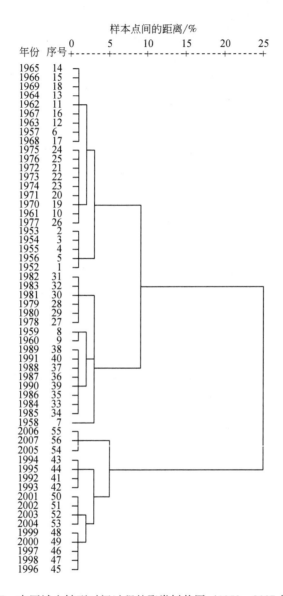

样本点间的距离/%

| 年份 | 序号 | 0 | 5 | 10 | 15 | 20 | 25 |

1965 14
1966 15
1969 18
1964 13
1962 11
1967 16
1963 12
1957 6
1968 17
1975 24
1976 25
1972 21
1973 22
1974 23
1971 20
1970 19
1961 10
1977 26
1953 2
1954 3
1955 4
1956 5
1952 1
1982 31
1983 32
1981 30
1979 28
1980 29
1978 27
1959 8
1960 9
1989 38
1991 40
1988 37
1987 36
1990 39
1986 35
1984 33
1985 34
1958 7
2006 55
2007 56
2005 54
1994 43
1995 44
1992 41
1993 42
2001 50
2002 51
2003 52
2004 53
1999 48
2000 49
1997 46
1998 47
1996 45

图 1-7 中国城乡转型时间过程的聚类树状图 (1952～2007 年)

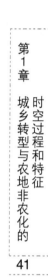

表 1-4　中国城乡转型的时间过程主要指标（1952~2007 年）

项　目	1952~1957 年 重工业优先发展阶段	1958~1965 年 大跃进和调整阶段	1966~1977 年 文化大革命阶段	1978~1983 年 农村经济改革阶段	1984~1991 年 结构调整阶段	1992~2000 年 市场机制的建立阶段	2001~2007 年 结构优化阶段
人口城镇化水平/%	12.5~15.4	17.5~18.0	17.9~17.6	17.9~21.6	23.0~26.9	27.5~36.2	36.2~44.9
非农就业水平/%	16.5~18.8	41.8~18.3	18.7~25.5	29.5~32.9	36.0~40.3	41.5~50.0	49.3~59.2
第二产业就业人数比例/%	7.4~9.0	26.6~8.4	8.7~14.8	17.3~18.7	19.9~21.4	21.7~22.5	22.5~26.8
第三产业就业人数比例/%	9.1~9.8	15.2~9.9	10.0~10.7	12.2~14.2	16.1~18.9	19.8~27.5	27.5~32.4
非农产值水平/%	49.5~59.8	65.9~62.1	62.4~70.5	71.9~78.0	68.2~75.6	78.2~83.6	83.6~88.7
第二产业产值比例/%	20.9~29.7	37.0~35.1	38.0~47.1	48.2~44.6	43.3~42.1	43.9~50.2	50.2~48.6
第三产业产值比例/%	28.6~30.1	28.9~27.0	24.4~23.4	23.7~33.4	24.9~33.4	34.3~33.4	33.4~40.1

资料来源：《新中国 55 年统计汇编》（1949~2004 年）；《中国人口和就业统计年鉴》（2008 年），《中国统计摘要》（2008 年）

整个时期上升了 8.9%；第三产业的产值比重从 1952 年的 28.6% 上升到 1957年的 30.1%，整个时期仅上升了 1.5%。非农就业比重从 1952 年的 16.5% 上升到 1957 年的 18.8%，其中第二产业的就业比重从 1952 的 7.4% 上升到 1957年的 9.0%，整个时期上升了 1.6%；第三产业就业比重从 1952 年的 9.1% 上升到 1957 年的 9.8%，整个时期仅上升了 0.7%。随着"一五"工业计划的顺利实施，中国人口城镇化进程取得了较快的发展。城镇人口从 1952 年的 7163 万人增加到 1957 年的 9949 万人，年均增长率为 7.78%；人口城镇化水平从 1952 年的12.5% 上升到 1957 年的 15.4%，设市城市从 1949 年的 136 个增加到 178 个。

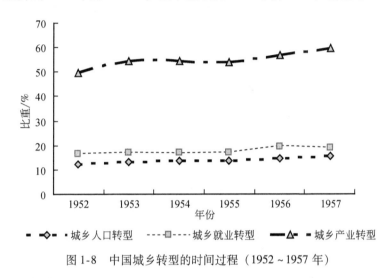

图 1-8　中国城乡转型的时间过程（1952~1957 年）

第二阶段：大起大落时期（1958~1965 年）。1958~1960 年的三年"大跃进"期间，中央政府继续进行以重工业为中心的工业建设，工业发展以全民大炼钢铁为中心，中国的非农产值占 GDP 的比重从 1957 年的 59.8% 上升到1960 年的 76.6%，整个期间上升了 16.8%，其中第二产业产值比重从 29.7%上升到 44.5%，三年间上升了 14.8%；第三产业产值比重从 30.1% 上升到32.1%，仅上升了 2%。非农就业水平从 18.8% 上升到 34.3%，整个期间上升了 15.5%，其中第二产业就业比重从 9% 上升到 15.9%，上升了 6.9%；第三产业就业比重从 9.8% 上升到 18.4%，上升了 8.6%。虽然三次产业的总体格局保持不变，但非农转型速度加快。与此同时，农村地区也掀起了人民公社化运动，新设城市 44 个，致使中国城镇人口从 1957 年的 9949 万人增加到 1960年的 13 073 万人，三年中城镇人口净增 31.4%，人口城镇化水平从 15.4% 上升到 19.7%。"大跃进"运动造成国民经济主要比例关系失调，人民生活遇到很大困难，1960 年 9 月中共中央提出国民经济"调整、充实、巩固、提高"

的"八字方针"，到 1965 年，非农产值比重为 62.1%，非农就业比重为 18.4%。与此同时，乡村人口大量涌入城市，导致工农业失调，城市的就业、供应出现严重问题，国家不得不压缩城市人口，减少市镇建制。到 1965 年年底，城市总数从 1957 年的 176 个下降为 169 个，中国人口城镇化水平为 18.0%（图 1-9）。

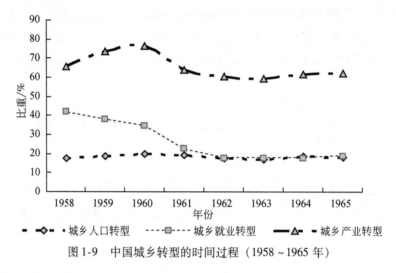

图 1-9　中国城乡转型的时间过程（1958～1965 年）

第三阶段：停滞发展时期（1966～1977 年）。处于十年"文革"动乱时期，一方面，大搞"三线"建设，把大量的资金、设备、技术力量"靠山、分散、进洞"；另一方面，盲目下放城镇居民、干部和知识青年，致使国民经济整体停滞不前，城镇人口增长极为缓慢（图 1-10）。非农产值比重从 1966

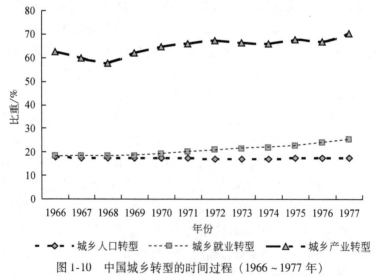

图 1-10　中国城乡转型的时间过程（1966～1977 年）

年的 62.4% 上升到 1977 年的 70.5%，其中第二产业产值比重从 38% 上升到 47.1%，整个期间上升了 9.1%，第三产业产值比重从 24.4% 下降为 23.4%。非农就业比重从 18.5% 上升到 25.5%，整个期间上升了 7.0%，其中第二产业就业人数比重从 8.7% 上升到 14.8%，第三产业就业比重从 9.8% 仅上升到 10.7%，整个期间上升不到 1%。城镇人口年增长率仅为 1.62%，比该期间的人口自然增长率（2.13%）还低。11 年中，累计设置城市 21 个，撤销城市 1 个，合并城市 1 个，净增城市 19 个，到 1976 年年底，共有设市城市 188 个。由于总人口增长多，人口城镇化率不增反降，从 1965 年的 18.0% 降为 1976 年的 17.40%。

第四阶段：恢复性发展时期（1978~1983 年）。随着农村经济体制以及土地联产承包责任制改革开放的推进和工业化、市场化的加快，农业劳动生产率得以提高，第二、第三产业就业比重增加，并且由于城市经济中心作用的加强，市领导县体制形成，城市建设和规划逐步走上科学轨道，使得人口城镇化水平提高（图 1-11）。但由于非农产值的下降，中国城乡转型仍然出现弱化的特征。非农值比重开始下降，从 1978 年的 71.9% 下降到 1983 年的 67.0%，其中第二产业产值比重从 1978 年的 48.2% 下降到 1983 年的 44.6%；第三产业产值比重从 1958 年开始一直出现连续下降的特征，到 1983 年下降为 22.4%。在 1981 年世界银行公布的各国第三产业比重中，中国的比例排在 128 个国家的倒数第一位。这是由于理论界把城乡三次产业的关系完全理解为两大部类、农轻重比例关系，长期教条主义地理解关于物质资料第一的观点，官方一直没有接受第三产业。1976~1985 年，累计新设城市 139 个，净增城市数为 136 个，到 1985 年年底已有城市 324 个，城镇人口达到 25 094 万人，人口

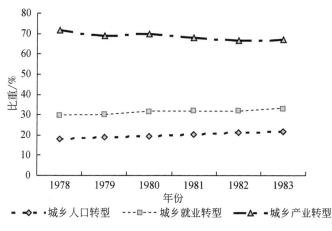

图 1-11　中国城乡转型的时间过程（1978~1983 年）

城镇化水平为23.7%，年增长率0.70%为新中国成立以来最高。由于城镇化进程的加快，非农就业比重并未随着非农产值的下降而下降，反而从29.5%上升到32.9%，其中第二产业就业比重从17.3%上升到18.7%，第三产业就业比重从12.2%上升到14.2%。城市进入恢复发展期。

第五阶段：治理整顿期（1984～1991年）。针对改革开放以来的经济过热现象，中央政府提出"调整、改革、整顿、提高"的方针，实行双紧式（紧的货币政策和紧的财政政策）的宏观调控政策，大力调整非农产业结构，进一步扩大城乡经济交流，城乡经济结构得到了进一步的优化，城市也取得了较快的发展（图1-12）。非农产值比重从1984年的68.0%上升到1991年的75.5%，其中第二产业产值比重从1984年的43.3%下降为1991年的42.1%，整个期间下降了1.2%。1985年中国官方正式接受第三产业，国务院批准国家统计局《关于建立第三产业的统计报告》，把第三产业纳入GDP的范围。由于第三产业受到政府的相对重视，从而得到了加快发展，城乡产业结构开始符合配第-克拉克定律，逐步正常化，第三产业产值比重和就业比重有了大幅度提高，第三产业产值比重从1984年的24.7%上升到1991年的33.4%，并首次超过第一产业产值比重的24.5%，三次产业格局为二、三、一。与此同时，经济的复苏、学术的繁荣共同巩固了中国一定要走城市化道路的认识。

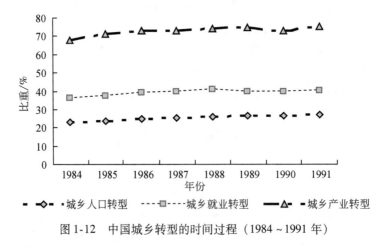

图1-12　中国城乡转型的时间过程（1984～1991年）

为了防止大城市人口规模的过度膨胀，国务院批准试行新的市镇设置标准，有重点地发展一批中等城市和小城市，使得市镇数量激增；1989年国家首次通过法律的形式明确了中国城市发展的方针《城市规划法》，使得各地区城市化的发展打上了计划的深深烙印。据统计，1986～1992年，共新设城市192个，是新中国成立以来城市设置增长最快的时期，到1992年设市城市达到 504 个，城镇人口为 32 175 万，年均增长率为 0.54%，人口城镇化水平达到 27.5%。

第六阶段：快速转型期（1992~2000 年）。1992 年年初的邓小平南行讲话以及党的十四大明确提出建立社会主义市场经济体制的改革目标对城乡快速转型起到了关键的推动作用（图 1-13）。农村剩余劳动力大量转移到非农生产领域，非农产值比重从 1992 年的 78.2% 上升到 2000 年的 83.6%，其中第二产业产值比重上升最快，从 1992 年的 43.9% 上升到 2000 年的 50.2%，虽然第三产业产值比重首次超过第一产业产值比重，产业排序变为第二产业、第三产业、第一产业，但第三产业产值比重则在 30% 左右徘徊长达 18 年之久。这不但说明第二产业的制度惯性仍在制约第一、第三产业的发展，同时也反映出这一时期城乡产业政策工具的严重缺乏。

经济持续的高速增长使得越来越多的人发现中国面临严重的所谓"城市短缺"，中国"城市化滞后于工业化"的论点被学术界反复论述，并被越来越多的人所接受。"大力发展城市化"战略在这一时期被不同等级的地方政府反复强调，并且最终以中共中央、国务院 2000 年 "11 号文件"的发布以及城市化问题被列为国家"十五"规划为标志，使得城市化战略上升到国家最高等级决策的层面。撤县设市、降低非农业人口的条件等标准的设置，大大推动了城镇的发展。仅 1993 年新设城市就有 56 个，城镇人口从 1992 年的 32 175 万增加到 2000 年的 45 906 万，年均增长率为 5.33%，为新中国成立以来增加最多的阶段，人口城镇化水平也从 27.5% 快速上升到 36.2%，根据国际经验，这一时期为快速转型的前期阶段。

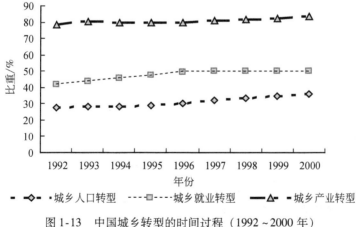

图 1-13　中国城乡转型的时间过程（1992~2000 年）

第七阶段：城乡协调发展期（2001～2007 年）。"十五"以来，中国已经进入了一个加速发展的黄金时期，产业结构优化升级，工业化速度明显加快，城市化快速推进（图 1-14）。由于第三产业的快速增加（从 2001 年的 34.1% 上升到 2007 年的 40.1%），在第二产业产值比重下降的情况下（从 50.1% 开始下降为 48.6%），非农产值比重从 2001 年的 84.2% 上升到 2007 年年的 88.7%。在此期间，尽管新设城市数量减少，但由于城市规模的扩张以及城市发展空间的局限，大城市周边的县市区往往被合并到市辖区行政区中，以及县市区行政区划合并，2007 年年底设市城市达到 655 个，城镇人口从 45 906 万增加到 59 379 万，年均增长率为 4.19%，人口城镇化水平达到 44.9%，人口城镇化增长率在整个考察期中最快，从而带动了非农化就业水平的提高，非农就业水平从 2001 年的 50.0% 上升到 2007 年的 59.2%，其中第二产业就业比重从 22.3% 上升到 26.8%，第三产业就业比重从 27.7% 上升到 32.4%。

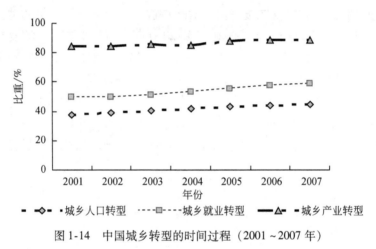

图 1-14　中国城乡转型的时间过程（2001～2007 年）

1.2.2　城乡转型的空间过程

根据时间过程的阶段性划分结果以及资料获取的可行性，本书根据 1985 年、1993 年、2000 年和 2007 年四个时段中国 31 个省市区（海南和重庆城乡人口转型和城乡就业转型数据缺）城乡人口转型、城乡就业转型和城乡产业转型的格局及其演变来分析城乡转型的空间过程。

图 1-15 和图 1-16 为四个时段城乡人口转型的空间过程。从图可以看出，城乡人口转型的空间过程与时间过程具有同相性，人口城镇化水平不断提高。

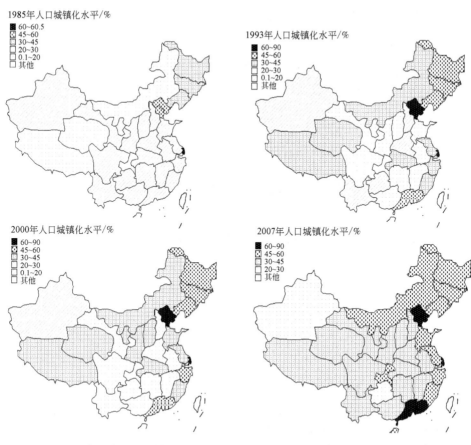

图1-15　中国城乡人口转型的空间过程（1985年、1993年、2000年、2007年）

人口城镇化水平大于60%的地区由1985年为上海，到1993年增加北京、天津，到2000年增加广东。人口城镇化水平大于45%的地区由1985年为天津、北京，到1993年增加东北三省黑龙江、吉林、辽宁和广东，到2000年增加浙江，到2007年增加山东、江苏、福建和内蒙古；人口城镇化水平大于30%的地区由1985年为东北三省，1993年增加江苏、浙江、福建、湖北、内蒙古、青海、新疆，到2000年增加山西、陕西、山东，到2007年增加甘肃、河北、河南、安徽、江西、湖南、四川和广西；人口城镇化水平小于30%的地区数减少，由1985年为23个，到1993年为15个，到2000年为11个，2007年仅为2个，分别为28.23%和28.17%。由此，1985～2007年，城乡人口转型从北方地区高于南方地区，东北和西北是两个团块状高地，西南、中南最低的基本格局演变为存在明显的东北、东部、中部、西南"四元"结构，自东向西、自东北向西南递减，上海、北京、天津、广东人口城镇化水平最高，贵州和西藏人口城镇化水平最低的格局。

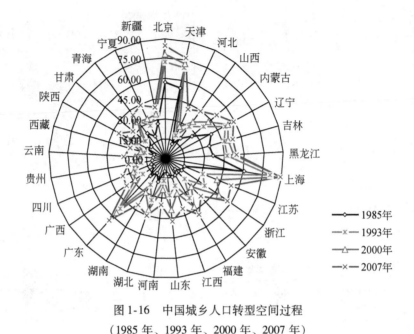

图 1-16　中国城乡人口转型空间过程
（1985 年、1993 年、2000 年、2007 年）

　　尽管城乡人口转型的总体格局没有根本的变化，但城乡人口转型存在显著的空间差异。1985 年人口城镇化水平最高的上海为 60.49%，比全国平均水平（21.47%）高出近 40%；最低的西藏为 9.02%，不到全国平均水平的一半；2007 年人口城镇化水平最高的上海为 88.7%，比全国平均水平（44.9%）高出近 45%，最低的西藏为 28.17%，仅为全国平均水平的 60% 左右。从各年的变异系数来看（1985 年、1993 年、2000 年和 2007 年的变异系数分别为 0.69、0.50、0.43 和 0.33），这种差异呈现出缩小的态势。这与城乡人口转型速度的空间差异密切相关，如果人口城镇化水平高的地区转型速度慢，而人口城镇化水平低的地区转型速度快，空间差异必然呈缩小的态势。

　　从城乡人口转型的速度来看（图 1-17），总体上 1985～1993 年的转型速度最快，2000～2007 年的转型速度大于 1993～2000 年的，这种趋势与时间过程不一致，可能是由 1985 年和 1993 年数据处理方法的系统性误差所致①。本书不考虑这种误差，1985～1993 年转型速度最快的地区为广东，其次为上海、

　　① 1985 年用非农业人口占总人口的比重衡量城乡人口转型的程度，数据来源于《新中国 55 年统计汇编》（1949～2004 年）；1993 年、2000 年和 2007 年用城镇人口占总人口的比重衡量城乡人口转型的程度，其中 1993 年数据来源于顾朝林等（2008）；2000 年数据来源于《中国统计年鉴》（2001 年）；2007 年数据来源于《中国统计摘要》（2008 年）。

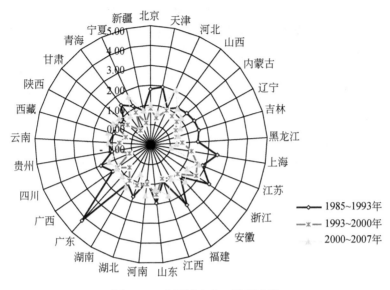

图 1-17　中国城乡人口转型速度

（1985 年、1993 年、2000 年、2007 年）

浙江和福建，人口城镇化水平年均增长率大于 2%；转型速度较慢的地区有陕西、西藏、云南、河南和河北。1993～2000 年，转型速度较快的地区有上海、浙江、福建、北京、天津、江苏、山东；较慢的地区有河北、江西、河南、西藏、甘肃、新疆。2000～2007 年转型速度较快的地区有江苏、宁夏、河南、安徽、湖南、河北、山西、西藏、四川；较慢的地区有上海、黑龙江、吉林、湖北、天津。从相关系数来看①，1985～1993 年的转型速度与期初 1985 年的水平呈正相关，这说明期初水平高的地区，转型的速度就快；1993～2000 年和 2000～2007 年的转型速度与期初 1993 年和 2000 年的水平呈负相关，说明期初水平越高，转型速度反而越慢，尤其是 2000～2007 年更为显著。这是因为：第一，人口城镇化水平已经处于稳定增长阶段，如北京、天津和上海；第二，受 1999 年以来的西部大开发以及中部崛起等区域战略影响。例如，2000～2007 年人口城镇化水平低的中、西部地区如河南、湖南、河北、山西、宁夏、西藏、四川转型速度较快。

　　图 1-18 和图 1-19 为四个时段城乡就业转型的空间过程。城乡就业转型的空间过程与时间过程具有同相性，非农就业水平不断提高。非农就业水平大

―――――――――

　　① 1993～1985 年转型速度与期初 1985 年的相关系数为 +0.234；1993～2000 年转型速度与期初 1993 年的相关系数为 -0.072；2000～2007 年转型速度与期初 2000 年的相关系数为 -0.592。

于 80% 的地区 1985 年为上海、北京，1993 年增加天津，2007 年增加浙江。非农就业水平大于 60% 的地区 1985 年为天津、辽宁，1993 年增加黑龙江，2000 年增加浙江，2007 年增加山东、江苏、福建、广东和湖南；非农化水平大于 45% 的地区 1985 年为黑龙江、吉林、山西、浙江，1993 年增加内蒙古、江苏、福建、广东，2000 年增加河北、山东、江西、湖北，2007 年除西藏、云南、广西非农就业水平低于 30% 以外，其余均大于 30%。由此，1985~2007 年，城乡就业转型的空间格局与城乡人口转型的空间格局基本一致，总体上表现为北方地区高于南方地区，自东向西、自东北向西南递减，上海、北京、天津、广东非农就业水平最高，西南地区的贵州、广西和西藏最低的格局。

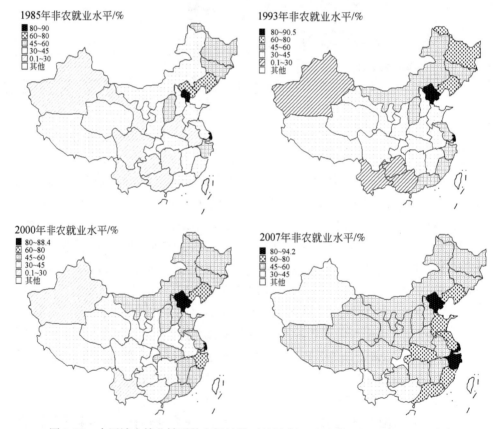

图 1-18　中国城乡就业转型的空间过程（1985 年、1993 年、2000 年、2007 年）

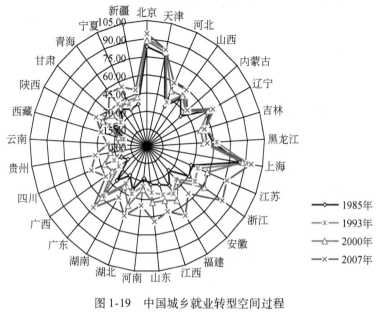

图 1-19　中国城乡就业转型空间过程

（1985 年、1993 年、2000 年、2007 年）

　　尽管城乡就业转型的总体格局没有根本的变化，但城乡就业转型存在显著的空间差异。1985 年非农化水平最高的上海为 83.65%，比全国平均水平（40.74%）高出 40% 多；最低的西藏为 19.05%，不到全国平均水平的一半。2007 年就业非农化水平最高的北京为 94.12%，比全国平均水平（59.21%）高出近 35%；最低的云南为 35.22%，仅为全国平均水平的 60% 左右。从各年的变异系数来看（1985 年、1993 年、2000 年和 2007 年的变异系数分别为 0.44、0.39、0.31 和 0.25），这种差异呈现出缩小的态势。这与城乡就业转型速度的空间差异密切相关，如果非农化水平高的地区转型速度慢，而非农化水平低的地区转型速度快，空间差异必然呈缩小的态势。

　　从城乡就业转型的速度来看（图 1-20），总体上 2000~2007 年的转型速度最快，1993~2000 年次之，1985~1993 年的转型速度居后，这种趋势与时间过程基本一致。1985~1993 年转型速度最快的地区为广东，其次为上海、江西、安徽、内蒙古；转型速度较慢的地区有西部地区的贵州、西藏、陕西和吉林。1993~2000 年，转型速度较快的地区有河北、江苏、浙江、湖北、四川、贵州、甘肃；较慢的地区有北京、天津、东北三省和青海。2000~2007 年转型速度较快的地区有江苏、浙江、安徽、山东、西藏、青海；较慢的地区有北京、天津、东北三省等。从相关系数来看（1985~1993 年转型速度与期初 1985 年的相关系数为 -0.052；1993~2000 年转型速度与期初 1993 年的相

关系数为 – 0.594；2000 ～ 2007 年转型速度与期初 2000 年的相关系数为
– 0.301），城乡就业转型的速度与期初水平均呈负相关，这说明期初水平越高
的地区，非农就业转型的速度越慢。

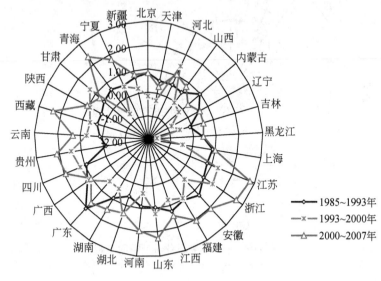

图 1-20　中国城乡就业转型速度
（1985 年、1993 年、2000 年、2007 年）

图 1-21 和图 1-22 为四个时段城乡产业转型的空间过程。从图可以看出，
城乡产业转型的空间过程与时间过程具有同相性，产业非农化水平不断提高。
产业非农化水平大于 90% 的地区 1985 年为北京、天津、上海，2007 年扩展为
北京、天津、上海、山东、江苏、浙江、广东、山西；产业非农化水平处于
80% ～90% 的地区 1985 年为辽宁、山西，1993 年扩展为辽宁、黑龙江、山
西、河北、江苏、浙江、广东以及西部地区的青海；1985 年大部分地区的产
业非农化水平小于 70%，而到 2007 年，大部分地区为 80% ～90%。由此，
1985 ～2007 年，城乡产业转型呈现北方地区高于南方地区，东北和西北是两
个团块状高地，自东向西、自东北向西南递减，西南、中南最低的基本格局。

尽管城乡产业转型的总体格局没有根本的变化，但城乡产业转型存在显著
的空间差异。1985 年产业非农化水平最高的上海为 95.82%，比全国平均水平
（67.09%）高出近 30%；最低的西藏为 32.70%，不到全国平均水平的一半。
2007 年产业非农化水平最高的上海为 99.15%，比全国平均水平（87.28%）
高出 10% 左右；最低的广西为 78.52%，低于全国平均水平的 10% 左右。从各
年的变异系数来看（1985 年、1993 年、2000 年和 2007 年的变异系数分别为
0.21、0.15、0.09 和 0.06），这种差异呈缩小的态势。

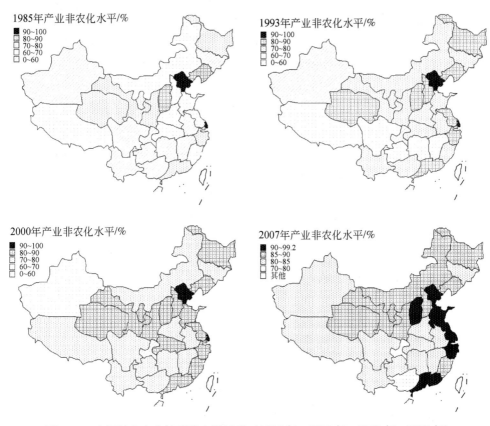

图 1-21　中国城乡产业转型的空间过程（1985 年、1993 年、2000 年、2007 年）

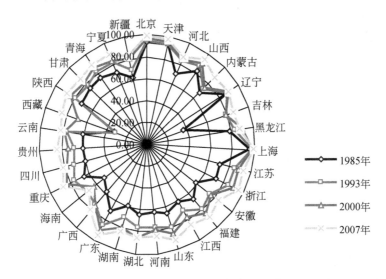

图 1-22　中国城乡产业转型空间过程（1985 年、1993 年、2000 年、2007 年）

从城乡产业转型的速度来看（图 1-23），总体上 2000～2007 年的转型速度最快，1993～2000 年次之，1985～1993 年的转型速度居后，这种趋势与时间过程基本一致。1985～1993 年转型速度最快的地区为广东、海南、安徽；其次为广西、江西、福建；转型速度较慢的地区为贵州、吉林、云南。1993～2000 年，转型速度较快的地区有浙江、贵州、河北；较慢的地区有黑龙江、辽宁、青海。2000～2007 年转型速度较快的地区有江苏、浙江、重庆、青海、西藏、山东；较慢的地区有内蒙古、天津、东北三省等。从相关系数来看（1985～1993 年转型速度与期初 1985 年的相关系数为 −0.025；1993～2000 年转型速度与期初 1993 年的相关系数为 +0.330；2000～2007 年转型速度与期初 2000 年的相关系数为 +0.056），城乡产业转型的速度与期初水平前一个阶段为负相关，与后两个阶段则为正相关。这说明前一个阶段，城乡产业转型水平高的地区，非农就业转型的速度慢；后两个阶段，城乡产业转型水平高的地区，非农就业转型的速度则快。

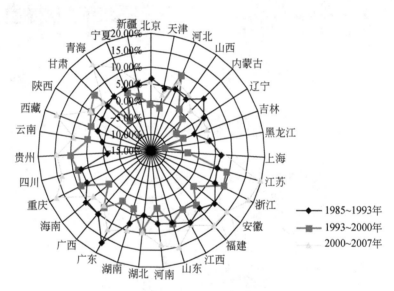

图 1-23　中国城乡产业转型速度（1985 年、1993 年、2000 年、2007 年）

1.2.3　城乡转型的特征

1）基本符合城乡转型的一般规律：人口城镇化水平不断提高；第一产业就业（产值）比重逐步下降，第二、第三产业就业（产值）比重逐步上升。从年增长率来看，城乡转型的年际差异较大，且具有明显的阶段性特征（图 1-24）。

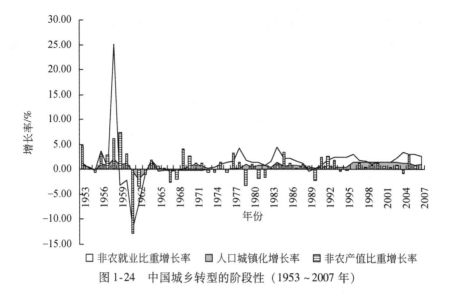

图 1-24　中国城乡转型的阶段性（1953～2007 年）

2）城乡转型的空间差异显著。2007 年，人口城镇化水平最高的上海为88.7%，比全国平均水平（44.9%）高出近45%，最低的西藏为28.17%，仅为全国平均水平的60%左右；就业非农化水平最高的北京为94.12%，比全国平均水平（59.21%）高出近35%，最低的云南为35.22%，仅为全国平均水平的60%左右；产业非农化水平最高的上海为99.15%，比全国平均水平（87.28%）高出10%左右，最低的广西为78.52%，低于全国平均水平的10%左右。

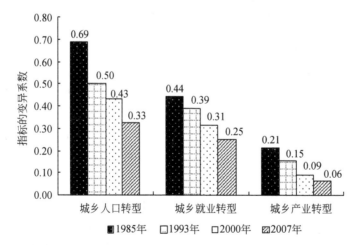

图 1-25　中国城乡转型的空间差异变化（1985 年、1993 年、2000 年、2007 年）

3）城乡转型具有趋同性。从各指标的变异系数来看（图 1-25），不管是城乡人口转型、城乡就业转型还是城乡产业转型，它们的空间差异均呈不断缩小的态势。进一步从表1-5可以看出，除1985～1993年城乡人口转型的速度与1985年前一期的城乡人口转型正相关外，其余变量的转型速度与前一期城乡转型的水平负相关。这些说明，城乡转型具有趋同性，城市规模越大，转型速度越低；城市规模越小，转型速度越高。

表1-5　城乡转型速度与前一期转型水平的相关关系

时　　期	转型水平								
	城乡人口转型速度			城乡就业转型速度			城乡产业转型速度		
	1985年	1993年	2000年	1985年	1993年	2000年	1985年	1993年	2000年
1985～1993年	0.234			-0.052			-0.563		
1993～2000年		-0.072			-0.594			-0.817	
2000～2007年			-0.592			-0.301			-0.670

4）城乡转型的空间自相关性增强。空间自相关是空间统计学研究中的一个重要方法，反映一个区域单元上某种现象或某一属性空间自相关值与邻近区域单元上同一现象或属性值相关程度的大小，是空间域中集聚程度的一种量度。衡量空间自相关的指标有 Moran's I、Getis、Geary's C 和 Join count 等，其中 Moran's I 最为常用，具体公式为

$$I = \frac{n}{\sum\limits_{i=1}^{n}\sum\limits_{j=1}^{n} W_{ji}} \times \frac{\sum\limits_{i=1}^{n}\sum\limits_{j=1}^{n} W_{ij}(x_i - \bar{x})(x_j - \bar{x})}{\sum\limits_{i=1}^{n}(x_i - \bar{x})^2}$$

式中，W_{ij} 是研究范围内每一个空间单元 i 与 j ($i, j = \{1, 2, 3, \cdots, n\}$) 空间单元的空间相邻权重矩阵。

1 表示 i 与 j 相邻，0 表示 i 与 j 不相邻。根据上式计算的 Moran's I 值介于 -1 到 1 之间，大于 0 为正相关，小于 0 为负相关，值越大表示空间自相关性越强，即空间上呈集聚分布的现象。反之，值越小，表示空间分布自相关性小；当值等于 0 时，表示空间分布呈现随机分布的情形。图1-25 为四个时段中国城乡转型的 Moran's I 值。从图1-25 可看出，城乡人口转型、城乡就业转型和城乡产业转型的空间自相关均大于 0，说明中国城乡转型存在正的空间自相关，也就是说中国城乡转型的空间分布表现出相似值之间的空间集聚。其空间联系的特征是：城乡转型程度较高的省级行政区相对地趋于和较高转型程度的省级行政区相邻，或者城乡转型程度较低的省级行政区相对地趋于和较低转型程度的省级行政区相邻；从时间上来看，整体上城乡转型的空间自相关性越来越强。如图1-26 所示，四个年度中国城乡人口转型的 Moran's I 值依次为 0.25、0.22、0.26、

0.31；中国城乡就业转型的 Moran's I 值依次为 0.33、0.33、0.34、0.37；中国城乡产业转型的 Moran's I 值依次为 0.09、0.14、0.10、0.19。

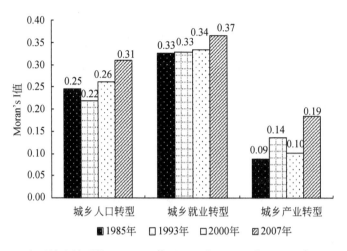

图 1-26　中国城乡转型的 Moran's I 值（1985 年、1993 年、2000 年、2007 年）

5）城乡人口转型、城乡就业转型滞后于城乡产业转型。从非农产业占GDP 的比重来看，1980 年中国已经达到 69.9%，与 1884 年的美国相近，非农就业水平和人口城市化水平却与当时的美国有 15.2% 和 11.6% 的差距；1990年中国非农产业产值比重为 72.9%，与 1949 年的日本、1900 年的美国基本一致，但非农就业水平和城市化水平比 1949 年的日本分别滞后约 12 和 11 个百分点，比 1900 年的美国分别滞后约 22 和 13 个百分点。以 2000 年的数据来看，非农产值比重与 1959 年的日本接近，但非农就业水平与城市化分别滞后13.5 和 27.3 个百分点（表 1-6）。根据钱纳里的世界城市化的一般模式，当非农产值的比重为 84.4% 时，非农就业水平和城市化水平分别为 70% 和 60.1%，中国 2000 年非农产值比重是 84.1%，但非农就业水平和城市化水平仅为 50%和 36.2%，分别滞后约 20 和 24 个百分点。

表 1-6　城乡转型变动趋势的国际比较

国际或模式	年份或发展阶段	城乡产业转型/%	城乡就业转型/%	城乡人口转型/%
中国	1980	69.9	31.3	19.4
	1990	72.9	39.9	26.4
	2000	84.1	50	36.2
	2005	87.4	55.2	43.0
	2007	88.7	59.2	44.9

国际或模式	年份或发展阶段	城乡产业转型/%	城乡就业转型/%	城乡人口转型/%
日本	1949	72.6	52	37.5
	1959	84.5	63.5	63.5
美国	1884	68	46.5	31
	1900	73.3	62.4	39.7
钱纳里一般模式	100 $	45.2	34.2	22
	200 $	67.3	44.3	36.2
	300 $	73.4	51.0	43.0
	800 $	84.4	70	60.1

资料来源：田明，2008；中国2007年数据来自《中国统计摘要》（2008年）

1.3　农地非农化的时空过程

可以用两个指标来衡量农地非农化的程度，一是农地非农化的绝对规模（S）。将绝对规模分为五类：$S > 7.4$ 为第一类，耕地非农化程度很大；$5.1 < S \leqslant 7.4$ 为第二类，耕地非农化程度较大；$4.2 < S \leqslant 5.1$ 为第三类，城镇扩展占用一定的耕地；$1 < S \leqslant 4.2$ 为第四类，城镇扩展占用较少的耕地；$S \leqslant 1$ 为第五类，占用耕地很少。

由于各地区耕地资源禀赋的不同，耕地非农化绝对数量无法反映耕地非农化的程度，因此可以用耕地非农化的相对数量即耕地非农化率来反映。耕地非农化率（RI）＝耕地非农化面积/研究期初耕地面积，RI 值越大，建设占用耕地的速度越快，程度越高。将 RI 分为五类：$RI > 0.3\%$ 为第一类，耕地非农化程度很大；$0.15\% < RI \leqslant 0.3\%$ 为第二类，耕地非农化程度较大；$0.1\% < RI \leqslant 0.15\%$ 为第三类，城镇扩展占用一定的耕地；$0.05\% < RI \leqslant 0.1\%$ 为第四类，城镇扩展占用较少的耕地；$RI \leqslant 0.05\%$ 为第五类，占用耕地很少。

农地非农化即建设占用耕地面积，根据资料文献，有以下来源：1985～1995 年数据来源于邹玉川（1988），1993～1995 年数据来源于《中国土地年鉴》（1994～1996 年），1996 年数据来源于《中国农业统计资料》（2007 年），1997 年、1998 年数据来源于中国自然资源环境数据库；1999～2006 年数据来源于《中国国土资源年鉴》（2000～2007 年），2007 年数据来源于新延利（2008 年），1982～2005 年数据来源于刘丽军（2006），1989～2001 年数据来源于人大经济论坛①。理论上讲，由于土地利用分类体系的变更，建设占用耕

---

① http://www.pinggu.org/bbs/b55i244192.html.

地面积数据时间序列上不可连续。例如，在 2001 年的土地利用分类体系中，其他农用地中的农村道路、农田水利用地等属于其他农用地，不属于建设用地，而在 1984 年的土地利用分类体系中，农村道路、农田水利用地等属于集体建设用地，如《中国土地年鉴》（1993～1996 年）的统计数据，更何况不同来源的数据。因此，如果不加以修正，可能导致 2001～2007 年的数据由于这个系统性的误差出现下降的情况。但由于数据资料不足以进行修正，因此本书仅把对上述数据进行比较分析后确定的数据作为分析的基础数据。

1.3.1 农地非农化的时间过程

从农地非农化绝对数量来看，1982～2007 年，中国耕地非农化面积为 5327.25×10³hm²，若以 1982 年为基数，研究期间中国耕地非农化率为 5.40%，平均每年占用耕地 204.89×10³hm²，耕地非农化率平均每年 0.21%。近 26 年，耕地非农化总体上呈现明显的阶段性特征（图 1-27）。

1) 1982～1985 年为耕地非农化的快速递增期。耕地非农化面积从 1982 年的 137.36×10³hm² 增加到 1985 年的 323.6×10³hm²，年均耕地非农化面积为 217.95×10³hm²，年耕地非农化率为 0.22%。这时期处于中国国民经济的快速恢复期，各地许多重大工程、基础设施项目纷纷上马，经济的快速增长刺激了对土地要素的大量需求，推动了耕地的快速非农化。

2) 1985～1991 年为耕地非农化的快速递减期。耕地非农化面积从 1985 年的 323.6×10³hm² 下降到 1991 年的 125.8×10³hm²，年均耕地非农化面积为 192.04×10³hm²，年耕地非农化率为 0.20%。这一时期处于 1978～1983 年的经济过热的调整收缩期。

3) 1991～1993 年为耕地非农化的较快递增期。耕地非农化面积从 1991 年 125.8×10³hm² 的谷底"飙升"为 1993 年的 271.1×10³hm²，达到 1985 年后的第二个峰值。年均耕地非农化面积为 205.36×10³hm²，年耕地非农化率为 0.21%。这一时期主要是由于全国范围的房地产热和开发区热，导致对土地的大量开发和圈占。

4) 1993～2000 年为耕地非农化的平稳减少期。耕地非农化面积从 1993 年的 271.1×10³hm² 减少到 2000 年的 163.30×10³hm²，年均耕地非农化面积为 209.31×10³hm²，年耕地非农化率为 0.19%。这一时期为保持国民经济持续快速健康发展，国家实行扩大内需、加强基础设施建设、实施生态退耕等政策，并且随着中共中央 1997 年 11 号文件"冻结非农业建设项目占用耕地一年"的颁发执行，2000 年耕地非农化面积出现了自 1991 年以来的最低点。

5）2000～2007 年为耕地非农化"增加－减少"的平稳波动期。由于各地的开发区、大学城建设盛行，耕地非农化面积出现强力反弹，于 2004 年达到 292.8 ×10³hm²。2004 年国务院下达《关于深入开展土地市场治理整顿、严格土地管理的紧急通知》，大量清理开发区占地问题，耕地非农化面积虽有所减少，但 2005 年仍达到 212.11×10³hm²，2007 年有下降的趋势，为 188.33×10³hm²。

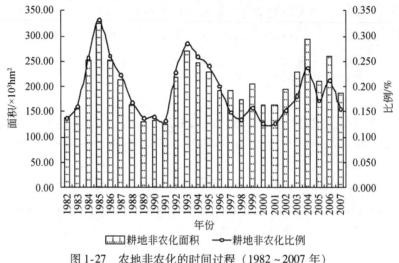

图 1-27 农地非农化的时间过程（1982～2007 年）

1.3.2 农地非农化的空间过程

按照中国 31 个省（直辖市、自治区）行政区划为分析单元，分 1993 年、2000 年和 2007 年三个时段的耕地非农化面积和耕地非农化率来分析空间过程。

从绝对数量来看（图 1-28），中国耕地非农化主要集中在东部和中部地区，北部和西北地区较少。1993 年，属于第一类的地区有河南、安徽、江苏、浙江、广东；属于第二类的地区有辽宁、河北、山东、湖北、四川、云南；属于第三类的地区有黑龙江、福建、广西；属于第四类的有吉林、内蒙古、甘肃、新疆、陕西、山西；其余为第五类。2000 年，河南降为第二类，河北、山东、上海、云南向第一类演化；辽宁、湖北降为第三类；山西、福建向第二类演化；其余总体格局保持不变。2007 年，河南、安徽向第一类演化；湖北、江西向第二类演化；湖南、广西向第三类演化，其余总体格局保持不变。

从相对数量来看，中国耕地非农化的空间分布总体上与绝对数量基本一致，主要集中在东部沿海地区。1993 年，属于第一类的地区有北京、天津以及上海、浙江、福建、广东、海南等；属于第二类的地区有辽宁、山东、湖北和西藏；属于第三类的地区有河北、山东、河南、安徽、四川、云南和广西；

属于第四类的地区有新疆、陕西、山西、贵州和湖南；其余北部地区和内蒙古、西部地区的青海、甘肃和东北地区的黑龙江、吉林等为第五类。2000年，耕地非农化减少，减少明显的地区主要为广东、河南、安徽、湖北、辽宁、西藏；其余格局总体保持不变。2007年，耕地非农化进一步强化，江苏向第一类演化；辽宁、河南、安徽、江西向第二类演化；湖北、湖南、广西、青海、西藏向第三类演化。

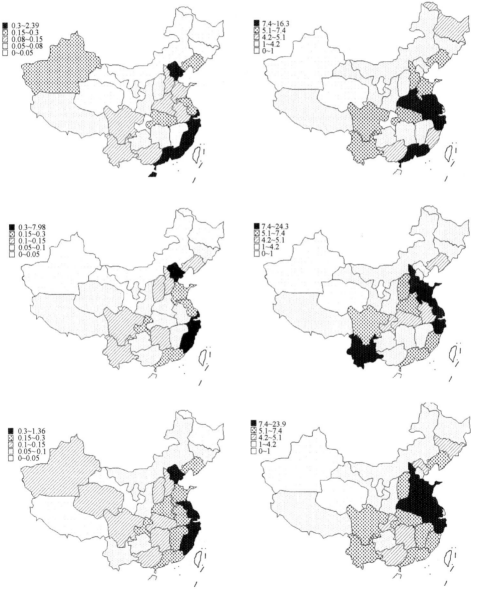

图 1-28　中国农地非农化的空间过程（1993年、2000年、2007年）

总之，东部沿海地区是耕地非农化的热点区域，从时间段来看，耕地非农化有向中部、西部演化的趋势。

1.3.3 农地非农化的特征

国外学者针对农地非农化的某一特征进行了研究（胡伟艳和张安录，2007），国内学者张安录（1999）和闵捷（2007）在系统、定性地分析农地非农化特征的基础上，对不同尺度下的农地非农化特征进行了实证研究。归纳起来主要从主体、客体、区域、时间、行为等方面来分析农地非农化的特征。本书在上述过程分析的基础上，从宏观尺度上对农地非农化的特征从客体、区域、时间、静态和动态等角度总结归纳如下。

1）呈现较强的阶段性和波动性。从 1982～2007 年的农地非农化面积来看，中国农地非农化呈现较强的阶段性和波动性特征（图 1-29）。农地非农化经历了三次高峰和两次低谷：三次高峰分别发生在 1985 年（323.60 × $10^3 hm^2$）、1993 年（271.10 × $10^3 hm^2$）和 2004 年（292.80 × $10^3 hm^2$）；两次低谷分别发生在 1991 年（125.80 × $10^3 hm^2$）、2001 年（163.70 × $10^3 hm^2$）。通过耕地非农化的趋势线可以进一步清晰地看出耕地非农化的波动性。

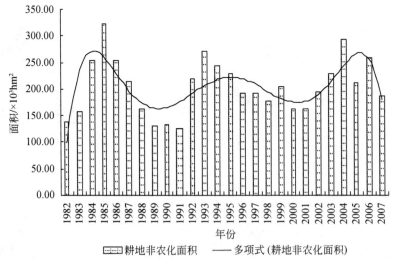

图 1-29　中国农地非农化的阶段性和周期性（1982～2007 年）

2）优质农地的非农化。从图 1-30 可以看出，总体而言，无论是从绝对数量还是从相对数量来看，耕地非农化多的地区，也是一等地耕地面积占百分比[①]多

---

① 一等地面积占百分比根据中国自然环境数据计算整理。

的区域。利用简单相关系数（一等耕地面积所占百分比与耕地非农化面积、耕地非农化率的相关系数分别为 0.312 和 0.410）。郧文聚的一项研究表明，中国优质耕地的分布区域包括绝大部分城市①。这进一步说明协调城市化与耕地保护关系的重要性。另外，从耕地内部结构的非农化来看，20 世纪 80 年代中后期至 2000 年，水田非农化率为 0.94%，是旱地非农化率的 2.40 倍（王百川，2002）。蔡银莺和张安录（2004）对武汉市的研究表明 1996～2002 年水田和菜地减少的比重分别达到 49.57%、12.55%，两项合计占耕地净减少面积的 62.12%。流转的农地在质量等级上大多为优质农地，这部分耕地大量流失，必将导致耕地整体质量的下降。

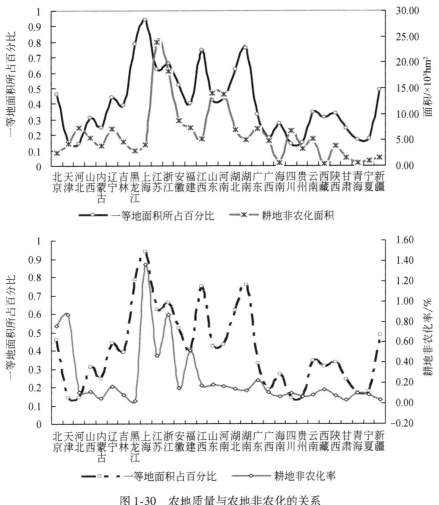

图 1-30　农地质量与农地非农化的关系

---

①　http：//scitech.people.com.cn/GB/7149029.html.

3）农地非农化的区域指向明显。从图 1-31 可看出，建设占用耕地面积与增加的居民点及工矿用地面积、交通用地面积密切相关。2000 年、2006 年建设占用耕地面积与增加的居民点及工矿用地面积、交通用地面积的相关系数分别达到 0.468、0.617；0.730、0.653。从建设用地扩展类型来看，无论是2000 年还是 2006 年，居民点及工矿用地的扩展和交通用地的扩展，主要集中在河北、浙江、山东、广东、江苏、西藏等地区。

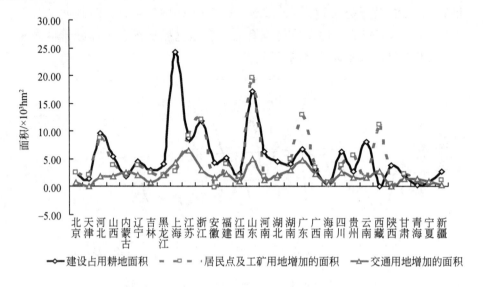

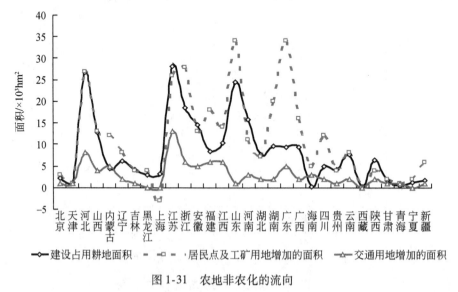

图 1-31　农地非农化的流向

4）热点区域明显，区域差异显著。无论是 1993 年、2000 年还是 2007

年，耕地非农化的空间特征都是东部＞中部＞西部，东部地区是中国耕地非农化的热点区域，各年分别占全国的 57.8%、62.6%、58.6%，中部地区分别为 30.0%、23.7%、31.3%，西部地区分别为 12.3%、13.6%、10.0%。根据变异系数（各年的变异系数分别为 0.784、0.993、0.885）也说明了区域差异的显著性特征。另外，农地非农化存在由东向中西部演化、区域差异先增后减的特征。

5）空间自相关性逐渐增强。根据

$$
I = \frac{n}{\sum\limits_{i=1}^{n}\sum\limits_{j=1}^{n}W_{ji}} \times \frac{\sum\limits_{i=1}^{n}\sum\limits_{j=1}^{n}W_{ij}(x_i - \bar{x})(x_j - \bar{x})}{\sum\limits_{i=1}^{n}(x_i - \bar{x})^2}
$$

式中，W_{ij} 是研究范围内每一个空间单元 i 与 j 空间单元的空间相邻权重矩阵。公式计算 Moran's I 值（图 1-32）。从图 1-32 可看出，农地非农化的空间自相关均大于 0，为正相关，说明农地非农化的集聚现象较强；从时间上来看，农地非农化的空间自相关性越来越强。

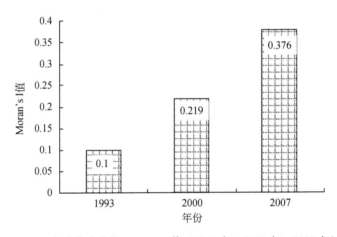

图 1-32　农地非农化的 Moran's I 值（1993 年、2000 年、2007 年）

1.4　本章小结

城乡转型是一个多层面、动态的、内涵十分丰富的概念，包括人口、社会、文化、经济、环境、生态、物质、管治等。这些方面中的任何一方面的发生，我们都可以把它称为城乡转型；如果同时发生了，实际上也就是一个完全的城乡转型过程。根据当前中国城乡转型的结构性矛盾，本书所指城乡转型包括城乡人口转型、城乡就业转型和城乡产业转型，其中城乡产业的转型是本质，人口、就业的转型是基础。中国城乡转型总体上具有以下特征：符合城乡转型的一般规律，即中国城镇人口不断增加，人口城镇化水平不断提高，第一产业就业（产值）比重逐步下降，第二、第三产业就业（产值）比重波动上升，但这种过程具有明显的阶段性特征；存在显著的空间差异，但这种差异呈现不断缩小的态势；城乡转型具有趋同性；空间自相关性增强；城乡人口转型、就业转型滞后于产业转型。

农地非农化不仅包括土地利用方式的变更，也包括土地产权的让渡，本书的农地非农化主要从用地方式的变更角度看，指建设占用耕地。中国农地非农化总体上具有以下特征：阶段性和波动性；优质农地的非农化；区域指向明显；热点区域明显，区域差异显著；存在由东向中西部演化，区域差异先增后缩的态势；空间自相关性逐渐增强等。

第2章
城乡转型与农地非农化的相互关系

城乡转型与农地非农化相互关系的研究是两者协调发展的基础。目前两者相互关系的定性研究较多，而且应用简单的数理统计方法和趋势分析如回归分析、因子分析、主成分分析、因子关联等进行定量研究的文献也越来越多。本书认为两者之间的相互关系包括相关关系和因果关系两种类型，简单的相关分析或回归分析只能判断两者之间是否存在相关关系，并且大多数文献没有对非平稳的数据进行处理，使得城乡转型与耕地非农化之间关系的统计推断建立在伪回归的基础上，研究结论缺乏可信度。更为重要的是，相关关系无法判断或并不能够说明两者之间是否存在因果关系以及因果关系的方向。本章在对城乡转型与农地非农化相互关系研究文献进行综述的基础上，对城乡转型与农地非农化的 Pearson 相关关系以及库兹涅茨曲线关系进行一般性的考察，然后着重对两者因果关系的研究方法进行论述，并运用中国时序数据、Panel 数据以及典型地区的数据对城乡转型和农地非农化的因果关系进行检验。

2.1 前人研究主要观点与述评

2.1.1 前人研究主要观点

根据国际经验，目前中国已步入快速的城乡转型期。重要的生产要素——土地资源的非农化成为一种不可避免的社会经济现象，如果不能有效协调两者之间的关系，这势必会影响中国政府的两项政策目标：有序的城乡转型和粮食安全（张安录，2001）。城乡转型与农地非农化相互关系的研究是两者协调发展的基础，学术界对城乡转型与农地非农化相互关系的研究主要体现在农地非农化的影响因素或驱动因素上，即城乡转型各变量对农地非农化的影响，包括人口城市化、产业非农化等。

一些学者认为，城市化水平的提高，意味着耕地总量的减少、耕地质量的下降，即两者之间是正相关关系。20世纪50年代，美国学者唐纳德·博格认为，乡村城市形态转型的主要原因是城市人口的快速增长，他对美国1929~1954年城市人口增长的数量与农地数量的减少作了相关研究，结果发现在这一期间，每增加一个城市人口，农地数量减少0.26英亩。

Kuminoff（2001）基于Muth的假设，构建了一个线性计量模型，以此来研究农地非农化的影响因素。结果表明，城市人口的增长在统计上对农地非农化有显著的、积极的影响，是农地非农化的主要推动力。

Tweeten（1998）使用1949~1992年美国州级人口普查数据来模拟耕地流失。结果表明，美国农地非农化的74%的原因是农业人口、人均农户收入占总收入的比重等农业因素，并且发现在不同的地区，各种影响因素的重要性也不同。

Hardie等（2000）建立了计量经济模型，对美国南部地区地租对农地非农化的影响进行了研究，结果表明，人口、收入、不动产价值、价格和成本影响土地利用变化的程度，这种影响程度与县级城市化水平有关。

Ahn（2002）在陈述美国中西部地区农地非农化过程的基础上，利用土地利用的计量经济模型，对农地非农化和影响土地利用决策的人口、经济因素之间的相互关系进行了研究。研究结论为，影响农地非农化的因素有不同用途土地的净收益、土地质量以及人口统计变量如人口密度。

持相同观点的研究者Cruz（2001）认为，影响农地非农化的因素有人口、收入、住房价格、地块大小和农地租金。研究结论显示，随着人口和收入的增加，农地非农化增加，但农地非农化并不受住房价格、地块大小和农地租金的影响。

Reynolds（2001）的一项研究表明，农地非农化与人口的增加直接相关。

近年来，许多学者用研究人口和就业变化的区域增长模型尤其是结构模型来研究农地非农化的影响因素（Hailu, 2002; Hailu and Rosenberger, 2004; Hailu and Brown, 2005; Nzaku and Bukenya, 2005; Mojica and Bukenya, 2006），他们认为农地保护、住房所有权、人均税收、就业扩张和农业销售额是影响农地非农化的重要因素。

面对农地非农化的趋势及其带来的生态环境问题，国内学者开始全面地、系统地考察城乡转型（工业化、城市化）与土地资源消费、农地非农化的相互关系。例如，鲁明中等（1996）的研究表明经济发展水平与城镇建设用地、交通用地之间存在较为密切的正相关关系，经济发展水平越高，城镇建设和交通建设占地也越多。余庆年和赵登辉（2001）利用江苏省1978~1997年的数据建立了耕地总面积与城镇化水平的回归，得出的结论是：人口每增加1万人就意味着耕地减少 159.6hm²；城镇化水平每提高一个百分点，耕地就减少 13 688.3hm²。上述关于农地非农化的城市化、工业化驱动因素研究的大量文献也证实了这种观点，并认为工业化、城市化是农地非农化的驱动力。

一些学者从城乡人均居住用地的差异或者城乡居民消费的差异角度来研究，认为随着人口城市化水平的提高，耕地占用将减少，即城乡转型与农地非农化是负相关关系。史育龙（2000）认为在总人口不变的情况下，人口城市化意味着农村人口减少，其居住用地相应减少，农村个人建房用地向其他用地的转换会增加，农村个人建房用地减少，具体表现在以下 3 个方面：①城市人均用地比农村少，因此，可容纳人口多，土地利用集约度也高，可以间接减少耕地占用。②农村剩余劳动力向城市转移，可以空闲出许多宅基地和非农用地，可以复垦为耕地，增加耕地数量；农村劳动力的减少还可以加大集中统一经营力度，连片耕作，减少不必要的路和田坎，增加耕地，从而实现农业生产集约经营和规模经营。③人口城市化通过提高人口素质，降低人口出生率，从根本上减轻耕地的压力。Ding（2004）认为随着城市化水平的提高，人们的消费结构发生变化，谷物类粮食消费减少，蔬菜、水果、鱼类、肉类消费增加。例如，2002 年中国城镇居民谷类消费只是农村居民的 1/3，从而减少了对农地的需求，并且他认为，由于迁移到城市的农民居住地占地面积（如城中村）很小，人口的城市化不可能导致土地非农化。

20 世纪八九十年代以来，由于人们对经济增长与环境保护关系研究的深入而提出的环境库兹涅茨假说被用于分析城市化、经济增长与耕地占用之间的关系。这是一种对城乡转型与农地非农化关系的折中观点。

一些学者认为，城市化水平与耕地占用之间存在库兹涅茨曲线关系。例如，在宏观尺度上，张新安和刘丽（2005）通过对中国内地、中国台湾、日本、韩国、新加坡、英国、德国、意大利、法国、美国、加拿大、澳大利亚等 12 个国家和地区工业化过程中的农地资源消耗规律进行了研究，研究结论为，12 个国家和地区的农地资源消耗趋势主要有两种类型：一类是进入工业化阶段后农地资源持续减少，属于此类的国家（地区）有日本、韩国、中国台湾、新加坡、意大利、英国、德国和中国；另一类是进入工业化阶段后农地资源数量有升有降，有的是先升后降，如美国和加拿大，有的是先降后升，如法国，有的是持续上升，如澳大利亚。第一类国家的土地资源消耗速度都经历了一个由慢到快再到慢的过程，可以大致表示为拉长的"S"形农地资源消耗增长耗竭曲线（肖金成等，2006）。上述结论和成果考察的前提是以国家为研究对象，在地域和空间上相对比较独立，而对于一国内部的地区甚至更小范围的区域，由于它们的社会经济活动与周边地区存在着错综复杂的相互依存关系，上述结论是否成立呢？

Pond 和 Yeates（1993）在构建农地非农化的计量方法的基础上[①]，通过对加拿大 Laprairie 和 Oxford 两县的研究，发现在城市化进程中，农地非农化的直接部分和间接部分的比率呈现出明显的波动状态，并提出农地非农化与城市化的倒"U"形关系。摆万奇（2000）在分析深圳市土地利用变化与驱动力的基础上，采用系统动力学的方法，定量地描述城镇用地的长期变化趋势，认为这是一种"S"形的增长规律。曲福田和吴丽梅（2004）通过对天津市、山东省、江苏省、上海市、广东省、福建省 6 个典型地区经济发展过程中耕地损失的计量，认为经济增长与农地非农化之间有库兹涅茨曲线型关系。蔡银莺和张安录（2006）选择深圳 5 个城市作为研究区域，进一步分析了耕地面积减少与经济发展的规律，指出耕地资源流失量下降的阈值受不同城市经济消费水平的影响而有所差异。也有学者认为城市化与耕地占用并不存在库茨尼茨曲线关系（蔡继明和周炳林，2005）。

对城乡转型与农地非农化相关关系的研究主要应用回归分析、因子分析、主成分分析、因子关联等方法，回归分析的文献占多数，即运用 OLS 方法（普遍最小二乘法）估计线性模型，根本不考虑所研究的时间序列性质。现代计量经济学表明，经济领域中许多时间序列都是非平稳的。不考虑时间序列的平稳性而直接进行回归估计，很可能得出变量之间错误关系的结论，类似于"警察–罪犯"、"医生–病人"的关系，即所谓的"伪回归"。

城乡转型与农地非农化之间的关系十分复杂，是城乡转型带动农地非农化，还是农地非农化带动城乡转型，或者城乡转型和农地非农化同时进行？农地非农化速度的不断加快是否出于推动城乡转型的需要？城乡转型进程的加快是否必然会引起农地非农化？或者，农地非农化与城乡转型之间是否存在着互动关系？显然，对这些问题的回答不仅具有理论意义，而且具有现实意义和政策含义，应该是学术界和政府研究部门关注的焦点。然而，简单的相关分析或回归分析只能判断两者之间是否存在相关关系（相关关系是指现象之间存在着的非严格的、不确定的依存关系）并且大多数文献没有对非平稳的数据进

---

① Pond 和 Yeates（1993）指出，传统的农地非农化计量方法，用建成区面积的年均变化率；土地消耗率（每千人所占用的建成区面积）以及土地吸收率（每变化千人建成区面积的变化）等指标只计量了农地城市流转的直接部分，这样会严重低估城市发展对农地城市流转的影响。他们将农地城市流转分为 3 个部分：a. 农地直接转换为城市用地的部分，如建成区面积的扩张。b. 农地转换为城市用地的间接可见部分，包括沿公路呈带状开发的住宅、休闲农场或大宗乡村房地产所占用的土地；垃圾填埋或汽车废弃地所占用的土地；竞技或射击场等娱乐场所占用的土地；为城市自身提供资源占用的土地如沙子、沙砾堆放场、水库等。c. 农地转换为城市用地的间接不可见部分，包括投资者或投机者占用的未来近期可能被开发的土地，即临时性或过渡性土地（transitional land）；来往城市，但居住在城市远郊所占用的乡村住宅和休闲农场，即城市远郊用地（exurban land）。

行处理，使得城乡转型与耕地非农化之间关系的统计推断建立在"伪回归"的基础上，研究结论缺乏可信度。更为重要的是，相关关系无法判断或并不能够说明两者之间是否存在因果关系以及因果关系的方向。

基于上述因素的考虑，当前对因果关系的研究逐渐增多。我们利用中国知网对关键词"因果关系"进行精确查询发现，1997～2006 年共有 793 篇文献，从 1997 年的 47 篇增加到 2006 年的 123 篇，从 1997 年因果关系研究文献所占比例的 0.499% 增加到 2006 年的 0.619%。

城乡转型与农地非农化之间的因果关系，应该是学术界和政府研究部门关注的焦点，因为城乡转型与农地非农化之间的因果方向具有重要的政策含义。如果存在从城乡转型到农地资源消耗的单向因果关系，那么这一城乡转型是非土地依赖型转型经济，因而农地非农化调控政策的实施对城乡转型的负面影响可能就非常小，甚至不存在；如果存在从农地资源消耗到城乡转型的单向因果关系，那么，这一城乡转型就是土地依赖型转型经济；如果城乡转型与农地资源消耗不存在因果关系，即所谓满足"中性假说"，那么城乡转型与农地非农化之间并没有什么必然的联系；如果城乡转型与农地非农化之间存在双向因果关系，那么，这表明城乡转型与农地非农化是相互依赖的。

从经济学角度来说，如果仅存在从城乡转型到农地非农化的单向因果关系，则可以说明城乡转型的成本小于农地非农化的成本；如果仅存在农地非农化到城乡转型的单向因果关系，则可以说明农地非农化的成本小于城乡转型的成本；如果存在良性的双向因果互动关系，则可以说明城乡转型的成本与农地非农化的成本是均衡的，从而实现了乡村人口在乡村和城市之间选择的自由机制。

张安录（2000）从区域的角度分析了城乡转型与农地非农化的互动关系，并以武汉市为例进行了实证研究，但他的研究是定性的。宋戈等（2006）利用黑龙江省 1986～2004 年统计数据，应用标准的 Granger 因果检验的 EG 两步法对 GDP、城市化与农地非农化之间的因果关系进行了量化研究，研究认为滞后 1 期的城市化水平是农地非农化的 Granger 原因，滞后 4 期的农地非农化是城市化水平的 Granger 原因。高巍（2007）利用湖北省 1978～2003 年统计数据，应用适用于双变量的 Granger 检验方法对 GDP、城市化与农地非农化之间的因果关系进行了量化研究，研究认为存在从农地非农化到人口城市化的单向因果关系。蔡继明和周炳林（2005）则在国家尺度上对经济增长与耕地面积变化进行协整，认为两者不存在同步协整，所以不存在因果关系。

2.1.2 前人研究述评

总体上来讲，上述关于城乡转型与农地非农化相互关系的文献均将两者视为宏观经济或整体的社会现象，并以此来进行研究的。研究结论为：城乡转型与农地非农化之间是正相关关系或负相关关系；城乡转型与农地非农化之间存在或不存在"库茨尼茨曲线"关系；城乡转型不对农地非农化产生影响；城乡转型与农地非农化之间存在因果关系或不存在因果关系；城乡转型与农地非农化之间存在互动关系。对于两者之间的相互关系，之所以得出不同的研究结论，可以归结为以下几点。

1）研究区域不同，研究结论自然就不同。当前对两者相互关系的研究主要是以国家或省、市、地区为尺度的宏观或中观层面的研究。

2）研究时所选择的指标不一样。例如，对于农地非农化自变量，有的文献用耕地面积变化，也有的文献用建设占用占减少的耕地面积的百分比或建设占用占期初耕地面积的百分比，还有的文献用城镇建设用地的扩张（陈利根等，2004）等绝对指标和相对指标；因变量包括经济增长、城市化水平等不同的指标，但即使是同一指标如城市化水平，由于城市化水平的统计口径不同而存在省际差异，从而导致研究结论的不同。

3）对 Granger 因果检验方法的不正确运用。例如，有的文献在利用 Granger 因果检验方法前并没有对两者的协整关系进行检验。Granger（1988）指出，如果变量间存在协整关系，则意味着变量之间存在相关关系或至少一个方向的因果关系，但因果关系方向还需要通过 Granger 因果检验方法得出；在非协整的情况下，则任何 Granger 原因的推断都是无效的。

4）通过运用 OLS 方法估计线性回归模型，只能判断两者之间是否存在相关关系，并且大多数文献由于没有考虑时间序列的平稳性，从而得出变量之间的"伪回归"。更为重要的是，相关关系无法判断或并不能够说明两者之间是否存在因果关系以及因果关系的方向。另外，当前对因果关系的研究仅限于对时间序列进行分析，而时间序列分析存在样本信息量不足的问题，从而导致检验结果与实际不一致。

2.2 城乡转型与农地非农化的相关关系

2.2.1 相关关系的初步考察

研究变量之间的关系，有两种基本的范式：一是根据理论分析、演绎提出变量间的关系；二是根据直观经验归纳提出变量间的关系。然而，这两种方式界定的变量间关系都需要以经验检验为支撑（杨树琼，2006）。根据前文对城乡转型与农地非农化的过程与特征的分析可初步知悉，城乡转型的波峰与农地非农化的波峰基本一致，城乡转型程度高的地区，农地非农化较多，城乡转型程度低的地区，农地非农化较少，即城乡转型程度越高，农地非农化面积越大；城乡转型速度越快，农地非农化面积越大。城乡转型与农地非农化在一定程度上存在密切的正相关性。为直观反映城乡转型与农地非农化之间的相关性，本书利用时间序列数据、横截面数据和面板数据，采用Pearson 相关分析方法进行描述性分析。

利用 1982～2007 年中国城乡转型与农地非农化的时间序列数据，进行 Pearson 相关分析，结果（表 2-1）表明：除就业非农化水平增长率外，其余城乡转型各变量与农地非农化为正相关，但统计上不显著。就业非农化水平增长率与农地非农化之间存在显著的正相关，相关系数达到 0.735。

表 2-1　中国城乡转型与农地非农化的 Pearson 相关分析（1982～2007 年）

项　目	URB	NaEm	NaInd	VURB	VNaEm	VNaInd
RULC	0.148	0.177	0.175	0.106	0.735 ***	0.323

注：RULC 为耕地非农化面积（ $\times 10^3 \mathrm{hm}^2$ ）；URB、VURB 分别为人口城市化水平和增长率；NaEm、VNaEm 分别为就业非农化水平和增长率；NaInd、VnaInd 分别为产业非农化水平和增长率

***，**，* 分别表示 1%、5%、10% 的显著性水平

时间序列数据可能存在自相关，本书利用 1993 年、2000 年和 2007 年中国城乡转型与农地非农化的横截面数据，进行 Pearson 相关分析，结果（表 2-2）表明：不论是 1993 年、2000 年还是 2007 年，城乡转型与农地非农化之间都存在显著的正相关关系，且总体上 Pearson 相关系数加大，两者相关程度加强。进一步利用 1993 年、2000 年和 2007 年的面板数据，进行 Pearson 相关分析，结果（表 2-2）表明两者仍然存在显著的正相关关系。

表 2-2　中国城乡转型与农地非农化的 Pearson 相关分析（1993 年、2000 年、2007 年）

项　目	年份	URB	NaEm	NaInd
RRULC	1993	0.718 ***	0.669 ***	0.439 **
	2000	0.750 ***	0.700 ***	0.590 ***
	2007	0.743 ***	0.705 ***	0.611 ***
	1993 年、2000 年和 2007 年面板数据	0.505 ***	0.466 **	0.363 *

注：RRULC 为耕地非农化率；其余同表 2-1

2.2.2　库兹涅茨关系的检验

库兹涅茨曲线最早是用来描述收入之间的数量关系，Simon Kuznets

（1955）指出"经济发展的水平和收入不平等的程度之间存在倒 U 形关系"，这就是著名的库兹涅茨假说：污染物在收入水平相对较低时，随着收入的增加而增加；当收入超过一个临界值后，转而会随着收入的增加而减少。经济学家们对此进行了乐此不疲的理论分析与实证检验，但到目前为止，仍然没有发现 EKC（environmental kuznets curve）的广泛存在性。20 世纪 90 年代以来，随着对农地流失的日益关注，环境库兹涅茨假说被用来分析城市化、经济增长与耕地占用之间的关系（张新安和刘丽，2005；Pond 和 Yeates，1993；摆万奇，2000；曲福田和吴丽梅，2004；蔡继明和周炳林，2005；蔡银莺和张安录，2006；刘丽军，2007），但结论不一致，有存在库兹涅茨曲线关系的，也有不存在库兹涅茨曲线关系的，大多数文献仅初步拟合形式上类似库兹涅茨曲线关系，有少部分文献进行了显著性检验，但没有通过检验而不存在库兹涅茨曲线关系。

理论上分析城乡转型与农地非农化之间的关系应该符合库兹涅茨曲线假说，原因有如下几点。

第一，起初在以农业生产为主的经济阶段，人们以解决温饱为主，非农建设对于耕地资源的占用是极其有限的；随着城市化、工业化的加快，以第二、第三产业为主的非农产业得到迅速发展，城乡转型对耕地占用的压力增大，耕地流失速度加快；在稳定增长的较高阶段，伴随着技术进步和产业结构的优化，土地由粗放经营转向集约利用，城乡转型对耕地需求的内在压力逐步趋于缓和，耕地流失的趋势最终得到遏制并逐步逆转。

第二，世界银行（1992）、Unruh 和 Moomaw（1998）提出，对于可交易的自然资源，存在一种"自我管制的市场机制"（self-regulatory market mechanism）。就耕地而言，在城乡转型的初期阶段，由于比较利益的差异，耕地从农业部门流到收益较高的非农业部门，这个阶段耕地的存量不断减少，非农化进程加快。结果就是在后期阶段，耕地非农化的价格不断提高，而且加上耕地保护政策的干预，耕地非农化的机会成本增大，这样非农业部门开始考虑提高土地利用效率和在部门内部寻找突破，耕地非农化开始缓和（刘丽军，2007）。

第三，耕地作为人类不可缺少的生存空间，具有提供食物和维持生态的重要功能，在执行生产功能的同时，还提供许多环境舒适性服务，而耕地非农化造成这种环境舒适性服务的质量下降。根据环境服务的收入需求弹性变化规律，随着收入的增加，居民为了追求高标准的生活质量，更加重视生活环境的改善。环境意识和绿色消费需求增加，社会越来越认识到耕地的环境舒适性的重要性，为了享受这种环境舒适性，会使居民增加对耕地资源保护的意愿，耕地非农化也将得到有效缓解（蔡银莺和张安录，2006；刘丽军，2007）。

库兹涅茨关系的存在是对城乡转型与农地非农化关系的一种折中（蔡继明和周炳林，2005），说明城乡转型与农地非农化的关系复杂，城乡转型对耕地非农化不仅有负面作用，还在一定程度上存在着正向作用，因此假说的检验具有重要的理论及实际意义。本书继续选用耕地非农化面积（RULC）作为耕地非农化指标，人口城镇化水平、就业非农化水平和产业非农化水平作为描述城乡转型的指标。考虑耕地非农化数据的可获取性，研究样本区为 1982~2007 年。为了检验城乡转型与农地非农化之间的关系是否符合库兹涅茨曲线特征，首先在平面坐标轴上绘制散点图，初步拟合二者的关系曲线（以城乡转型为 X 轴，以耕地非农化面积为 Y 轴，图 2-1）。从图可以看出，耕地非农化面积基本上随着城乡转型的推进先增加后下降。从已有的关于环境库兹涅茨曲线假说的曲线可以看到，最普遍的方法是采用变量之间多项式的关系来估计库兹涅茨曲线的方程形式。本书分别采用二次、三次和四次多项式的形式来验证。

构建的基本模型如下：

二次多项式（模型1）：$\ln(RULC) = a_0 + a_1 RUT + a_2 (RUT)^2 + u$

三次多项式（模型2）：$\ln(RULC) = a_0 + a_1 RUT + a_2 (RUT)^2 + a_3 (RUT)^3 + u$

四次多项式（模型3）：$\ln(RULC) = a_0 + a_1 RUT + a_2 (RUT)^2 + a_3 (RUT)^3 + a_4 (RUT)^4 + u$

其中，RULC 为耕地非农化面积，RUT 为描述城乡转型的变量，包括人口城镇化水平（URB）、就业非农化水平（NEmU）、产业非农化水平（NIndUI）；u 为随机误差项，ln 代表自然对数转换。利用 Eview 6.0 计量工具，检验结果见附录二。

9 个模型中，虽然有 8 个模型的二次项系数均为负，但是方程以及回归系数均不显著，说明城乡转型与农地非农化之间不存在库兹涅茨关系。在现有的实证研究文献中，曲福田等初步拟合了部分典型地区的这种变化，并没有通过计量方法检验是否具备显著性；杨桂山对长江三角洲的分析表明，虽然形式上表现为倒 U 形，但拟合的二次方程远未达到显著性水平。可能的原因在于目前中国正处于快速城市化时期，城市规模仍在不断扩展和增长，耕地作为城市用地扩张的来源仍然处于急剧减少的阶段，也就是说，目前中国绝大部分地区的建设用地仍未达到饱和状态，城市的空间范围仍处在不断增长和外扩的成长阶段，并且以耕地为主的农地在土地利用结构中仍占较大比例。1996 年详查数据表明，中国多数省份城市中农地所占比例为 63%~88%，建设用地所占比例为 10%~30%（蔡银莺和张安录，2006）。如图 2-2 所示，1982~2006 年建成区的扩张与耕地非农化密切相关。

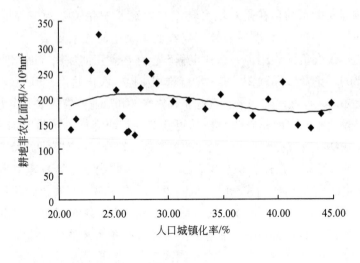

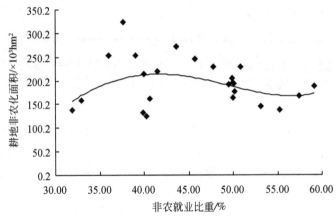

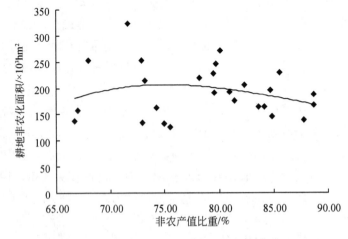

图 2-1　城乡转型与农地非农化散点图

图 2-2　中国农地非农化与建成区扩张（1982～2006 年）

2.3　城乡转型与农地非农化因果关系研究方法

土地是城市的载体，城乡转型离不开土地，而城乡转型的推进加快了农地非农化。是城乡转型带动土地非农化还是土地非农化带动城乡转型？它们谁是因谁是果，还是互为因果？相关关系是指现象之间存在着的非严格的不确定的依存关系，利用 Pearson 相关分析方法以及库兹涅茨假说的检验，仅是研究一个变量对另一个变量的相互依存关系，仅仅表明变量间存在某种紧密联系，并没有说明它们之间的因果关系以及因果关系的方向。因此需要借助其他方法对因果关系进行分析。

2.3.1　协整的概念

当两个或两个以上的非平稳时间序列的线性组合能够构成平稳的时间序列时，则称这些非平稳的时间序列是协整的，说明这些变量之间存在长期的均衡的关系。传统上，当人们实证地检验变量关系的论断时，把反映变量间关系的系数的 t 统计量是否显著，以及反映自变量对因变量解释能力的 R^2 是否足够大，作为肯定或否定变量间关系论断的判断准则。然而，人们逐渐发现，当变量存在趋势或变量作为非平稳时间序列时，依据 t 统计量和 R^2 准则，判断变量间存在某种关系时，却存在潜在的"虚假性"，即可能出现所谓的"伪回归"（spurious regressions）。事实上，Granger 和 Newbold 发现，在回归方程中，如果变量是存在确定趋势的时间序列，且 DW 统计量较小而判决系数较大，即 $R^2 > DW$，则这一回归一般都是"伪回归"。"伪回归"表明，几乎没有联系的序列却可能计算出较大的相关系数（易丹辉，2002）。经济学家发现经济领域中的大多数时间序列都是非平稳性的（non-stationary），因此，出现"伪回归"的情形非常普遍。通常，避免时间序列的非平稳性会引发这一问题，人们利用变量的一阶差分（first difference）进行回归。然而，人们利用差分形式变量的回归，表明的是变量间的短期关系或非均衡关系；只有利用水平变量的回归，表明的才是大多数经济理论所指称的变量间的长期或均衡关系。为了建立变量间的长期关系，必须识别具有长期关系的时间序列的特征。事实上，如果所研究的具有趋势的时间变量具有相同的趋势，或者说具有相同的波长，那么，这类事件序列的回归关系就有可能不是伪关系，因而通常的 t 统计量和 F 统计量就有可能是有效的。这种非平稳性时间序列的"同时性"（synchrony）正是协整概念的来源。因此，为了研究变量间的长期关系，必须研究变量是否具有这种协整的性质（杨树琼，2006）。

2.3.2 平稳性检验[①]

在协整检验中，必须先对变量进行平稳性检验。目前，计量经济学已经发展出了各种各样的平稳性检验方法，但由于拓展的 Dickey Fuller（augmented dickey-fuller，ADF）检验方法更为普遍一些，因此，本书使用 ADF 检验方法。假设时间序列 X_t 由下列过程生成：

$$X_t = \varphi_1 X_{t-1} + \varphi_2 X_{t-2} + \varphi_3 X_{t-3} + \cdots + \varphi_q X_{t-q} + \varepsilon_t \tag{4-1}$$

其差分形式可以表示为

$$\Delta X_t = \delta X_{t-1} + \delta_1 X_{t-1} + \delta_2 X_{t-2} + \cdots + \delta_{q-1} X_{t-q+1} + \varepsilon_t \tag{4-2}$$

式中，$\delta = \varphi_1 + \varphi_2 + \varphi_3 + \cdots + \varphi_{q-1}$，其他 δ_j 是 φ_j 的一般函数。ΔX_t 可以分为三种情况，对应如下三种检验模型：

$$\Delta X_t = \delta X_{t-1} + \sum_{j=2}^{q} \delta_j \Delta_{t-j+1} + \varepsilon_t \tag{4-3}$$

$$\Delta X_t = \alpha + \delta X_{t-1} + \sum_{j=2}^{q} \delta_j \Delta_{t-j+1} + \varepsilon_t \tag{4-4}$$

$$\Delta X_t = \alpha + \beta_t + \delta X_{t-1} + \sum_{j=2}^{q} \delta_j \Delta_{t-j+1} + \varepsilon_t \tag{4-5}$$

---

① 这里的平稳性检验方法主要针对时间序列数据而言，对 Panel 数据的平稳性检验在实证研究中论述。

上述三种模型对应于 ΔX_t 的三种不同的数据生成方式（杨树琼，2006）。本书采用自上而下的原则，即从数据生成的最一般的形式开始，逐渐过渡到特殊的情形。在自上而下检验的任何一步中，如果零假设被拒绝，则停止检验，可以断定这一时间序列是平稳的。

2.3.3 协整检验

当两个变量的单整阶数相同时，需要研究其协整性。协整检验常用的两种方法：一是两步法或拓展的 Engle-Granger 检验；二是完全信息极大似然法。Engle-Granger 的两步法适应于一元变量的情形，而 Johansen 和 Juselius 的完全信息极大似然法适应于多元变量的协整问题（杨树琼，2006）。本书运用 Engle-Granger 的两步法对数据进行检验。Engle-Granger 的两步检验方法遵循如下步骤：第一，利用 OLS 估计长期均衡方程 $Y_t = \beta_0 + \beta_1 X_t + \varepsilon_t$（1-1），并保存参差序列 e_t；第二，利用 ADF 单位根法检验均衡误差的平稳性，如果均衡误差为平稳序列，则两个变量存在协整关系。

2.3.4 因果检验

变量间存在协整关系，只是说明变量间具有共同的长期的变动趋势，而不能说明两者之间的因果关系或因果方向。因果关系是指对服从平稳随机过程的两个变量 X 和 Y，如果用 X、Y 各自的过去到现在的值预测 Y，比不用 X 的现在及过去的值预测 Y 所得的预测值优良，那么就存在着从 X 到 Y 的因果关系。根据变量间引致变化的不同方向，可分为三种情况：从变量 X 到变量 Y 的单向因果关系，即变量 X 的变化引致变量 Y 的变化，但变量 Y 的变化并不引致变量 X 的变化；从变量 Y 到变量 X 的单向因果关系，即变量 Y 的变化引致变量 X 的变化，但变量 X 的变化并不引致变量 Y 的变化；双向因果关系，即变量 X 和变量 Y 互相引致对方的变化。由于在大多数情况下，人们并不知道变量间的因果关系，因此设计了各种各样的检验方法来识别变量的因果方向，其中最为著名的也是目前应用最为广泛的检验方法是 Granger（1969）提出的方法（杨树琼，2006）。

这一检验方法基于对下列两个方程的检验：

$$Y_t = \alpha_{10} + \sum_{j=1}^{k} \alpha_{1j} X_{t-j} + \sum_{j=1}^{k} \beta_{1j} Y_{t-j} + \varepsilon_t \qquad (4-6)$$

$$X_t = \alpha_{20} + \sum_{j=1}^{k} \alpha_{2j} X_{t-j} + \sum_{j=1}^{k} \beta_{2j} Y_{t-j} + \varepsilon_t \qquad (4\text{-}7)$$

为了检验方程（4-6）和方程（4-7）的系数是否显著，可以使用如下的 Wald F 统计量：

$$F_c = \frac{(\mathrm{SSR}_r - \mathrm{SSR}_u)/K}{\mathrm{SSR}_u/(n - 2k - 1)} \sim F(k, n - 2k - 1)$$

式中，SSR_u 为非约束回归方程的参差平方和，SSR_r 为约束回归方程的参差平方和。检验假设可以叙述如下：

H_0：X 不是 Y 的 Granger 原因，即 $\{\alpha_{11}, \alpha_{12}, \cdots, \alpha_{1k}\} = 0$，判断准则为 F_c 小于 F 的阀值。H_a：X 是 Y 的 Granger 原因，即 $\{\alpha_{11}, \alpha_{12}, \cdots, \alpha_{1k}\} \neq 0$，判断准则为 F_c 大于 F 的阀值。H_0：Y 不是 X 的 Granger 原因，即 $\{\beta_{11}, \beta_{12}, \cdots, \beta_{1k}\} = 0$，判断准则为 F_c 小于 F 的阀值。H_a：Y 是 X 的 Granger 原因，即 $\{\beta_{11}, \beta_{12}, \cdots, \beta_{1k}\} \neq 0$，判断准则为 F_c 大于 F 的阀值。

Granger（1988）进一步指出，如果变量间存在协整关系，则意味着变量之间存在相关关系或至少一个方向的因果关系，但因果关系方向还需要通过 Granger 因果关系检验得出；在非协整的情况下，任何 Granger 原因的推断都是无效的。

本书首先运用 ADF 检验方法对变量的平稳性进行检验；其次根据平稳性检验的结果，运用 Engle-Granger 的两步法进一步判断变量是否协整，以此判断变量之间是否存在长期均衡关系；最后在变量存在协整关系的前提下，运用 Granger 因果检验方法检验变量之间的因果关系。平稳性检验、协整分析、Granger 因果检验通过 Eviews 5.1 计算完成。

2.4　城乡转型与农地非农化因果关系实证研究

2.4.1　中国时序数据的研究

2.4.1.1　变量界定与数据处理

为了分析城乡转型与农地非农化之间的因果关系，我们选用代表城乡转型的变量：城乡人口转型（URB）、城乡就业转型（NEmU）、城乡产业转型（NIn-dU）。城乡人口转型用世界各国、国际组织和学术界一致认可的衡量标准测算，即城镇人口占总人口的比重。数据来源于 2007 年《中国统计年鉴》，由于中国城镇设置标准①、人口普查中统计口径以及流动人口等因素的变动，中国以及各省统计年鉴提供的人口城镇化水平并不能客观反映人口城镇化的历史轨迹，可能对研究结论有影响。城乡就业转型（NEmU，单位为%）等于区域第二、第三产业就业人数除以区域总就业人数。城乡产业转型（NIndU，单位为%）等于区域第二、第三产业产值除以区域总产值。农地非农化（RULC）即建设占用耕地面积的样本数据区间为 1982～2006 年。根据资料文献，有以下来源：1985～1995 年数据来源于邹玉川（1988），1993～1995 年数据来源于《中国土地年鉴》（1994～1996 年），1996 年数据来源于《中国农业统计资料》（2007年），1997 年、1998 年数据来源于中国自然资源环境数据库；1999～2006 年数据来源于《中国国土资源年鉴》（2000～2007 年），1982～2005 年数据来源于刘丽军（2006），1989～2001 年数据来源于人大经济论坛②。

理论上讲，由于土地利用分类体系的变更，建设占用耕地面积数据时间序列上不可连续。例如，在 2001 年的土地利用分类体系中，其他农用地中的农村道路、农田水利用地等属于其他农用地，不属于建设用地，而在 1984 年的土地利用分类体系中，农村道路、农田水利用地等属于集体建设用地，如《中国土地年鉴》（1993～1996 年）的统计数据，更何况不同来源的数据。因此，如果不加以修正，可能导致 2001～2007 年的数据由于这个系统性的误差出现下降的情况。但由于数据资料不足以进行修正，因此本书仅把对上述数据进行比较分析后确定的数据作为本书分析的基础数据。为了消除各指标存在的异方差问题，所有数据取自然对数。采用 Eview 5.1 作为计量经济分析工具。

2.4.1.2 数据的单位根检验

运用前面介绍的 ADF 单位根检验方法，检验序列的平稳性。在利用 AIC 准确确定变量的滞后阶数的基础上，对所有数据进行了检验。检验结果（表

---

① 中国从 1955 年到现在，关于城乡划分的标准已经历了五次变动。1955 年中国第一个城乡划分标准规定，城镇人口包括设有建制镇的市和镇辖区的总人口（非农业人口和农业人口）以及城镇型居民区的人口；1963 年规定城镇人口只计算设有建制的市和镇的非农业人口，不再包括农业人口，这一城乡划分标准一直沿用到 1982 年；1982年重新启用 1955 年的划分标准；1990 年中国第四次人口普查重新制定了新的统计标准，城镇人口包括市人口和镇人口。市人口是指设区的市所辖的区人口和不设区的市所辖的街道人口；镇人口是指不设区的市所辖的居民委员会人口和县辖镇的居民委员会人口。2000 年，中国进行了第五次人口普查，按照中国五普的城乡划分标准，城镇人口为设区市的城镇人口、不设区市的城镇人口以及建制镇的城镇人口之和，包括特定密度条件下的城镇地域内的农业人口和非农业人口，是更为完善的定义（周一星和于海波，2001）。设区市的城镇人口指：a. 人口密度在每平方公里 1500人以上的区辖全部行政地域的人口；b. 市辖区人口密度不足 1500 人的区政府驻地和区辖其他街道办事处地域，以及驻地的城区建设已延伸到的周边乡镇的全部行政地域的人口。不设区市的城镇人口指：a. 市人民政府驻地和市辖其他街道办事处地域的人口；b. 驻地的城区建设已延伸到的乡镇的全部行政地域的人口。建制镇的城镇人口指：a. 镇人民政府驻地和镇辖其他居委会地域的人口；b. 镇政府驻地的城区建设已延伸到的周边村民委员会驻地的村委会的全部地域的人口。

② http：//www.pinggu.org/bbs/b55i244192.html.

2-3）表明，水平数据都不能推翻存在单位根的原假设，除城乡就业转型（ln-NEmU）外的所有数据的一阶差分都在1%、5%、10%的显著性水平上推翻了存在单位根的原假设。这表明，除城乡就业转型（lnNEmU）外的所有变量均为一阶单整。

表 2-3 变量的单位根检验（中国时序数据）

变 量	检验类型（C, T, K）	T 统计量	ADF 临界值	DW 值	结 论
LnURB	（C, 0, 1）	−0.197	−2.639	1.60	非平稳
	（C, t, 1）	−1.635	−3.249	1.60	非平稳
ΔLnURB	（C, 0, 0）	−2.751	−2.639 *	1.58	平稳，I（1）
LnNEmU	（C, 0, 0）	−1.939	−2.636	1.22	非平稳
	（C, t, 0）	−0.122	−3.243	1.25	
ΔLnNEmU	（C, 0, 0）	−0.996	−2.639	1.08	非平稳
	（C, t, 0）	−1.646	−3.249	1.32	
ΔLnNIndU	（C, 0, 0）	−3.986	−3.753 ***	1.87	平稳，I（1）
LnRULC	（0, 0, 1）	+0.055	−1.609	1.45	非平稳
ΔLnRULC	（C, 0, 0）	−3.679	−2.998 **	1.80	平稳，I（1）

*、**、*** 表示显著性水平分别为10%、5%、1%。根据 AIC 准则确定各个变量的最适滞后阶数：lag(lnURB) = 4；lag(lnNEmU) = 1；lag(lnNIndU) = 4；lag(lnRULC) = 4

2.4.1.3 变量的协整关系检验

运用前面介绍的 EG 两步法对每一对变量进行协整检验。检验结果表明（表2-4），除城乡就业转型（LnNEmU）未通过单位根检验外，其余代表城乡转型的各变量与农地非农化（LnRULC）之间具有协整的关系。

表 2-4 残差序列的协整检验（中国时序数据）

变 量	检验形式	ADF 值	临界值（5%）	DW	结 论
LnRULC-LnURB	（C, 0, 1）	−4.366	−3.753 ***	2.13	存在
LnRULC-LnNIndU	（C, 0, 4）	−3.656	−3.021 **	1.99	存在

*、**、*** 表示显著性水平分别为10%、5%、1%。根据 AIC 准则确定各协整方程残差序列的最适滞后阶数：lag(LnRULC − LnURB) = 2；lag(LnRULC − LnDbUR) = 3；lag(LnRULC − LnNIndU) = 2

2.4.1.4 变量的因果关系检验

运用前面介绍的方法对城乡转型与农地非农化（LnRULC）首先进行长期因果关系检验。检验结果表明（表2-5）：在滞后5阶时，城乡人口转型（LnURB）是农地非农化的Granger原因，显著性水平达到99%；在滞后6阶时，城乡人口转型（LnURB）与农地非农化（LnRULC）之间存在双向因果关系，显著性水平超过95%；在滞后2阶时，农地非农化（LnRULC）是城乡产业转型（LnNIndU）的Granger原因，显著性水平达到90%以上。

运用前面介绍的方法对城乡转型与农地非农化（LnRULC）进行短期因果关系检验。检验结果表明（表2-5）：在滞后2阶时，城乡人口转型（LnURB）是农地非农化（LnRULC）的Granger原因；在滞后1阶时，农地非农化（LnRULC）是城乡产业转型（LnNIndU）的Granger原因。

检验结果总体表明，城乡转型与农地非农化（LnRULC）之间存在双向因果关系，但城乡转型各变量与农地非农化（LnRULC）的因果关系表现不同：城乡人口转型（LnURB）与农地非农化（LnRULC）之间普遍存在从城乡人口转型（LnURB）到农地非农化（LnRULC）的单向因果关系；而城乡产业转型（LnNIndU）与农地非农化（LnRULC）之间仅存在从农地非农化（LnRULC）到城乡产业转型（LnNIndU）的单向因果关系。

表2-5 变量的 Granger 因果关系检验（中国时序数据）

因果关系	原假设	滞后阶数	F 统计量	显著性水平	因果方向
LnRULC-LnURB	LnURB 不是 LnRULC 的 Granger 原因	5	6.476	0.008 ***	URB→RULC
	LnRULC 不是 LnURB 的 Granger 原因		0.413	0.828	
	LnURB 不是 LnRULC 的 Granger 原因	6	5.142	0.030 **	URB→RULC
	LnRULC 不是 LnURB 的 Granger 原因		8.034	0.010 ***	URB←RULC
ΔLnRULC-ΔLnURB	ΔLnURB 不是 ΔLnRULC 的 Granger 原因	2	2.760	0.092 *	URB→RULC
	ΔLnRULC 不是 ΔLnURB 的 Granger 原因		0.563	0.580	

因果关系	原假设	滞后阶数	F 统计量	显著性水平	因果方向
LnRULC- LnNIndU	LnNIndU 不是 LnRULC 的 Granger 原因	2	0.828	0.453	NIndU←RULC
	LnRULC 不是 LnNIndU 的 Granger 原因		2.652	0.098 *	
ΔLnRULC- ΔLnNIndU	ΔLnNIndU 不是 ΔLnRULC 的 Granger 原因	1	0.176	0.679	NIndU←RULC
	ΔLnRULC 不是 ΔLnNIndU 的 Granger 原因		4.992	0.037 **	

* 、** 、*** 分别表示显著性水平为10%、5%、1%

2.4.2　中国 Panel 数据的研究

2.4.2.1　Panel 数据因果检验方法

对因果关系的时间序列分析可能由于存在样本信息量不足的问题从而导致检验结果与实际不一致。Panel 数据在检验时间序列之间长期关系的过程中相对于简单的时间序列分析有一定的优势。由于能够克服时间序列分析中经常面临的多重共线性的困扰，且能够提供更多的信息、更多的变化、更多的自由度和更高的估计效率，故其在经济学研究领域中的运用越来越广泛。而最近面板单位根检验理论研究的兴起和发展，也为运用面板数据进行因果关系检验奠定了基础。面板单位根检验和协整理论是对时间序列单位根检验和协整理论的继续和发展，它综合了时间序列和横截面的特征，能够更加直接、更加精确地推断单位根的存在。

面板数据的单位根检验方法同普通时间序列的单位根检验方法，虽然很类似，但两者又不完全相同。为避免因检验方法本身的局限而对检验结果带来的影响，本书同时采用 LLC、IPS、ADF-Fisher 和 PP-Fisher 4 种方法对变量进行单位根检验（高铁梅，2009），当变量均为同阶单整变量时，再采用 EG 两步法进行变量的协整检验以判别变量间是否存在协整关系，在变量间存在协整关系的前提下，应用 Granger 因果检验方法检验变量间的因果关系。

LLC-T、IPS-W、ADF-FCS、PP-FCS 分别指 Levin, Lin & Chu t ＊ 统计量、lm Pesaran & Shin W 统计量、ADF-Fisher Chi-square 统计量、PP-Fisher Chi-square 统计量。在单位根检验中，N（none）代表两项都不含，I（intercept）代表序列含截距项，T（trend）代表序列含趋势项，T&I 代表两项都含，构成以下三种检验模式，采用自上而下的原则，即从数据生成的最一般的形式开始，逐渐过渡到特殊的情形。在自上而下检验的任何一步中，如果零假设被拒绝，则停止检验，可以断定这一时间序列是平稳的。

$$\Delta X_t = \delta X_{t-1} + \sum_{j=2}^{q} \delta_j \Delta_{t-j+1} + \varepsilon_t \tag{4-8}$$

$$\Delta X_t = \alpha + \delta X_{t-1} + \sum_{j=2}^{q} \delta_j \Delta_{t-j+1} + \varepsilon_t \tag{4-9}$$

$$\Delta X_t = \alpha + \beta_t + \delta X_{t-1} + \sum_{j=2}^{q} \delta_j \Delta_{t-j+1} + \varepsilon_t \tag{4-10}$$

2.4.2.2 变量界定与数据处理

我们选用代表城乡转型的城乡人口转型（URB）、城乡就业转型（NEmU）、城乡产业转型（NIndU）三个变量。与前文不同的是，由于受数据资料的限制，我们在此用非农业人口占总人口的比重来衡量城乡人口转型水平，其余变量界定同前文。研究样本为 1999 ~ 2005 年中国 31 个省、直辖市和自治区。非农业人口数据来源于《中国人口统计年鉴》（2000 ~ 2006 年），城乡就业转型、城乡产业转型基础数据来源于《中国区域经济统计年鉴》（2000 ~ 2006 年）、建设占用耕地面积数据来源于《中国国土资源年鉴》（2000 ~ 2006 年）。为了消除各指标存在的异方差问题，所有数据取自然对数。

2.4.2.3 数据的单位根检验

为了避免因检验方法本身的局限而对检验结果带来的影响，本书将同时采用 LLC、IPS、ADF-Fisher 和 PP-Fisher 等 4 种方法进行单位根检验。在进行水平变量的单位根检验时，选取包含截距项和时间趋势项的检验模型。对一阶差分进行单位根检验时选取只含截距项、不含时间趋势项的检验模型。检验模型的最适滞后期数根据 AIC 准则选取。单位根的检验结果见表 2-6。

表 2-6　变量的单位根检验（中国 Panel 数据）

变　量	LLC 检验	IPS 检验	Fisher-ADF 检验	Fisher-PP 检验
LnRULC	− 10.506 ***	− 5.865 ***	139.383 ***	117.383 ***
ΔLnRULC	− 11.321 ***	− 3.421 ***	118.158 ***	146.861 ***
LnURB	− 4.917 ***	1.311	41.269	69.717

变　量	LLC 检验	IPS 检验	Fisher-ADF 检验	Fisher-PP 检验
ΔLnURB	− 6.013 ***	− 1.002	78.756 *	89.736 **
LnNEmU	− 24.674 ***	− 0.530	64.810	102.739 ***
ΔLnNEmU	− 31.964 ***	− 5.138 ***	110.367 ***	127.804 ***
LnNIndU	− 9.976 ***	0.283	68.447	143.100 ***
ΔLnNIndU	− 13.889 ***	− 4.524 ***	92.647 *	168.967 ***

　　***、**、* 分别表示在 1%、5%、10% 的水平上显著；Δ 表示该变量的一阶差分，Δ^2 表示二阶差分；单位根检验过程中的最优滞后期数按 AIC 评价标准确定

　　单位根检验结果表明：①所有检验均拒绝农地非农化（LnRULC）和一阶差分后的农地非农化（ΔLnRULC）存在单位根的原假设。②除去 LLC 检验拒绝城乡人口转型（LnURB）水平变量存在单位根的原假设外，其余检验均未拒绝城乡人口转型（LnURB）水平变量存在单位根的原假设；除去 IPS 检验未拒绝一阶差分后的城乡人口转型（ΔLnURB）存在单位根的原假设外，其余检验拒绝一阶差分后的城乡人口转型（ΔLnURB）存在单位根的原假设。③除 LLC 检验和 PP-Fisher 检验未拒绝城乡就业转型（LnNEmU）水平变量存在单位根的原假设外，其余检验未拒绝其存在单位根的原假设，而所有检验均拒绝一阶差分后的城乡就业转型（ΔLnNEmU）存在单位根的原假设。④除去 IPS 检验和 ADF-fisher 检验未拒绝城乡产业转型（LnNIndU）水平变量存在单位根的原假设外，其余检验均拒绝城乡产业转型（LnNIndU）水平变量存在单位根的原假设，而所有检验均拒绝一阶差分的城乡就业转型（ΔLnNEmU）存在单位根的原假设。

　　根据上述检验结果我们综合判定，农地非农化（LnRULC）与城乡人口转型（LnURB）、城乡就业转型（LnNEmU）、城乡产业转型（LnNIndU）均为零阶单整序列。

2.4.2.4　变量的协整关系检验

　　通过面板数据单位根检验发现，农地非农化（LnRULC）与城乡人口转型（LnURB）、城乡就业转型（LnNEmU）、城乡产业转型（LnNIndU）均为零阶单整序列。因此农地非农化（LnRULC）与城乡人口转型（LnURB）、城乡就业转型（LnNEmU）、城乡产业转型（LnNIndU）间可能存在协整关系。根据 EG 两步法，通过检验残差序列的平稳性来进行判断，协整检验结果（表 2-7）说明，农地非农化（LnRULC）与城乡人口转型（LnURB）、城乡就业转型（LnNEmU）、城乡产业转型（LnNIndU）之间的残差序列的所有检验均拒绝它

们存在单位根的原假设，因此认为残差序列均是平稳的，农地非农化（Ln-RULC）与城乡人口转型（LnURB）、城乡就业转型（LnNEmU）、城乡产业转型（LnNIndU）之间存在协整关系。

表 2-7　残差序列的协整检验（中国 Panel 数据）

项目	LLC 检验	IPS 检验	Fisher-ADF 检验	Fisher-PP 检验
LnRULC-LnURB	-4.401 ***	-3.482 ***	108.063 ***	154.636 ***
LnRULC-LnNEmU	-2.211 **	-1.954 **	106.991 ***	108.906 ***
LnRULC-LnNIndU	-31.721 ***	-8.618 ***	143.774 ***	184.298 ***

*、**、***、表示显著性水平分别为 10%、5%、1%；根据 AIC 准则确定各残差序列的最适滞后阶数

表 2-8　变量的 Granger 因果关系检验（中国 Panel 数据）

因果关系	原假设	滞后阶数	F 统计量	显著性水平	因果方向
LnRULC-LnURB	LnURB 不是 LnRULC 的 Granger 原因	5	0.195	0.963	URB←RULC
	LnRULC 不是 LnURB 的 Granger 原因		1.992	0.096 *	
ΔLnRULC-ΔLnURB	ΔLnURB 不是 ΔLnRULC 的 Granger 原因	4	0.023	0.999	URB←RULC
	ΔLnRULC 不是 ΔLnURB 的 Granger 原因		2.089	0.095 *	
LnRULC-LnNEmU	LnNEmU 不是 LnRULC 的 Granger 原因	1	3.290	0.071 *	NEmU→RULC
	LnRULC 不是 LnNEmU 的 Granger 原因		1.562	0.213	
	LnNEmU 不是 LnRULC 的 Granger 原因	3	0.742	0.529	NEmU←RULC
	LnRULC 不是 LnNEmU 的 Granger 原因		3.938	0.010 **	
ΔLnRULC-ΔLnNEmU	ΔLnNEmU 不是 ΔLnRULC 的 Granger 原因	2	1.196	0.306	NEmU←RULC
	ΔLnRULC 不是 ΔLnNEmU 的 Granger 原因		2.892	0.059 *	
	ΔLnNEmU 不是 ΔLnRULC 的 Granger 原因	4	0.755	0.559	NEmU←RULC
	ΔLnRULC 不是 ΔLnNEmU 的 Granger 原因		2.453	0.057 *	

因果关系	原假设	滞后阶数	F 统计量	显著性水平	因果方向
LnRULC- LnNIndU	LnNIndU 不是 LnRULC 的 Granger 原因	1	9.505	0.002 **	NIndU→RULC
	LnRULC 不是 LnNIndU 的 Granger 原因		0.366	0.546	
ΔLnRULC- ΔLnNIndU	ΔLnNIndU 不是 ΔLnRULC 的 Granger 原因	2	3.571	0.031 **	NIndU→RULC
	ΔLnRULC 不是 ΔLnNIndU 的 Granger 原因		0.935	0.395	

*、** 表示显著性水平分别为 10%、5%

2.4.2.5　变量的因果关系检验

运用 Granger 因果检验方法检验变量之间长期因果关系的结果（表 2-8）表明：在滞后 5 阶时，农地非农化（LnRULC）是城乡人口转型（LnURB）的 Granger 原因，显著性水平达到 90% 以上；在滞后 1 阶时，城乡就业转型（LnNEmU）是农地非农化（LnRULC）的 Granger 原因，显著性水平达到 90% 以上。在滞后 3 阶时，农地非农化（LnRULC）是城乡就业转型（LnNEmU）的 Granger 原因，显著性水平达到 90%。在滞后 1 阶时，城乡产业转型（LnNIndU）是农地非农化（LnRULC）的 Granger 原因，显著性水平达到 99%。

运用 Granger 因果检验方法检验变量之间短期因果关系的检验结果（表 2-8）表明：在滞后 4 阶时，农地非农化（LnRULC）是城乡人口转型（LnURB）的 Granger 原因，显著性水平达到 90% 以上。在分别滞后 2、4 阶时，农地非农化（LnRULC）是城乡就业转型（LnNEmU）的 Granger 原因，显著性水平达到 90% 以上。在滞后 2 阶时，城乡产业转型（LnNIndU）是农地非农化（LnRULC）的 Granger 原因，显著性水平达到 95% 以上。

检验结果总体表明：在长期，城乡转型与农地非农化之间存在从城乡转型到农地非农化的单向因果关系；在短期，存在从农地非农化到城乡转型的单向因果关系。城乡转型各变量与农地非农化的因果关系表现不同：城乡人口转型（LnURB）与农地非农化（LnRULC）之间普遍存在从农地非农化（LnRULC）到城乡人口转型（LnURB）的单向因果关系；城乡就业转型（LnNEmU）与农地非农化（LnRULC）之间存在从城乡就业转型（LnNEmU）到农地非农化（LnRULC）的单向因果关系；城乡产业转型（LnNIndU）与农地非农化（LnRULC）之间仅存在从城乡产业转型（LnNIndU）到农地非农化（LnRULC）的单向因果关系。

2.4.3 典型地区的研究

利用中国时间序列数据和 Panel 数据对城乡转型各变量与农地非农化因果关系的检验结果不一致，可能由于不同区域或阶段两者的因果关系不同，因此，作为补充，本节选择浙江省、湖北省、贵州省作为典型地区，对城乡转型与农地非农化的因果关系作进一步验证，反映因果关系的区域性特征以及不同地区间的差异。2007 年浙江省、湖北省、贵州省的城镇化水平分别为 57.20%、44.30% 和 28.24%，按照城镇化的 S 形发展规律，三个省分别处于城镇化的中后期阶段、前中期阶段和起步阶段。

从要素空间转移的角度，城镇划分为以下三种主要方式：一是城乡转型带动土地非农化的方式；二是土地非农化带动城乡转型的方式；三是城乡转型和土地非农化互动同时进行的方式。第一种方式，虽然在中国农村劳动力严重过剩的情况下，将长期广泛地存在，尤其是在城乡发展的早期，农民或为追求城市良好的生活环境，或因子女考上大中专院校，或由于生活所迫而外出打工等，进行自发迁移。但其缺点十分明显，如分散性、自发性、盲目性等，大量宝贵的土地资源也因此处于闲置状态。第二种方式在国内开发区热、房地产热浪潮中非常流行。它在推进城镇化的速度方面作用明显，但也容易造成耕地资源的浪费，为快速转型前期的方式。第三种方式是指伴随着非农产业的发展和不断聚集，人口和土地也同时向非农产业、城镇聚集的经济社会现象。这种模式虽然遵循了市场经济的内在规律，但速度比较缓慢，为快速转型后期的方式。因此，贵州省、湖北省、浙江省城乡转型与农地非农化的因果关系分别对应于上述三种方式，即贵州省存在从城乡转型到农地非农化的单向因果关系；湖北省存在从农地非农化到城乡转型的单向因果关系；浙江省存在双向因果关系。具体结论需要作进一步检验。

2.4.3.1 浙江省

变量选择与前面基本一致，不同之处在于：城乡人口转型用非农业人口除以总人口表示。由于所获取的建设占用耕地面积数据时间序列较短，通过分析，2000~2006 年建设占用面积占年内减少耕地数的 74.9%，并且两者变动趋势基本一致，因此将年内减少耕地面积作为建设占用耕地面积的替代变量。样本数据区间为 1978~2006 年，其中城乡就业转型数据样本区间为 1985~2006 年，城乡产业转型样本区间为 1979~2006 年。所有代表城乡转型变量以及年内减少耕地数的原始数据来源于 2007 年《浙江统计年鉴》。为了消除各指标存在的异方差问题，所有数据取自然对数。

从单位根检验结果来看（表2-9），浙江省城乡转型与农地非农化原始序列经过一阶差分后，序列呈平稳化，可认为均为一阶单整序列。

表2-9 变量的单位根检验（浙江省）

变 量	检验类型 (C, T, K)	T统计量	ADF 临界值	DW 值	结 论
LnURB	(C, 0, 0)	+0.978	−2.625	1.21	非平稳
ΔLnURB	(C, 0, 0)	−3.691	−2.976 **	1.94	平稳，I（1）
LnNEmU	(C, 0, 0)	+0.664	−2.646	1.37	非平稳
ΔLnNEmU	(C, 0, 0)	−2.955	−2.808 ***	1.86	平稳，I（1）
LnNIndU	(C, 0, 2)	−2.654	−2.982	1.97	非平稳
ΔLnNIndU	(C, 0, 0)	−9.400	−3.700 ***	1.45	平稳，I（1）
LnRULC	(0, 0, 1)	−0.193	−1.610	1.62	非平稳
ΔLnRULC	(C, 0, 2)	−5.493	−3.724 ***	2.16	平稳，I（1）

*、**、*** 表示显著性水平分别为10%、5%、1%。根据 AIC 准则确定各个变量的最适滞后阶数：lag(LnURB) = 2；lag(LnNEmU) = 1；lag(LnNIndU) = 3；lag(LnRULC) = 2

运用 EG 两步法对每一对变量进行协整检验。检验结果表明（表2-10），各残差序列为平稳序列，所以代表城乡转型的各变量与建设占用耕地面积之间具有协整的关系。

表2-10 残差序列的协整检验（浙江省）

变 量	检验形式	ADF 值	临界值	DW	结 论
LnRULC-LnURB	(C, 0, 0)	−4.498	−3.711 ***	1.80	平稳
LnRULC-LnNEmU	(C, 0, 2)	−4.719	−3.832 ***	2.07	平稳
LnRULC-LnNIndU	(C, 0, 2)	−5.453	−3.7115 ***	1.99	平稳

*、**、*** 表示显著性水平分别为10%、5%、1%。根据 AIC 准则确定各协整方程残差序列的最适滞后阶数：lag(LnRULC − LnURB) = 6；lag(LnRULC − LnNEmU) = 3；lag(LnRULC − LnNIndU) = 3

运用标准的 Granger 因果检验方法对城乡转型与农地非农化进行长期因果关系的检验结果表明（表2-11）：在滞后2阶时，农地非农化（LnRULC）是城乡人口转型（LnURB）的 Granger 原因，显著性水平达到95%；而在滞后3阶时，城乡人口转型（LnURB）是农地非农化（LnRULC）的 Granger 原因，显著性水平达到 95%。在滞后 1 阶时，农地非农化（LnRULC）是城乡就业转型（LnNEmU）的 Granger 原因，显著性水平达到 95%。在滞后 2 阶时，城乡产业转型（LnNIndU）与农地非农化（LnRULC）互为双向因果关系。

运用标准的 Granger 因果检验方法对城乡转型与农地非农化进行短期因果关系的检验结果表明（表 2-11）：在滞后 2 阶时，农地非农化（LnRULC）是城乡人口转型（LnURB）的 Granger 原因，显著性水平达到 95%；在滞后 1 阶时，农地非农化（LnRULC）是城乡就业转型（LnNEmU）的 Granger 原因，显著性水平达到 95%；在分别滞后 1、2 阶时，农地非农化是城乡产业转型（LnNIndU）的 Granger 原因，显著性水平达到 95%。

总体检验结果表明：在长期，城乡转型与农地非农化存在双向因果关系；在短期，城乡转型与农地非农化之间存在从农地非农化到城乡转型的单向因果关系。

表 2-11　变量的 Granger 因果关系检验（浙江省）

因果关系	原假设	滞后阶数	F 统计量	显著性水平	因果方向
LnRULC-LnURB	LnURB0LnRULC 的 Granger 原因	2	1.650	0.215	URB←RULC
	LnRULC 不是 LnURB 的 Granger 原因		3.446	0.050 **	
	LnURB 不是 LnRULC 的 Granger 原因	3	4.878	0.011 ***	URB→RULC
	LnRULC 不是 LnURB 的 Granger 原因		2.375	0.102	
ΔLnRULC-ΔLnURB	ΔLnURB 不是 ΔLnRULC 的 Granger 原因	2	0.531	0.596	URB←RULC
	ΔLnRULC 不是 ΔLnURB 的 Granger 原因		4.186	0.030 **	
LnRULC-LnNEmU	LnNEmU 不是 LnRULC 的 Granger 原因	1	0.355	0.559	NEmU←RULC
	LnRULC 不是 LnNEmU 的 Granger 原因		6.084	0.024 **	
ΔLnRULC-ΔLnNEmU	ΔLnNEmU 不是 ΔLnRULC 的 Granger 原因	1	0.442	0.515	NEmU←RULC
	ΔLnRULC 不是 ΔLnNEmU 的 Granger 原因		6.596	0.020 **	

因果关系	原假设	滞后阶数	F 统计量	显著性水平	因果方向
LnRULC-LnNIndU	LnNIndU 不是 LnRULC 的 Granger 原因	2	2.911	0.076 *	NIndU→RULC
	LnRULC 不是 LnNIndU 的 Granger 原因		3.117	0.064 *	NIndU←RULC
ΔLnRULC-ΔLnNIndU	ΔLnNIndU 不是 ΔLnRULC 的 Granger 原因	1	0.000	0.991	NIndU←RULC
	ΔLnRULC 不是 ΔLnNIndU 的 Granger 原因		4.691	0.040 **	
	ΔLnNIndU 不是 ΔLnRULC 的 Granger 原因	2	0.234	0.793	NIndU←RULC
	ΔLnRULC 不是 ΔLnNIndU 的 Granger 原因		3.402	0.052 *	

*、**、*** 表示显著性水平分别为 10%、5%、1%

2.4.3.2　湖北省

变量选择与前面基本一致，不同之处在于：城乡人口转型用城镇人口除以总人口的比重来表示。由于湖北省 2000 年按五普口径统计的数据与 1999 年按四普口径公布的数据相差 6.7 个百分点，为精确测定人口城镇化水平，国内学者对统计数据进行了调整和修补，比较典型的方法归纳起来有以下两种：①以非农业人口为基准进行系数修正（张再生，1997；沈迟，1997；赵雪雁，2005）；②以城镇人口为基准进行调整和修补（马跃东，1997；周一星和于海波，2001；沈建法，2005）。

本书把利用联合国法对湖北省统计的人口城镇化水平进行调整和修补后的人口城镇化水平作为本节分析的基础数据（胡伟艳和张安录，2007）。农地非农化为建设占用耕地面积，单位为千公顷。样本数据区间为 1978 ~ 2006 年，所有代表城乡转型变量以及建设占用耕地面积的原始数据来源于 2007 年《湖北统计年鉴》。为了消除各指标存在的异方差问题，所有数据取自然对数。

从单位根检验结果来看（表 2-12），湖北省城乡转型与农地非农化原始序列经过一阶差分后，序列呈平稳化，可认为均为一阶单整序列。

表 2-12　变量的单位根检验（湖北省）

变量	检验类型（C，T，K）	T 统计量	ADF 临界值	DW 值	结论
LnURB	（C，0，0）	−1.208	−2.625	2.17	非平稳
	（C，T，0）	−2.340	−3.225	1.85	
ΔLnURB	（C，0，1）	−2.024	−2.627 *	1.84	平稳，I（1）
LnNEmU	（C，0，1）	−1.214	−2.627	1.59	非平稳
	（C，T，1）	−2.595	−3.229	1.80	
ΔLnNEmU	（C，0，0）	−2.917	−2.627 *	1.67	平稳，I（1）
LnNIndU	（C，0，0）	−0.710	−2.625	2.53	非平稳
	（C，T，1）	−3.408	−3.588	1.11	
ΔLnNIndU	（C，0，0）	−8.450	−3.700 ***	1.40	平稳，I（1）
	（C，0，1）	−2.793	−2.976	2.10	
LnRULC	（C，T，1）	−2.833	−3.229	2.14	非平稳
ΔLnRULC	（C，0，0）	−4.426	−3.700 ***	1.97	平稳，I（1）

*、**、*** 表示显著性水平分别为 10%、5%、1%。根据 AIC 准则确定各个变量的最适滞后阶数：lag(LnURB) = 2；Lag(LnNEmU) = 2；Lag(LnNIndU) = 4；Lag(LnRULC) = 2

　　运用 EG 两步法对每一对变量进行协整检验。检验结果表明（表 2-13），各变量与农地非农化协整方程的残差序列为平稳序列，说明代表城乡转型的各变量与建设占用耕地面积之间具有协整的关系。

表 2-13　残差序列的协整检验（湖北省）

变量	检验形式	ADF 值	临界值	DW	结论
LnRULC-LnURB	（C，0，1）	−2.963	−2.627 *	2.16	存在
LnRULC-LnNEmU	（C，0，1）	−2.957	−2.627 *	2.15	存在
LnRULC-LnNIndU	（C，0，1）	−2.868	−2.627 *	2.11	存在

*、**、*** 表示显著性水平分别为 10%、5%、1%。根据 AIC 准则确定各协整方程残差序列的最适滞后阶数：Lag(LnRULC − LnURB) = 2；Lag(LnRULC − LnNEmU) = 2；Lag(LnRULC − LnNIndU) = 2

　　运用标准的 Granger 因果检验方法对城乡转型与农地非农化进行长期和短期因果关系检验。长期检验结果表明（表 2-14）：农地非农化（LnRULC）是城乡人口转型（LnURB）的 Granger 原因，就短期而言，城乡转型与农地非农化的因果关系并不显著。

表 2-14 变量的 Granger 因果关系检验（湖北省）

因果关系	原假设	滞后阶数	F 统计量	显著性水平	因果方向
LnRULC-LnURB	LnURB 不是 LnRULC 的 Granger 原因	1	0.347	0.561	URB←RULC
	LnRULC 不是 LnURB 的 Granger 原因		3.206	0.086 *	
ΔLnRULC-ΔLnURB	ΔLnURB 不是 ΔLnRULC 的 Granger 原因	1	2.022	0.168	
	ΔLnRULC 不是 ΔLnURB 的 Granger 原因		2.341	0.139	
LnRULC-LnNEmU	LnNEmU 不是 LnRULC 的 Granger 原因	2	0.397	0.677	
	LnRULC 不是 LnNEmU 的 Granger 原因		1.523	0.240	
ΔLnRULC-ΔLnNEmU	ΔLnNEmU 不是 ΔLnRULC 的 Granger 原因	1	0.331	0.571	
	ΔLnRULC 不是 ΔLnNEmU 的 Granger 原因		2.235	0.148	
LnRULC-LnNIndU	LnNIndU 不是 LnRULC 的 Granger 原因	1	0.089	0.768	
	LnRULC 不是 LnNIndU 的 Granger 原因		1.472	0.236	
ΔLnRULC-ΔLnNIndU	ΔLnNIndU 不是 ΔLnRULC 的 Granger 原因	1	0.188	0.829	
	ΔLnRULC 不是 ΔLnNIndU 的 Granger 原因		0.259	0.775	

* 表示显著性水平为 10%

2.4.3.3 贵州省

选择城乡人口转型（城镇人口/总人口）、城乡就业转型、城乡产业转型作为描述城乡转型的变量，选择建设占用耕地面积作为农地非农化的替代变量，单位为千公顷。

根据所获取的建设占用耕地面积，确定样本数据区间为 1995～2006 年。所有代表城乡转型变量以及建设占用耕地面积的原始数据来源于 2003 年《当代贵州》和 2007 年《贵州统计年鉴》。为了消除各指标存在的异方差问题，所有数据取自然对数。

从单位根检验结果来看（表 2-15），城乡人口转型（LnURB）与农地非农化（LnRULC）的原始序列经过一阶差分后，序列呈平稳化，可认为均为一阶单整序列，对此进行下一步的协整检验，其余一阶差分后的序列为非平稳序列。

表 2-15　变量的单位根检验（贵州省）

变量	检验类型（C, T, K）	T 统计量	ADF 临界值	DW 值	结论
LnURB	(C, 0, 0)	−1.206	−2.729	1.96	非平稳
	(C, T, 0)	−1.548	−3.420	1.69	
ΔLnURB	(C, 0, 0)	−3.020	−2.748 *	2.01	平稳，I（1）
LnNEmU	(C, 0, 0)	−1.275	−2.729	1.30	非平稳
	(C, T, 0)	−1.144	−3.420	1.25	
ΔLnNEmU	(C, 0, 0)	−2.285	−2.747	1.81	非平稳
	(C, t, 0)	−2.346	−3.461	2.00	
LnNIndU	(C, 0, 0)	−0.374	−2.729	1.44	非平稳
	(C, T, 1)	−1.424	−3.461	2.90	
ΔLnNIndU	(C, 0, 1)	−2.320	−2.771	1.38	非平稳
	(C, t, 2)	−1.601	−3.590	2.32	
LnRULC	(C, 0, 1)	−2.553	−2.748	1.52	非平稳
	(C, T, 1)	−3.397	−3.461	1.79	
ΔLnRULC	(C, 0, 1)	−3.058	−2.771 *	1.80	平稳，I（1）

*、**、*** 表示显著性水平分别为 10%、5%、1%。根据 AIC 准则确定各个变量的最适滞后阶数：Lag(LnURB) = 1；Lag(LnNEmU) = 2；Lag(LnNIndU) = 3；Lag(LnRULC) = 2

由于农地非农化（LnRULC）水平数据是一阶平稳数据，因此对与之阶数相同的城乡转型各变量进行协整检验。检验结果表明（表 2-16），各残差序列为平稳序列，代表城乡转型的各变量与农地非农化（LnRULC）之间具有协整的关系。

表 2-16　残差序列的协整检验（贵州省）

变量	检验形式	ADF 值	临界值	DW	结论
LnRULC-LnURB	(C, 0, 3)	−4.1887	−3.321 **	2.18	存在

*、**、*** 表示显著性水平分别为 10%、5%、1%。根据 AIC 准则确定各协整方程残差序列的最适滞后阶数均为 2

运用标准的 Granger 因果检验方法对城乡转型与农地非农化进行长期和短期因果关系检验。检验结果表明（表 2-17），长期而言，城乡人口转型（LnURB）是农地非农化（LnRULC）的单向 Granger 原因；在短期，城乡人口转型（LnURB）与农地非农化（LnRULC）之间的因果关系不显著。

表 2-17　变量的 Granger 因果关系检验（贵州省）

因果关系	原假设	滞后阶数	F 统计量	显著性水平
LnRULC-LnURB	LnURB 不是 LnRULC 的 Granger 原因	2	5.446	0.056 *
	LnRULC 不是 LnURB 的 Granger 原因		2.587	0.169
ΔLnRULC-ΔLnURB	ΔLnURB 不是 ΔLnRULC 的 Granger 原因	2	2.886	0.168
	ΔLnRULC 不是 ΔLnURB 的 Granger 原因		0.743	0.532

* 表示显著性水平为10%

2.4.4　因果关系检验结果

城乡转型与农地非农化的因果关系检验结果汇总见表 2-18。从表 2-18 看出：

1）城乡转型与农地非农化存在双向因果关系，但总体上从农地非农化到城乡转型的单向因果关系要比从城乡转型到农地非农化的单向因果关系普遍。从经济学角度而言，这可能是农地非农化的成本较低所致。以武汉市为例，市核心商业用地 I 级级别基准地价为 8210 元/m²，末级级别基准地价为 322 元/m²，级差比为 25.5∶1。土地价格由城市中心区向边缘区递减的规律，诱使土地开发商和房地产投资者为了降低生产成本而放弃地价高昂的市中心区，转而寻求低地价但具有区位替代作用的城市交错区农地（高巍，2007）。城市交错区工业用地效益是农地效益的 10 倍以上，商业用地效益则为耕地效益的 20 倍，甚至是 100 倍（张安录，2000a）。

2）从典型地区的检验结果来看，城乡转型与农地非农化的因果关系存在区域性特征。在长期，处于城市化中后期阶段的浙江省，城乡转型与农地非农化存在显著的双向因果关系；处于城市化中前期阶段的湖北省，存在从农地非农化到城乡转型的单向因果关系；处于城市化起步阶段的贵州省，则存在从城乡转型到农地非农化的单向因果关系。在短期，浙江省存在从农地非农化到城乡转型的单向因果关系；而湖北省、贵州省则不存在因果关系。

关于城乡转型与农地非农化关系的研究成为近些年来学术界极其关注的问题，高巍（2007）对湖北省人口城镇化与农地非农化因果关系的研究表明，农地非农化是人口城镇化的 Granger 原因，而人口城镇化不是农地非农化的 Granger 原因；朱莉芬和黄季焜（2007）对中国县级尺度数据的研究表明人口城镇化对农地非农化的驱动并不显著；这些研究结果与"人口城镇化是农地非农化的主要驱动力"的共识并不一致。这说明城乡转型、城乡转型各变量与农地非农化关系的研究可能是一个复杂的问题，还需要进一步讨论。

表 2-18　因果关系检验结果汇总

数据或地区		因果关系	
		长期因果关系	短期因果关系
1982～2006 年时间序列数据		UBR↔RULC	UBR→RULC
		NIndU←RULC	NIndU←RULC
1995～2005 年 Panel 数据		UBR←RULC	UBR←RULC
		NemU→RULC	NemU↔RULC
		NIndU→RULC	NIndU→RULC
典型地区	浙江	UBR↔RULC	UBR←RULC
		NemU←RULC	NemU←RULC
		NIndU↔RULC	NIndU←RULC
	湖北	UBR←RULC	
	贵州	UBR→RULC	

2.5　本 章 小 结

Pearson 相关关系表明城乡转型与农地非农化存在显著的正相关关系；库兹涅茨曲线关系的检验表明，虽然方程的二次项式系数为负，形势上表现为倒 U 形，但拟合的二次方程远未达到显著性水平，说明城乡转型与农地非农化之间库兹涅茨曲线假说不成立。说明目前中国绝大部分地区的建设用地仍未达到饱和状态，城市的空间范围仍处在不断增长和外扩的成长阶段。

相关关系是指现象之间存在着的非严格的不确定的依存关系，利用典型相关分析方法和上述库兹涅茨假说的检验方法仅研究一个变量对另一个变量的相互依存关系，仅仅表明变量间存在某种紧密联系，并没有说明它们之间的因果关系以及因果关系的方向。城乡转型与农地非农化之间的因果关系研究具有重要的政策含义。利用中国 1982～2006 年时间序列数据，中国 1999～2005 年 31 个省（直辖市、自治区）的 Panel 数据研究，结果总体上显示城乡转型与农地非农化存在显著的因果关系，通过对典型地区进一步的分析，发现这种因果关系可能存在区域性特征。

为了使研究进一步完善，还可以从以下角度进行研究：第一，从地域空间角度将人口城镇划分为城市化、小城镇化和乡村地区的就地城镇化三种模式，分析它们对建设占用耕地的影响；第二，根据探究问题的"黑箱"原理，本章只是对两个变量的相互关系进行了分析，并没有回答两者之间的互动机理。两者之间互动机理的研究对协调和控制两者良性互动具有重要的理论意义和实际意义。

第 3 章
城乡转型与农地非农化的互动机理

许多文献将城乡转型（Henderson and Wang，2005；McGee，2008；许学强等，1998；顾朝林等，2008；唐茂华和陈柳钦，2008）、农地非农化（Nethalang，1986；Liu et al.，2008；张建等，2007）视为宏观或整体的社会经济现象，本书第 2 章的研究亦如此。宏观层次的研究有利于把握事物的规律，但要揭示事物的内部机理，则必须进行微观层次的研究（周一星和陈彦光，2004）。国内外学者从不同的角度对农地非农化的影响因素进行了大量的研究，但哪些因素是最重要的，这些因素又是如何通过相互作用影响农地非农化的，学者们并没有取得一致意见。总体而言，现有文献对机理研究存在不足。

人口和就业的变化是影响农地非农化的主要因素，它们通过对空间需求的变化直接或间接地影响农地非农化的过程。而城乡转型最突出的特征是人口和就业的变化，许多经济学家从不同的角度对城乡转型的过程进行乐此不疲的研究，尤其是 20 世纪 90 年代发展起来的"新经济地理学"理论更加丰富了对过程的解释，该理论认为城乡转型的过程是集聚力和扩散力相互作用的结果。农地非农化通过对集聚力和扩散力的影响，影响人口和就业的集聚，最终对城乡转型的过程产生影响。

本书将"新经济地理学"理论作为主要的理论基础，在简述这些理论研究的基础上，定性地分析城乡转型与农地非农化的互动机理。然后，扩展 Carlino-Mills 模型，应用两阶段最小二乘法（TSLS）和普通最小二乘法（OLS），利用中国 232 个地级及地级以上城市层面的数据进行实证研究。

3.1 NEG 理论

NEG，即 new economic geography，被译为"新经济地理学"。1991 年，克鲁格曼在《政治经济学杂志》上发表《递增收益与经济地理》一文，开创性地以迪克希特和斯蒂格利兹垄断竞争一般均衡分析框架为基础，借鉴新贸易理论、新增长理论，利用萨缪尔逊的"冰山"型运输成本（iceberg trade costs）理论，采用历史演进的分析方法及计算机模拟技术，把空间概念引入一般均衡分析框架中，提出了著名的"中心－外围"（core-periphery）模型，解释人口和产业集聚现象发生的机理，使空间问题进入了主流经济学研究的视野。此后，经过藤田（M. Fujita）、维纳布尔斯（A. Venables）、奥塔维亚诺（G. Ottavino）、蒲伽（D. puga）等学者的共同努力，建立了一个新的空间经济学研究框架，被命名为"新经济地理学理论"。

该理论初期的研究重点是解释不同层次地理空间上的经济集聚现象和集聚力的来源，开创了在不完全竞争的条件下，从集聚力的内生演化来分析空间集聚原因的研究思路。后来的许多追随者不断扩展、整合集聚力和扩散力，甚至包括基于完全竞争理论的自然禀赋的外生因素决定空间集聚的分析，从而成为当前解释人口和经济活动空间集聚较为丰富和系统的理论。这里所指"新经济地理学"理论包括早期及其扩展的理论（图 3-1）。

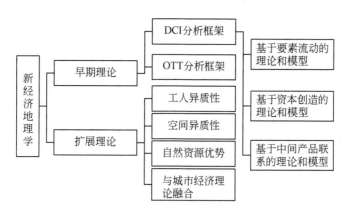

图 3-1　新经济地理学理论研究进展

3.1.1　NEG 理论的理论研究

3.1.1.1　早期的 NEG 理论研究[①]

从新经济地理学集聚经济的研究文献来看，有关集聚经济理论的研究主要经历了两个发展阶段：一是 DCI 分析框架；二是 OTT 分析框架。

---

① 该节参考了安虎森（2005）、Krugman（1991）、保罗·克鲁格曼（2002）、陈良文和杨开忠（2006）、李胜会和冯邦彦（2008）、Lu 和 Sasaki（2008）的文献。

DCI 框架的关键特征，一是迪克希特和斯蒂格利兹将张伯伦的垄断竞争思想和主流经济学一般均衡建模技术结合起来的垄断竞争一般均衡框架（D-S 框架）；二是效用函数分为两个层次，第一个层面的效用函数指消费者同时消费农产品和工业品的效用函数，为柯布－道格拉斯型效用函数，第二个层面的效用函数为消费者消费异质型工业品组合的效用函数，为 CES 效用函数；萨缪尔逊的"冰山"形运输成本理论认为，农产品可以在任何区域间以零成本运输，而工业品的运输成本遵循"冰山"型成本理论。在 DCI 框架的基础上，空间经济学家从不同角度解释了集聚的地理空间分布以及集聚力与分散力的内生演化过程。这方面的理论和模型有：CP 模型、FC 模型、FE 模型、CC 模型、GS 模型、LS 模型、CPVL 模型、FCVL 模型、FEVL 模型。这些模型大致可分为：①基于要素流动的理论和模型，该类模型包括 CP 模型、FC 模型和FE 模型。②基于资本创造的理论和模型，该类模型包括 CC 模型、GS 模型和LS 模型。③基于中间产品联系的理论和模型，该类模型包括 CPVL 模型、FCVL 模型、FEVL 模型。从以上 9 个模型的发展演变看，空间集聚经济学早期的理论和模型都是在 CP 模型的基础上不断改进的结果。

DCI 框架严重依赖特定的效用函数形式、运输成本等，缺乏现实基础，忽视预期的作用，许多模型主要依靠数值模拟的方法得到模拟解。为解决这些问题，奥塔维亚诺、塔布奇和蒂斯建立了另外一个垄断竞争分析框架，称为 OTT框架，用带二次效用的准线性效用函数（quasi-linear utility with quadratic subu-tility）和线性运输成本（linear transport costs）代替了 DCI 框架中的双效用函数和"冰山"运输成本，也被称为线性模型。OTT 模型成功引入预竞争效应（pro-competitive effect），使厂商在制定最优定价时不得不考虑竞争对手的定价策略。同时，也可以分析厂商的空间定价与集聚的关系，从而对厂商的选址造成影响。再则，OTT 模型中的准线性特征，使相对市场规模仅依赖于每个区域消费者的数量，而与收入效应无关。这类模型包括线性 FC 模型、线性 FE 模型，还被应用在区际人口分布、区际贸易以及福利的分析中。

OTT 框架及模型是对 DCI 模型的重大发展，具备完全的可解性，消除了数字模拟的复杂性和片面性；模型中效用函数的变更，满足了消费者对产品多样化的需求，也证实了消费品替代弹性可变的实际情况；预期行为的引入使得历史因素只在运输成本足够大或足够小的时候有效，当运输成本处于中间状态时，区域初始禀赋差别不大，促使形成中心区域的动因是工人的预期而非历史因素。

3.1.1.2 NEG 理论的扩展研究

早期的新经济地理学家虽然对经济活动的空间集聚进行了大量的研究，但仍然无法有力地解释空间集聚现象。后来的新经济地理学追随者们继续进行了积极的探索，并对新经济地理理论进行了进一步的扩展，包括对工人异质性和空间异质性的扩展、重新重视自然环境优势的集聚作用以及与城市经济理论的融合，使得新经济地理理论增强了对经济活动空间集聚现象的解释。

绝大多数早期的新经济地理学模型假设工人具有同质性，这显然不能令人满意。因此 Tabuchi 和 Thisse（2002）、Mori 和 Turrini（2005）对工人异质性进行了扩展。Tabuchi 和 Thisse（2002）在模型中介绍了本地居住工人的异质性偏好，从而改变了模型中分散力的来源。从原来的市场因素工人迁移导致的分散力，变为现在的非市场因素工人偏好不同而迁移所导致的分散力，并且在模型中出现了不同于 CP 模型的局部均衡。Mori 和 Turrini（2005）的模型无论是水平方向还是垂直方向，产品都是异质性的，生产高质量的产品需要高技能的工人。出售给不同地区消费者产品，消费者必须承担"冰山"运输成本和信息成本。在这种条件下，模型表明由于金钱外部性的存在，会产生一种促使工人总是按照他们的技能在空间排序的机制，特别是在所有的稳定均衡中，工人总是按照他们的技能在区域间流动，高技能的工人选择在总技能和总收入较高的地区，而低技能的工人则在另一相对地区。

一直被忽视的自然环境优势也成为 NEG 扩展的集聚因子。马歇尔写道："导致工业地区性分布的原因有很多，但主要的原因是自然条件，如气候和土壤的性质、附近矿藏的存在或通过陆路或水路的易达性"；赫克歇尔 - 俄林的要素禀赋论认为要素禀赋是产生贸易的主要原因，根据不同国（区）际要素丰缺程度进行国际（区际）分工，能使生产要素得到最有效配置，从而使本国（区）的总产量增加。Roback（1982）、Beeson 和 Eberts（1989）的研究表明，舒适的气候和宜人环境对空间集聚产生重要的影响。如今，尽管自然条件的障碍伴随着技术进步和运输工具的改进已经相当程度上得以克服，世界也逐渐沦为"地球村"，但经济活动永远也无法脱离空间而存在，自然条件在经济活动中仍然发挥着极为重要的作用。近年来自然环境优势也得以重新考虑，众多的学者认为，决定企业选址取决于自然环境优势和收益递增的相对重要性。例如，克鲁格曼（Krugman）和亚瑟（Arthur）认为，整个工业区位和城市形成模式都由收益递增所驱动，规模经济效果远远超过外在区位条件如资源、气候等条件优势对城市发展的作用。埃里森和格拉泽（Ellison and Glaeser）发现，自然环境优势可能为工业地理集中提供了一半的解释。这表明自然环境优势对集聚具有非常重要的作用，收益递增在集聚中只发挥着很小的作用。Davis 和 Wenistein（1996）的研究发现，收益递增发挥的作用为 10%，比较优势则为 90%。而事实上"自然环境优势、比较优势和收益递增并不是相互排斥的，很多收益递增可以用自然环境优势和比较优势进行解释"。

NEG 理论多数的模型都假设空间是同质性的，结果是集聚的区位只与历史和累积的前后向联系有关，而忽视了空间区位上本来的比较优势对集聚区位的影响。因此，对制造业选择某一地区而不选择其他地区实现产业聚集的原因没有很好地进行解释。近来 NEG 的追随者对这些自然环境优势、区位比较优势进行了扩展研究。Fujita 和 Mori（1996）考察了天然港口对产业集聚的决定性作用；Matsuyama 和 Taka-hashi（1998）发展了一个带有不同的非贸易产品的两区域空间经济学模型，考察了经济集聚与区域比较优势的互相影响。

与城市经济理论的整合。首先在重新解释杜能模型的基础上，探讨了单中心城市体的稳定状态；接着整合了新经济地理理论与"勒施景观"理论，通过考察城市向心力和离心力的综合作用，分析了由单中心城市向多城市布局的演变，并进一步研究了多中心城市体系结构向城市层级结构的演变。对城市经济理论研究的进一步发展是与 Henderson "城市系统"模型的结合。研究者不仅考虑城市间的运输成本问题，而且开始考虑城市内部的土地成本和拥挤成本，考察城市集聚的不经济问题及城市分散布局的稳定状态。这类扩展又分为以下两类。

第一，不考虑城市土地紧缺和交通拥挤效应。代表性的研究者有 Fujita 和 Krugman（1995），他们考察了一个狭长的、延伸至很远甚至可以忽略边界的经济体，他们预见到，如果工业品的差异化程度很高，同时工人的总数不是很多，那么向心力就会超过分散农民所带来的离心力，使得所有工业品的生产都集中在一个单独的城市中（单中心）；如果工业品的替代性很强，并且人口足够多，那么单个经济生产者就有动力到离城市很远的地方设厂。此时，单中心结构将无法维持下去，并将出现新的城市。在讨论单中心城市均衡的稳定性时，引入了市场潜力函数。如果市场潜力函数曲线的斜率为正，单中心结构决不会达到均衡，这是因为随着与城市的距离越来越远，市场潜力函数值上升，企业会迁出城市。如果市场潜力函数曲线的斜率为负，市场潜力函数值下降，此时，如果不满足非黑洞条件，单中心结构处于均衡状态；如果满足非黑洞条件，且人口的规模足够小，单中心结构依然是均衡的；如果人口规模不断扩大，企业就会向远离城市的地区扩散，单中心结构不是均衡状态。Fujita 和 Mori（1997）在单中心城市模型的基础上，通过整合杜能和勒施的理论，利用向心力（来自前后向关联效应）和离心力（来自土地的不可流动性）的合力作用，描述了单中心城市向多城市状态的演进。

第二，考虑土地租金和城市内部拥挤效应。代表性的研究者有 Tabuchi（1998），他综合了 Alonso-Henderson 理论和 Krugman 的 CP 模型，考虑了城市内部交通拥挤和住宅导致的土地租金升高以及城市之间运输成本变化对分散力的综合影响，在两城市系统一般均衡框架下，讨论了产品多样化情况下城市集聚经济和拥挤效应导致的城市集聚不经济情况。他的主要结论表明，在地区间运输成本足够低时，分散力就会产生，城市的分散布局是稳定的均衡。Steven 等（2001）认为，引入土地要素（作为分散力）使得研究结果并不像 Krugman（1991）模型所描述的那么极端。史晋川和钱陈（2005）构建了一个城乡两部门的一般均衡模型，分析发现人均土地禀赋将对中国的工业化和城市化水平产生重要的影响。Alonso-Villa（2002）通过考虑技术外部性和金钱外部性的影响，将新古典的城市分析方法和新经济地理研究方法综合起来，建立了一个一般均衡分析框架，他们认为中心城市分散力的来源主要是拥挤成本、住宅价格的攀升，这些因素致使小城市的吸引力越来越大。最终结果是不同规模城市的并存成为一种均衡形式，这正符合典型的大都市区城市布局的特征。Lu 和 Sasaki（2008）在 NEG 理论框架下构建了一个包括农村、城市工业部门、城市中间投入品部门和政府部门等的一般均衡模型，分析了土地价格、土地利用结构以及一系列的技术参数对城市化的影响。

3.1.2　NEG 理论的相关主要模型

3.1.2.1　Krugman 模型

1991 年，Krugman 在《政治经济学杂志》上发表的《递增收益与经济地理》一文，建立了他的中心 – 外围模型（the core-periphery model），该模型特别强调在垄断竞争的市场结构下，人口和产业集聚现象是如何发生的。在 Krugman（1991）的 CP 模型中存在两个地区，每个地区都有着相同数量的不可流动的农民，他们每人生产固定数量的农产品，而制造业和固定数目的工人可以在两个地区自由移动。在假设厂商具有规模经济（固定成本）的前提下，制造业产出的多样化将导致其在国家层面上出现规模经济。Krugman 指出当制造业的厂商选择了某个地区后，他们将会雇佣当地居民并在当地消费，从而创造出产业的前向和后向联系。如此，更多的工人、更丰富的多样化和实际收入的上升，会进一步吸引更多的工人来到这个地区。为了减少运输成本，更多的厂商也会选择进入该地区，从而形成一个自我增强的循环，制造业由原来的均匀分布逐步演变成一种中心－外围的经济结构。

在两个地区里，每个地区都有等量的土地 K_i，在地区 i 上的农业产出 y_i 是由该地区的土地和农业劳动力 L_{Ai} 作为投入要素的，则 $y_i = K_i^{1-\theta} L_{Ai}^\theta$，农业部门面临着一个完全竞争的市场结构，而且运输成本可以忽略不计（工业品的运输成本不为零，且是模型中的关键参数），令农产品价格为1。由制造业的多样化产品 x 和农产品 y 构成的个人效用函数（dixit-Stigliz，1977 年）为

$$U = y^{1-\gamma} X^\gamma，且 X = \left[\sum_{k=1}^{M} x(k)^{(\sigma-1)/\sigma} \right]$$

式中，M 是整个封闭经济中制造业产品种数，替代弹性系数 $\sigma > 0$。当 σ 趋近于1时，由于消费品之间的替代性减弱，产品的多样化将显得非常重要。令制造业产品为对称的，则 X 简化为 $xM^{\sigma/(\sigma-1)}$ 其中 $M > 1$，当一个大经济能增加更多样化的产品时，人口的规模经济效应也会增大。

在上式的基础上，可得到地区 i 每个工人的间接效用函数：

$$V_i = q_i^\gamma \omega_i$$

式中，ω_i 是地区 i 的工资，q_i 是每个人在地区 i 的复合产品价格指数。根据对称性假设，q_i 可以简化为

$$q_i = \left[p_i^{1-\sigma} N_i + (\tau p_j)^{1-\sigma} N_j \right]^{1/(1-\sigma)}$$

式中，N_i 和 N_j 为地区 i 和 j 的产品种类数，p_i 和 p_j 为地区 i 和 j 本地产品价格。由于地区 j 运往地区 i 的产品受到运输成本的制约，$\tau > 1$ 表示由地区 j 运往地区 i 的单位产品的运输成本。所有厂商均处于垄断竞争的地位，当 $\sigma > 0$ 时，q_i 随着 p 的增加而增加，随着 N 的增加而降低。

假设不同产品的制造商拥有相同的生产技术，且每个制造商只生产和销售一种产品，并处于垄断竞争的地位。制造商把劳动力和所有工业产品作为投入要素，则地区 i 每家厂商的生产总成本为

$$TC_i = q_i^u \omega_i^{1-u} (\alpha + \beta x_i)$$

式中，x_i 是地区 i 每个厂商的产出，α 为固定成本。厂商的规模经济限制了其效率和（或）均衡厂商数量。模型余下的部分都做标准化处理，如在垄断竞争条件下产生的定价为边际成本 $\beta q_{ii}^u \tilde{\omega}_i^{1-u}$ 的 $\sigma/(\sigma-1)$ 倍，在自由进入和零利润条件下，厂商的产量为 $x = \alpha(\sigma-1)/\beta$。而对每个厂商产品的需求量为

$$x(k) = p_i(k)^{-\sigma} \left[e_i q_i^{\sigma-1} + e_j q_j^{\sigma-1} \tau^{1-\sigma} \right]$$

式中，e_i 和 e_j 是地区 i 和 j 里各种产品的需求基准量（用于制造业产品的总支出）。

此外，还有三个市场出清条件，一是需求等于供给，二是工人在地区间迁移到所有人的效用相等为止，三是厂商在两个地区重新配置到利润相同为止

（利润为零）。均衡条件下，并不能得到模型的解，结果依赖于参数的取值空间，特别是运输成本 τ 的取值。一般来说，当 $\gamma、\mu$ 和 θ 不太大且 σ 不太小时，根据运输成本 τ 的不同取值存在三个均衡空间：当 τ 值非常高时，其均衡状态为两个相同大小的地区的对称结构；当 τ 值非常低时，一个"中心"和"外围"的结构是唯一的均衡；当 τ 值处于这两个极端之间时，会出现多重均衡，即对称结构和"中心–外围"结构都可能是均衡状态。若当 $\gamma、\mu$ 和 θ 足够大且 σ 足够小，满足 $\sigma(1-\gamma)(1-\mu)-1-\gamma\theta/(1-\theta)<0$ 时，被称为黑洞条件，此时制造业在消费和生产中的比重非常高，而农业需求已不重要，且对多样化的要求变得十分重要，这时积聚力量成为主导，一个"中心"和"外围"的结构是唯一的均衡。

3.1.2.2　Fujita-Krugman 模型（1995 年）

1995 年，Fujita 和 Krugman 在《区域科学与城市经济学》上发表的《单中心经济何时发生：杜能与张伯伦的整合》一文中，考察了一个狭长的、延伸至很远甚至可以忽略边界的经济体，$X=R$，均质土地，密度为 1；区域内工人总数为 N，不考虑差异。每一个工人都赋予一单位的劳动力，可在区域内自由流动；消费者包括工人和地主，所有地主在其所有的土地附近，其收入来源于土地租金。每一个消费者消费同质的农产品和多样化的工业品，工业品数 n 被内生决定。所有消费者的偏好相同，他们的效用函数表示为

$$U = \alpha_A \log z + a_M \left[\int_0^n q(\omega)^\rho d\omega \right]^{1/\rho}$$

式中，z 为农产品的消费；$q(\omega)$ 为每一种工业品的消费，$\omega \in [0,n]$；$\alpha_A、\alpha_M$ 和 ρ 为正的常数，$\alpha_A + \alpha_M = 1$，$0 < \rho < 1$，ρ 为消费者多样性的偏好程度，ρ 越小意味着消费者对工业品的多样性消费偏好越强。

假定消费者的收入为 Y，农产品价格为 P_A，每一种工业品的价格为 $P_M(\omega)$，则预算约束条件为 $P_A z + \int_0^n P_M(\omega) q(\omega) d\omega = Y$。按照效用最大化原则，得到每种产品的需求函数为

$$z = (a_A Y)/P_A, q(\omega) = [\alpha_M Y/P_M(\omega)][P_M(\omega)^{-\gamma}/\int_0^n P_M(\omega)^{-2} d\omega]$$

式中，$\gamma = \rho/(1-\rho)$，上式中每一种工业品的需求价格弹性（E）相同，$E = 1/(1-\rho) = 1+\gamma$，从而可得到每个工人的间接效用函数：

$$U = \log(\alpha_A^{\alpha_A} \alpha_M^{\alpha_M} Y \rho_A^{\alpha_A}) + \frac{a_M}{\gamma} \log \left[\int_0^n (\omega)^{-\gamma} d\omega \right]$$

在农业生产部门，农产品生产为规模报酬不变，生产 1 单位的农产品需要

1 单位的土地（土地仅用于农业生产）和 a_A 单位的劳动力。每一种工业品的生产只需要将劳动力作为投入物，所有工业品有相同的生产技术，并且规模报酬递增，任何一种产品的产出 Q 需要的劳动力 L 表示为 $L = f + a_M Q$，f 为固定的劳动力需求（固定成本），a_M 为边际的劳动力需求（可变成本）。为了简化模型，这里并没有考虑交通部门，每一个产品的交通成本采用萨缪尔森的"冰山交易"技术。

假设每一个产品的运输距离为 d，由于在运输途中消耗掉一部分，只有 $e^{-t_i d}$（t_i 为一个正的常数）真正到达消费地。P_M 为工业品的离岸价格（fob）。$0 < \tau_A < 1$ 为农产品从农村运到城市的交通成本。由于生产的规模经济效应，每一种工业品假定在一个专门的工厂生产，假设一个工厂在区位 $x(x \in X)$ 生产工业品，采用离岸价 $P_M(x)$，在张伯伦均衡条件下追求利润最大化。在"冰山交易"技术假设下，区位 $y(y \in X)$ 消费者对区位 x 工业厂商生产的产品消费的离岸价格 $P_M(y/x)$ 表示：

$$P_M(y/x) = P_M(x) e^{t_M |y-x|}$$

从上式可以知道，任何一种工业品总需求的价格弹性独立于需求的空间分布，等于每一个消费者的需求价格弹性。因此，假定区位 x 的均衡工资率为 $W(x)$，根据边际收益等于边际成本，即 $P_M(x)(1 - E^{-1}) = a_M W(x)$，可获得区位 x 厂商的最优离岸价，$P_M(x) = a_M W(x)/\rho$。因此，厂商的利润 $\pi(x) = P_M(x)Q - W(x)(f + a_M Q) = a_M \gamma^{-1} W(x)(Q - \gamma f / a_M)$。假定经济均衡时，区位 x 厂商的利润等于 0，均衡产量 $Q^* = \gamma f / a_M$，是一个不受区位因素影响的常数。

假设工厂位于城市中心，$y = 0$，则农业区域为 $(-l, l)$，这就是杜能"孤立国"模型。农产品的价格曲线 $P_A(y)$ 在城市中心被标准化处理，即 $P_A(0) = 1$。因为所有剩余农产品运往城市中心，则农村区域位于 y 的农产品价格曲线 $P_A(y) = e^{-t_A |y|}$。

假定 $P_M = P_M(0)$ 为城市中心工业品的离岸价格，则任何区位工业品的交易（delivered）价格 $P_M(y) = P_M(y \mid 0) = P_M e^{t_M |y|}$。设城市中心工业厂商的数目为 n，$W(y)$ 为区位 $y(y \in -l, l)$ 处的均衡工资率。在均衡时，所有工人的效用 u 相等，根据前面的间接效用函数，可得到 $W(y) = e^U a_A^{-\alpha_A} a_M^{-\alpha_M} n^{-\alpha_M/\gamma} P_M^{\alpha_M} e^{(a_M^t M - a_A^t A)|y|}$。根据农产品生产的零利润假设，区位土地租金 $R(y) = P_A(y) - \alpha_A W(y) = e^{-t_A |y|}$，$y \in (-l, l)$，因为边缘区 $R(l) = 0$，所以 $e^{-t_A l} = \alpha_A W(l)$，将其代入上式的 $W(y)$ 函数，得到 $W(y) = \{a_A^{-1} e^{-t_A l}\} e^{(a_A t_A - a_M t_M)(l - |y|)} = a_A^{-1} e^{-a_M(t_A + t_M)l} e^{(a_M^t M - a_A^t A)|y|}$。边缘区的工资 $W(l) = a_A^{-1} e^{-t_A l}$，仅为距离 l 的函数。反过来，区位 y 的均衡工资率 $W(y)$ 对产品价格

在区位 y 和边缘区的差别进行补偿，可得到工业品的离岸价格 $P_M = P_M(0) = a_M(a_A\rho)^{-1}e^{-a_M(t_A+t_M)l}$。

设 N_A 为农业工人的数目，N_M 为工业工人的数目，则：$N_A = 2a_Al$，$N_M = n(f+a_MQ^*) = nf(1+\gamma)$，假设充分就业，则 $N = N_A + N_M$，得到工厂的数目 $n = \dfrac{N - 2a_Al}{f(1+\gamma)}$。根据农产品的供给等于需求确定空间集聚均衡时的区位 l，区位 y 的农产品供给量 =

$$1 - (a_Ay(y)/P_A(y)) = 1 - a_A = a_M$$

式中，$y(y) = a_AW(y) + R(y) = P_A(y)$，考虑交通因素，农产品达到城市的净供给量 = $S_A(0) = \displaystyle\int_{-l}^{l} a_M e^{-t_A|y|}\,\mathrm{d}y = 2a_M t_A^{-1}(1-e^{-t_Al})$；城市中心对农产品的总需求 =

$$a_Ay(0)/P_A(0) = a_AW(0)N_M$$

式中，$y(0) = W(0)N_M, P_A(0) = 1$。根据总供给等于总需求得到 $\dfrac{S_A(0)}{a_AW(0)} = N_M$，由于 $N_M = N - N_A = N - 2a_Al$，所以城市消费者的数量 $N_C(l) = \dfrac{S_A(0)}{a_AW(0)}$ $= \dfrac{2\alpha_M t_A^{-1}(1-e^{-t_Al})}{a_A\alpha_A^{-1}e^{-a_M(t_A+t_M)l}}$，区位 l 的城市工人人数 $N_M(l) = N - 2a_Al$，则 $N_C(l) = N_M(l)$，随即可获得 l 的均衡解 l^* 以及均衡的城市工人 N_M^* 和均衡的农民 N_A^*，将 l^* 代入前面相关的公式可得均衡时的工厂数目 $n^* = \dfrac{N - 2\alpha_Al^*}{f(1+\gamma)}$，同时可得工人效用水平以及工资率。

研究认为，如果工业品的差异化程度很高，同时工人的总数不是很多，那么向心力就会大于离心力，使得所有工业品的生产都集中在一个单独的城市中（单中心）；如果工业品的替代性很强，并且人口足够多，那么单个经济生产者就有动力到离城市很远的地方设厂。此时，单中心结构将无法维持下去，并将出现新的城市。在讨论单中心城市均衡的稳定性时，引入市场潜力函数，如果市场潜力函数曲线的斜率为正，单中心结构决不会达到均衡，因为随着离城市越来越远，市场潜力函数值上升，企业会迁出城市。如果市场潜力函数曲线的斜率为负，市场潜力函数值下降，此时，如果不满足非黑洞条件，单中心结构处于均衡状态；如果满足非黑洞条件，且人口的规模足够小，单中心结构依然是均衡的；如果人口规模不断扩大，企业就会向远离城市的地区扩散，单中心结构不是均衡状态。

3.1.2.3 Lu-Sasaki 模型（Lu and Sasaki，2008）

2008 年，Lu 和 Sasaki 在《区域科学纪事》上发表的《城市化过程与土地利用政策》一文，建立了他们的新经济地理学模型。该模型主要关注快速城市化进程中中国政府配置土地资源的背景下，人口和产业集聚现象是如何发生的。模型假设存在两个地区：农村地区（A）和城市地区（U）。每个地区（A，U）的土地（D_A 和 D_U）分为居住用地 D_h 和生产用地 D_p 两种用途，即 $D = D_A + D_U$，$D_A = D_{AP} + D_{Ah}$，$D_U = D_{UP} + D_{Uh}$。分为四个部门：农业生产部门、制造业生产部门、中间产品生产部门以及政府部门。农村地区从事农业生产，城市地区从事制造业和中间产品生产。劳动力分为低技能劳动力和高技能劳动力，其中有一部分低技能劳动力可向城市地区流动从事城市地区的制造业，有一部分在农村地区从事农业生产，高技能劳动力在城市地区从事中间产品的生产。

在城市地区存在两个部门：制造业部门和中间产品生产部门。制造业的产品 q_M 的生产以该地区的生产用地 d_M、低技能劳动力 l_M、中间投入品组合产品 $\Phi(s)$ 以及该地区的公共资本品 G_M（如电、供水和交通等）为投入要素。$q_M = G_M l_M{}^\alpha \Phi(s)^\beta d_M{}^{1-\alpha-\beta}$。

假设中间投入品厂商生产具有多样性，采用 CES 替代弹性函数，

$$\Phi(s) = \left(\sum_{i=1}^{n} s_i^{\sigma}\right)^{1/\sigma}$$

式中，n 是整个区域中间产品的种数，s_i 为第 i 个中间投入品的数量，替代弹性系数为 σ。假设每个中间投入品的产出 x 仅以高技能劳动力 l_H 和由等同的生产函数替代的生产技术为投入要素，则 $x = \dfrac{1}{b}l_H - \dfrac{a}{b}(a, b > 0)$。中间产品生产部门面临着一个垄断竞争的市场结构，且运输成本忽略不计。则在长期，每个厂商的利润等于 0，可获得中间产品的价格 P_s、产出 x 以及中间产品生产商的种数 n。

$$P_s = \frac{b\omega_H}{\sigma}, x = \frac{a\sigma}{b(1-\sigma)}, n = \frac{L_H(1-\sigma)}{a}$$

式中，L_H 为高技能劳动力总数。制造业部门面临一个完全竞争的市场结构，设 P_M 为工业品价格，ω_M 为城市地区低技能劳动力工资，在规模报酬不变的条件下，按照利润最大化原则进行生产，则可获得单位土地面积需要的劳动力 $\overline{l_M}$ 以及单位土地面积中间产品的投入 $\bar{s}$。$\overline{l_M} = \dfrac{l_M}{d_M} = \left(\dfrac{\alpha^{1-\beta}\beta^{\beta}G_M P_M}{\omega_M^{1-\beta}\tilde{P}_s^{\beta}}\right)^{\frac{1}{1-\alpha-\beta}}$，$\bar{s} = \dfrac{s}{d_M} =$

$\left(\dfrac{\alpha^{\alpha}\beta^{1-\alpha}G_M P_M}{\omega_M^a \tilde{P}_s^{1-\alpha}} \right)^{\frac{1}{1-\alpha-\beta}} n_s^{-1/\sigma}$，由于中间投入品的价格相同，投入量相等，所以

$\Phi(s) = n^{1/\sigma}s$，则中间投入品综合价格指数 $\tilde{P}_s = n^{1-\frac{1}{1-\sigma}}P_s = n^{\frac{1-\sigma}{\sigma}}P_s$。从而工业品的总产出 $Q_M = G_M \bar{l}_M^{\alpha}(\bar{s} \cdot n^{1/\sigma})^{\beta}D_{UP}$。

在农业部门，每个农场的产出 q_A 以农地 d_A、低技能劳动力 l_A 为投入要素，则

$$q_A = G_A l_A^{\gamma} d_A^{1-\gamma}$$

式中，G_A 为用于农业生产的公共资本品。在完全竞争的市场条件下，按照利润最大化的原则进行生产，则农产品的总产出

$$Q_A = G_A \bar{l}_A^{\gamma} D_{AP}$$

式中，$\bar{l}_A$ 为单位农地面积需要投入的劳动力，

$$\bar{l}_A = \frac{l_A}{d_A} = \left[\frac{\gamma G_A P_A}{\omega_A} \right]^{\frac{1}{1-\gamma}}$$

式中，P_A 为农产品价格，ω_A 农村地区低技能劳动力的工资率。

假设所有人的消费偏好相同，他们的效用水平取决于居住地改善生活环境的公共资本品（由政府提供的生活用公品如学校、医院和公园等）、工业品、农产品和住房。则城市地区每一个居民的效用表示为

$$U_i = I_M C_i^{\psi} a_i^{\varphi} h_i^{1-\psi-\varphi} \quad (i = M \text{ 表示低技能劳动力}, H \text{ 表示高技能劳动力})$$

式中，I_M 为改善生活环境的公共资本品，C 为工业品消费量，a 为农产品消费量，h 为居住用地面积。预算约束条件为

$$(1-t)\omega_i = P_M C_i + \frac{P_A}{\tau_A}\alpha_i + r_{Uh}h_i$$

式中，t 为税率，r_{Uh} 为城市居民的房租，$0 < \tau_A \leq 1$ 为农产品从农村运到城市的交通成本，为了简化模型，这里并没有考虑交通部门，而是采用"冰山交易"技术。P_M 为工业品的离岸价格。根据效用最大化原则，得到工业品、农产品、居住用地的需求函数，分别表示为：$C_i = \dfrac{\psi(1-t)\omega_M}{P_M}, a_i = \dfrac{\varphi(1-t)\omega_M\tau_A}{P_A}, h_i = \dfrac{(1-\psi-\varphi)(1-t)\omega_M}{r_{Uh}}$。相应的，居住在农村地区的低技能劳动力的效用函数表示为 $U_A = I_A C_A^{\psi} a_A^{\varphi} h_A^{1-\psi-\varphi}$，$I_A$ 为影响农村地区居民生活的公共资本品。同理，可获得工业品、农产品、居住用地的需求函数，分别为

$$C_A = \frac{\psi(1-t)\omega_A\tau_M}{P_M}, a_A = \frac{\varphi(1-t)\omega_A}{P_A}, h_A = \frac{(1-\psi-\varphi)(1-t)\omega_A}{r_{Ah}}$$

式中，τ_M 为工业品从城市运往农村的交通成本；r_{Ah} 为农村地区房租。

有以下市场出清条件。产品市场：一是中间工业品的供给等于需求；二是工业品的供给等于需求；三是农产品的供给等于需求。劳动力市场：从事制造业的低技能劳动力的需求等于供给；从事中间产品生产的高技能劳动力的供给等于需求；从事农业的低技能劳动力的供给等于需求。土地市场：城市居住用地的供给等于需求，城市生产用地的需求等于供给；农村居住用地的供给等于需求；农村生产用地的需求等于供给。财政收支平衡：四种公共品（包括城市生活用公共资本品、城市生产用公共资本品、农村生活用公共资本品、农村生产用公共资本品）的支出等于收入（包括税收收入和土地租金收入）。

城市化率用城市人口占总人口的比率表示，即高技能劳动力加上在制造业工作的低技能劳动力除以总劳动人数。在均衡条件下，城市化率的决定函数表示为

$$f = \frac{1}{1 + \dfrac{\alpha + \beta}{\alpha}(\dfrac{\psi\gamma}{\varphi(\alpha + \beta)})^{\psi+\varphi} \dfrac{\tau_M^{\psi}}{\tau_A^{\varphi}} \dfrac{I_A}{I_M}(\dfrac{D_{Ah}}{D_{Uh}})^{1-\psi-\varphi}}$$

因此，外生的政策变量如 $\dfrac{\tau_M}{\tau_A}$、$\dfrac{I_A}{I_M}$ 和 $\dfrac{D_{Ah}}{D_{Uh}}$ 以及一些内生参数等影响城市化水平。

具体来说，其他条件不变，当 τ_M 增加时，工业品从城市运往农村的交通成本增加，制造业厂商可以在远离城市地区以较低的价格出售工业品，从而导致分散，城市化水平相应降低；其他条件不变，当 τ_A 增加时，农产品从农村运往城市的交通成本增加，农业部门可以在远离农村的城市地区以较低的价格出售农产品，从而集中在城市，城市化水平相应提高。从居住条件来看，其他条件不变，D_{Ah} 增加表明居住在农村的效用水平提高，人们集中在农村，城市化水平降低；其他条件不变，D_{Uh} 增加表明居住在城市的效用水平提高，人们集中在城市，城市化水平提高。从生活用公共资本品来看亦如此。那么，与生产相关的公共资本品为什么不影响城市化呢？那是因为作者以 z 来表示城乡两地区之间运费的比值，而该比值又不与 G_A/G_M 相关。

3.1.2.4 主要模型的比较

三个模型均在 NEG 框架下，通过引入规模报酬递增、人口流动和运输成本来对人口和经济活动空间集聚的原因进行解释。总体上，现代城市发展的主要动力来自于城市内在的自我增殖优势。但由于模型假设条件以及建模处理技术的不同，一些参数对集聚的作用程度甚至作用方向存在不同。

以 F-K 模型和 Lu-Sasaki 模型为例，F-K 模型认为随着多样性优势的降低，

城市化程度下降，但 Lu-Sasaki 模型则认为是上升的；F-K 模型认为随着人口规模的增加，城市化程度必然上升，但 Lu-Sasaki 模型则认为低技能劳动人数增加，城市化程度会下降，只有高技能劳动力增加，城市化程度才会上升，这是 Lu-Sasaki 模型引入了工人的异质性导致的结果，F-K 模型则认为所有工人都是同质的。另外，F-K 模型认为城市化程度随着制造业交通成本的降低而下降，但 Lu-Sasaki 模型认为城市化程度随着制造业交通成本的降低而上升，随着农业交通成本的降低而降低，这是因为 Lu-Sasaki 模型增加了住房消费对集聚的影响。

对模型进行比较，意不在于考察哪个模型比哪个模型好，而是想说明和探究：复杂的社会经济现象，单因素分析两者之间的关系可能会得出错误的结论，需要考察多因素的影响甚至是多因素之间的交互关系。究竟哪些因素影响人口和产业的集聚呢？回答这些问题需要经验研究。

3.1.3 NEG 理论的实证研究

收益递增和不完全竞争的集聚经济理论模型特有的非线性对计量经济学提出了重大挑战，因此关于集聚经济理论模型的经验研究相对缺乏。Fujita 等（1999）特别强调 CP 理论的实证研究难以进行。但作为一种方法，经验研究可以用来判断哪些因素之间存在真正的相关，同时也可以用来指出模型在哪些方面需要进一步扩展。

在 Krugman（1991）以后，M. Fujita、A. Venables、G. Ottavino、D. Puga 等对 CP 模型作了进一步的拓展，并出现了一批针对模型的实证研究。早期的集聚经济理论主要从金钱的外部性（位于人口密度高的工厂，成本的节约以及市场接近导致交通成本的节约）来解释集聚现象，而对工资的空间差异导致的收益递增没有重视。Hason（1997）认为随着与城市中心距离的增加，空间集聚产生的交通拥挤成本增加会导致工人的名义工资下降，指出位于集聚区域的工厂应支付更多的工资给工人，以激励工人产生收益递增，利用墨西哥解放前后制造业部门工资的空间分布数据检验了这一假说，并且他指出对集聚效应的经验研究是一个很困难的工作。Audretsch 和 Feldman（1996）的研究发现知识外溢总是集中在新知识被发现的地区，说明新知识的发现对知识外溢的重要性；Audretsch 和 stephan（1996）对生物技术核心产业技术研发人员的案例研究证实了科学家的集聚对知识外溢的重要性。

上述文献只是对 NEG 模型中的一些变量进行的实证研究，直接针对结构参数相关性检验的文献比较少见。Hanson（1998）利用美国县级数据，直接针对 Krugman（1991）模型均衡条件下的结构参数与空间劳动需求函数，对收益递增和经济活动空间集聚的关系进行了实证检验。结构参数检验结果说明，空间集聚是经济活动空间分布的一种稳态；一个区域的收入水平对另一个区域的工资和就业的影响取决于空间的需求关联；空间的需求关联随时间增强和增长，但在空间上的增强和增长比较有限。进一步基于估计参数的模拟显示，个人收入每降低 10%，就业减少 6.0% ~ 6.4%。上述文献仅对空间集聚的集聚力进行了实证研究，忽视了分散力对空间集聚的影响。Steven 等（2001）引入土地价格等分散力（同时考虑 GDP 和工资两种集聚力），利用 Helpman-Hanson 模型对德国进行实证研究。研究结果证实了 Helpman-Hanson 模型假设，即经济活动的空间集聚提高了非贸易品（如土地）的价格，由于土地价格这种分散力的存在，研究结果并不像 Krugman（1991）模型所描述的那么极端。另外，他们指出，NEG 的扩展有助于理解经济活动的集聚力和分散力。但是由于核心模型存在多均衡的特征，加上缺乏区域数据，实证研究有困难，从而需要走捷径进行研究。

Neary（2001）指出 NEG 时代已经来临，但主要是理论研究，而实证研究在处理理论问题上仍然存在未解决的问题。例如，由于收益递增以及多均衡的假设，回归估计不可取。另外，对结构参数没有独立的统计数据，当前许多文献又从不同角度来解释经济集聚现象，在研究结果上也没有可比性。尽管如此，NEG 实证研究越来越被重视，因此，Fujita 等（1999）和 Baldwin 等（2003）认为自己对 NEG 理论实证研究作出贡献的时候到了。

3.1.4　NEG 理论的启示与不足

1）人口和经济要素在空间上是收敛还是扩散取决于两种力量：集聚力和分散力。集聚力（centrepetal force）是指有利于厂商和消费者在地理上集中的力量，不仅包括由 Rosenthal 和 Strange（2003）从微观经济主体的层面归纳出的投入品共享（input sharing）、知识外溢（knowledge spillovers）、劳动力蓄水池（labor market pooling）、本地市场效应（home market effect）、消费（comsumption）和寻租（rent-seeking）6 种集聚力，还包括自然条件、资源禀赋、舒适的气候和宜人环境、区位优势等。分散力（centrefugal force）是指促进现代部门在地理上扩散的力量，不仅包括早期研究的交通成本，还包括扩展研究的城市内部空间结构（城市内部通勤成本）、住房消费、土地价格、环境污染等。这些集聚力和分散力研究对城乡转型过程的解释具有重要的借鉴意义。

2）城乡转型过程是纷繁复杂的，看上去是"经济人"之间的相互自利行为，但这一微观行为会影响产品、要素市场价格和资源配置，影响人们在地理区域间的流动模式，从而影响宏观上的城乡转型。因此，在市场经济条件下，一个政府要更好地调控城乡转型及其与土地利用的关系，就必须考虑人们的自利决策和微观行为，从而提高管理效率。

3）由于 NEG 模型以收益递增和不完全竞争的空间经济模型特有的非线性和多均衡为特征，因此，回归估计不可取，加上对结构参数没有独立的统计数据，当前许多文献又从不同角度来解释经济集聚现象，在研究结果上也没有可比性，致使实证研究难以进行，并落后于理论研究。但实证研究作为一种方法，可以用来判断究竟哪些因素之间存在真正的相关，像 Steven 等（2001）一样走捷径进行研究。

4）早期的 NEG 理论尽管开创性地引入"空间"概念，但该理论所称的"空间"似乎只有"点"的概念，城市（用地）规模由内生的工人人数决定。该理论只关注劳动力和资金的转移和流动，而很少涉及土地要素的城乡配置。Bhadra 和 Brandao（1993）较早地关注土地要素在城乡之间的重新配置问题，并指出政府是如何通过干预土地市场来阻止农地过快转变为城市用地的。近来有越来越多的 NEG 模型与城市经济学融合，引入土地要素研究土地要素作为一种分散力对人口和经济活动集聚的影响。通过引入土地要素（作为分散力）进行研究，结果并不像 Krugman（1991）模型所描述的那么极端。Lu-Sasaki（2008）在 NEG 理论框架下构建了一个包括农村、城市工业部门、城市中间投入品部门和政府部门等的一般均衡模型，分析了土地价格、土地利用结构以及一系列的技术参数对城市化的影响。由此可见土地的城乡要素配置对城乡转型的影响。

5）导致人口和经济活动空间集聚的机制是多种多样的，不同的理论仅从不同的机制进行解释，尽管一些学者对这些机制进行了整合和扩展，如引入城市内部通勤成本、住宅消费等分散力，但整合研究尚没有取得令人满意的进展（陈良文和杨开忠，2006）。另外，NEG 理论假设人口城镇化与土地非农化、人口城镇化与就业非农化是同步进行。因为西方发达国家的城市化过程始终与城乡人口转型和城乡经济结构变化过程相适应。事实上，这些与中国的不完全城市化现象不吻合，也与许多文献对人口和就业之间"需求论"、"供给论"和"同时决定论"的争论不相符。因此 NEG 理论还有更大的发展余地。

3.2 城乡转型与农地非农化的互动机理

3.2.1 引言

机理，原指机器的构造和原理，是传统的工程学概念。"机理"一词在当前的社会经济研究范畴中被频繁使用，主要用来揭示社会经济系统中各要素之间的关系。社会经济科学范畴的机理概念可定义为：系统内外部各种要素之间的有机联系通过一定的互动、互补和互济作用形式表现出来，形成系统的整合功能和综合效率。互动机理是指事物间相互作用的方向和程度。关于城乡转型驱动因素的研究文献表明，农业劳动生产率水平的提高、交通技术的改革、人口的增长、经济发展水平、城乡之间的联系、城市化水平、农村地区的状况、工业化程度、人均收入、宜人环境、基础设施、资源禀赋、土地价格等是推动或阻碍城乡转型的因素。农地非农化驱动因素的研究文献表明，坡度、土壤、海拔、地貌、位置、距离城市中心的距离、人均收入、城市化水平、人口增长、技术创新、经济发展、政策制度、税收、耕地资源禀赋、土地价格等影响农地非农化的过程。从现有文献以及前面的理论可以发现，城乡转型与农地非农化之间可能存在直接或间接的作用机理。

3.2.2 城乡转型对农地非农化的作用机理

城乡转型是从农业经济转变为工业与服务业经济（经济结构的转型）、从乡村社会转变为城镇社会（社会形态的整体转型）、从乡村生活方式转变为城镇生活方式（生活方式的转型），进而从乡村文明转变为城镇文明（文明形态的转型）的一个动态、多层面、内涵十分丰富的概念，包括人口、社会、文化、经济、环境、生态、物质、管治等。但是，人口和就业的变化是城乡转型突出的特征，从理论上讲，农地非农化最终主要由人口和就业的变化引起。它们对空间需求的改变直接或间接地影响农地非农化的过程。城乡转型对农地非农化的作用机理如图 3-2 所示。

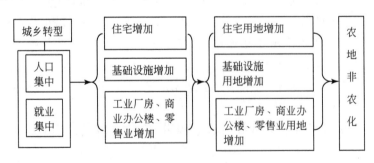

图 3-2　城乡转型对农地非农化的作用机理

人口、就业的集中导致居民收入的增加，从而导致物质需求的增加带来的农地非农化，包括住宅用地、基础设施用地、工业厂房、商业办公楼、零售业用地的增加。1996 ~ 2004 年，居民点及独立工矿用地净增加 178.14 万 hm²，增幅 7.44%，其中独立工矿用地增加最多，增幅达 31.55%，交通运输用地与 1996 年相比，净增加 53.85 × 10⁴hm²，增长了 31.78%，是各二级地类中涨幅最大的用地类型（严岩等，2005）。2003 ~ 2006 年，城乡居民点及工矿用地面积由 2535.4 × 10⁴hm² 增加到 2635.4 × 10⁴hm²，交通用地面积由 214.5 × 10⁴hm² 增加到 2395.5 × 10⁴hm²，同时期农地非农化的面积累计为 75.1 × 10⁴hm²①。

居民收入水平的提高通过两个过程影响城市化空间的供给（李海鹏等，2006）。农村居民收入水平的提高会增强其对"市民化成本"的支付能力，从而拉动城市化空间的需求，产生城市化空间的供求缺口。在城市化的初始阶段，农民是小城镇的城市化空间的主要需求者，小城镇周边富裕的农民与个体工商户成为支撑小城镇发展的主要力量。随着农民收入的提高，他们对大中城市城市化空间需求的影响力不断增长。许多来自农村的青年，在大中城市创业，在事业获得相应的发展后，成为大中城市的城市化空间的有效需求的主体。另外，城镇居民收入水平的提高会带动其对城市化空间的数量与质量要求的提升。从城市化空间的需求数量上看，城镇居民的合意住房面积在不断扩大，这成为不断扩大的城市房地产供给的市场基础。据统计，中国城市人均住房建筑面积从 1978 年的 6.7m² 增加到 2006 年的 27.1m²。高魏（2007）的一项研究表明，农村居民人均收入和城镇居民人均可支配收入各增长 1%，会使耕地消耗率（全年建设占用耕地面积/年初耕地面积）分别增长 0.17% 和 0.16%。谈明洪和吕昌河（2005）通过对 20 世纪 90 年代中国城市用地面积最大的 145 个城市实证研究发现，城市职工工资增长能很好地解释城市用地扩展。财富收入的增加同时刺激了对城市道路、绿化与休闲景观的需求。据统计，中国城市人均公园绿地面积从 1981 年的 1.5m² 增加到 2009 年的 10.7m²。

土地是一种最基本的生产要素，在市场经济条件下，土地价格不仅是土地在不同部门之间配置的信号，也是调节土地供给和需求关系的重要工具，因此，土地价格直接影响着土地在农业部门与非农业部门之间的转移。假设农地非农化市场为一完全竞争市场，农地非农化的供给以及需求曲线将决定农地非农化市场的均衡价格以及相应的供给量或需求量。如果农地非农化的价格较低，需求者则会相应增加其对农地非农化的需求。然而，土地的供给量是一定的，农地与非农地之间存在此消彼长的关系。由于农地转化为非农地用途的不可逆性，两类土地的用途转化通常只反映为农地的非农化。因此，根据农地非农化市场形成的规律，只要农地非农化的价格低于非农地的价格，就会存在由

① 根据《中国国土资源年鉴》（2004 ~ 2007 年）计算整理。

农地向非农地转化的冲动。另外，长期以来，传统经济学对农地价值的认识仅仅停留在单纯的或狭义的经济价值上，忽略了农地所拥有的生态功能、景观功能、就业功能、食物安全以及世代公平等生态价值和社会价值。由于这些价值及其产生的效益对市场来说是正的"外部性"效益，从而它们导致农地的过度非农化（曲福田等，2004）。

外部性、信息不对称以及自然垄断等因素的存在使得土地市场发生失灵，配置土地资源的基础性作用受到阻碍。依靠政府驱动弥补市场失灵的同时，由于政策失灵、管理失灵可能加剧农地非农化。政策失灵是指政府的政策（土地利用规划、城市规划、土地价格政策等）使原本可以正常工作的市场机制扭曲，即资源利用的真实社会成本与使用者私人成本之间出现巨大的差距（周伟林等，2004）。由于特殊的土地所有制和管理制度，中国存在多种不同形态的土地价格：农地征用价格（征地补偿费）、土地出让价格（土地出让金）。征地补偿费是指国家在征用集体所有的土地时，由用地单位按照被征用土地的原用途给予集体以及农民的补偿，包括土地补偿费、安置补助费以及地上附着物和青苗补偿费。土地出让金是指政府土地管理部门将土地使用权出让给土地使用者，按规定向受让人收取的土地出让的全部价款，其实质是用地单位占用农地必须付出的较为完整的农地非农化价格。由于这两种价格均由政府制定，不能完全显化土地价值，因此具有刚性的特征，可能成为促进或抑制农地非农化的重要经济杠杆（曲福田等，2004）。另外，政府通过土地利用规划和城市规划等手段进行城乡土地资源空间优化的组合，促进城乡土地利用效率和集约利用水平的提高。然而，当前城市规划和土地利用规划的编制很大程度上强调空间资源配置的规划仍是物质性规划而非综合性规划，城乡社会经济问题一直游离于城市政府与规划师的视野之外，较少考虑人口、就业等社会经济问题导致规划失效。管理失灵是引起政策效果不佳的各级政府组织中存在的问题，包括中央政府和地方政府在耕地保护上的目标不一致，导致地方过度利用资源，从而引起农地过度非农化（周伟林等，2004），以及政府机构的"内在性"（黄征学，2004）。

3.2.3　农地非农化对城乡转型的作用机理

城乡转型是人口和经济活动通过集聚力和扩散力的相互作用在城市空间集聚的结果。根据新经济地理学理论及其理论的扩展，集聚力包括：①本地市场效应，即市场接近性，它通过增加厂商的利润和节约消费者的生活成本支出驱动人口和就业的集聚，从而影响城乡转型的过程；②区位因素、自然优势、公共资本品，包括学校、公园、基础设施等带来的收益递增导致人口和经济活动的空间集中；③农村经济发展带来土地和劳动生产率的提高、农民收入的相应增加，为他们向城市（镇）的转移以及非农就业的转移提供了基础。扩散力一方面是指随着城市的成长、壮大，城市产业规模和人口不断扩张，产生市场挤出效应（市场拥挤效应），土地价格、住房价格以及环境污染促使人口和厂商在地理空间分散；另一方面指高昂的土地价格、住房价格以及环境污染在很大程度上通过影响人的效用和企业的收益影响人口和经济活动向城市的集中。

农地非农化通过直接或间接影响这些集聚力和扩散力，影响人口和经济活动的空间集中行为，从而影响城乡转型。农地非农化对城乡转型的作用机理可包括两个层次、四个方面。两个层次为财富效应和资源效应，四个方面包括收入效应、土地增值效应、资源禀赋效应和生态环境效应（图3-3）。

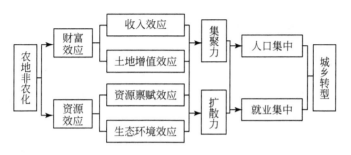

图 3-3　农地非农化对城乡转型的作用机理

1）收入效应。对农民来讲，一方面，土地被征收可获得一笔补偿收入。根据当前的调查，补偿收入尽管很低，但可作为有进城意愿农民的一部分门槛收入，为他们向城市的转移以及非农就业的转移提供了基础。李强（2003）对影响中国农民外出的驱动因素进行调查的结果表明，巨大的经济驱动力是促使农民工大规模外出的主要动力。城乡之间巨大的经济差异和收入差异是人口向城市流动的最主要原因。霍利斯·钱纳里认为，劳动力在经济部门之间的配置主要是受收入水平的影响。一般规律是随着收入水平的提高初级产业部门就业减少，而工业和服务业部门就业增加。另一方面，农地非农化改善了当地基础设施和交通条件，为他们外出打工、非农就业提供了便利。土地是重要的生产要素，被称为"财富之母"，对厂商来讲，农地非农化为厂商提供了土地，土地作为厂商的生产投入要素，与其他要素优化组合，为厂商带来利润。丰雷等（2008）利用引入土地要素后扩展的索罗模型对中国土地要素对经济增长的贡献的研究表明，土地要素对经济增长的贡献率为11.01%。

2）土地增值效应。农地非农化可以产生巨额的土地增值。美国土地经济学家兰西施（Rarrcich）的实证研究表明，美国华盛顿州西雅图市的格林河流域北部，在 1956～1966 年，土地价值一直快速增长，按当时现价，土地价格上涨了 6.1 倍，每英亩土地价格在这 11 年间每年增长了 787 美元；若作消费者价格指数调整，则土地价格增加了 5.4 倍，每年增加 683 美元（张安录，1999）。1990～2001 年，中国的城市建成区面积从 12 856km² 上升到 24 027km²，上升幅度高达 86.9%，以当年价计算，城市土地资产价值从 2.9 亿元上升到 19.46 亿元，上升幅度高达 57.1%，每年增长 1.38 亿元；以 2001 年的消费者价格水平（CPI）进行换算，城市土地价值从 5.8 亿元上升到 19.46 亿元，上升幅度高达 236%，每年增长 1.14 亿元（张红，2005）。充分利用土地价值的增值获取城市建设所需的大量资金，改善区域道路、交通、机场、通信网络等基础设施和学校、医院等公共服务设施的建设。城市基础设施和公共设施的完善吸引了更多的人口和就业。

3）资源禀赋效应。赫克歇尔-俄林的要素禀赋论认为要素禀赋是产生贸易的主要原因，根据不同国（区）际要素丰缺程度进行国际（区际）分工，能使生产要素得到最有效配置，从而使一国（区）的总产量增加。要素禀赋有数量与质量的分别，一般用人均耕地面积来表示耕地资源的数量。人均耕地面积越多则该地区耕地资源的稀缺程度越低，也就越丰裕。从理论上讲耕地资源禀赋的数量越充裕，农地非农化的面积应该越大。但实际中，可能由于区位条件的差异，在耕地资源数量禀赋相对匮乏的发达地区，尤其是北京、天津、上海等大城市，农地非农化的数量却很大；而在经济发展相对缓慢的西部城市，农地非农化的面积却很少。由此我们可以推测，农地非农化同耕地资源禀赋的数量之间存在的是一种负相关的关系，而同耕地资源禀赋的质量之间存在的是正相关关系。当前，耕地非农化导致耕地面积总量的减少特别是优质耕地的减少，加上城乡转型的速度慢于农地非农化的速度，使得人均耕地禀赋减少。人均土地资源的匮乏会导致劳动力的边际农业产出率低下，而在非农产业具有更高的劳动回报率的条件下，大量的追求自身利益最大化的农民会迅速向加工制造业和服务业等非农产业转移（史晋川，2005）。虽然作为一种投入要素，土地的增加会推动城市经济的增长，但过多过快的农地非农化会引起城市通勤成本的增加，分散或阻碍人口和经济活动向城市（镇）集中。

4）生态环境效应。农用地不仅具有为国民经济发展提供产品、累积资本等经济功能，而且还具有保护植被、涵养水源、净化水体、改良土壤、净化空气、美化环境和提供各种可供再生的生物资源、保存物种基因等生态功能。土地非农化导致农地的这些生态功能消失，是一种明显的美学损坏，特别是对某些相当脆弱的客体如环境或生态系统有较大的冲击。征地行为主要发生在城市郊区，郊区大多是优质耕地，同时又是城市周围重要的田园景观功能区，不合理的征地对郊区的生态环境造成巨大破坏。农地非农化对生态环境的破坏是多方面的，涉及地球表面水资源面积减少、水体污染严重、水资源短缺、大气质量的下降、城市热岛效应的加强，使生态环境遭到破坏，直接影响了整个城市的生存环境。根据彭开丽（2008）关于样本农户对征地前后环境变化的判断的调查显示，回答"征地后空气和水质量下降"的农户占 76.25%；回答"征地后有更多的噪声污染"的农户占 81.48%；回答"自然景观遭到破坏"的农户占 80.37%。生态环境的污染和破坏作为分散力，驱使人口和经济活动在空间上分散，或者影响人口进城的意愿，从而对城乡转型产生影响。

假设一农户或家庭，既是农地非农化的供给者，也是城市劳动力的供给者，正面临一项选择和决策，是离开农村放弃土地从事非农业还是继续留在农村从事农业？如果选择离开农村放弃土地从事非农业，他要考虑的因素有哪些？这个问题可分为以下两个：一是在放弃农村土地的情况下，他离开农村在城市从事非农业的影响因素；二是在离开农村在城市从事非农业的情况下，他放弃土地的影响因素。也就是城市化受哪些因素的影响？农地非农化受哪些因素影响？

城市化的影响因素包括农民与城市的联系、对城市的认知状况即城市特征因素以及包括家庭年收入、性别、年龄、学历等的个人特征因素。根据上文的分析，土地征收获得的补偿以及征收后减少的耕地禀赋等作为集聚力也可能对城市化产生影响。另外，农地非农化带来的生态环境的改善或破坏通过影响城市特征，对城市化的吸引或分散产生影响，用公式表示为

$$U = f(C, \mathrm{UC}, \mathrm{RC}, \mathrm{PC}, \mathrm{PO}, \mathrm{RULC})$$

式中，U 为城市化意愿；C 为认知因素；RC 为农村特征因素；UC 为城市特征因素；PC 为个人特征因素；PO 为政策变量；RULC 为农地非农化量。$\dfrac{\partial U}{\partial \mathrm{RULC}}$ 有以下两种情况：一是 $\dfrac{\partial U}{\partial \mathrm{RULC}} \geqslant 0$，在其他条件不变的情况下，随着农地非农化的增加，城市化程度是提高的；二是 $\dfrac{\partial U}{\partial \mathrm{RULC}} < 0$，在其他条件不变的情况下，随着农地非农化的增加，城市化程度是降低的。

农地非农化的影响因素包括城市特征因素、农村特征因素、城市化意愿、个人特征因素以及政策变量。根据上文的分析，城市集聚力和扩散力通过影响城市化意愿，增加或减少对空间的需求，对农地非农化产生影响。用公式表示为

$$\mathrm{RULC} = f(\mathrm{UC}, \mathrm{RC}, \mathrm{PC}, \mathrm{PO}, U)$$

变量含义同上。$\dfrac{\partial \mathrm{RULC}}{\partial U}$ 用来衡量城市化对农地非农化的影响，也存在以下两种

情况：$\dfrac{\partial \mathrm{RULC}}{\partial U} \geq 0$，在短期其他条件不变的情况下，城市化的增加、城镇人口

的增加，必然导致对土地需求的增加，农地非农化是增加的。在长期，在完备的市场条件下，土地需求的增加导致土地价格上涨，土地价格作为一种分散力因素，通过影响城市化意愿，最终影响农地非农化，$\dfrac{\partial \mathrm{RULC}}{\partial U} < 0$。由于土地市场的不完善，土地价格作用机制缺乏，第一种情况的可能性较大。

　　总之，城乡转型是政府、企业和包括家庭、个人在内的主要的行为主体决策的过程（黄小晶，2006）。从企业、家庭和个人行为看，农村家庭或个人和企业基本上是按照自身利益最大化原则来做出是否进城的决策以获得收入或效用的最大化（顾朝林等，2008）。无论是生产者还是消费者，他们的理性选择决定了城乡的转型。当他们追求自身的利益时，不可能总与城乡转型的总体目标相一致，从而导致城乡转型的无序和不协调性的存在。而政府是城乡转型重要的主体，它的行为是从整个社会的利益最大化的角度，根据城乡转型的内在规律，通过行政区划、规划、制度以及方针政策的制定，吸引或阻碍家庭、个人或企业向城市迁移，进而影响城乡转型的进程。不同部门的决策会影响资源的有效使用和配置。城乡转型的快速推进带来了对住宅以及基础设施、工业厂房、商业办公楼、零售业等建筑空间的需求，从而导致农地的非农化。农地非农化进而通过收入效应、土地增值效应、资源禀赋效应和生态环境效应影响政府、企业以及家庭、个人向城市集中的动力或意愿，从而影响城乡转型。

3.3　基于中国截面数据的计量研究

3.3.1　引言

　　从上文可知，城乡转型与农地非农化之间具有紧密的关联性。由于人口和就业的变化是城乡转型的突出特征，因此本书从人口和就业的变化来描述城乡转型。事实上，人口和就业之间具有的密切关系，早已成为国内外学者争论的焦点。国际上关于人口和就业关系的争论主要存在就业决定人口的需求论、人口决定就业的供给论以及就业和人口的同时决定论三种观点（Arauzo-Carod，2007）。在推进城乡转型的路径中，国内学者有两种观点：一是建议通过促进就业的非农化来推进人口城市化，即就业非农化决定人口城市化（郭克莎，

2001），与国际上的需求论相同；二是建议通过促进人口城市化来推进就业非农化，即人口城市化决定就业非农化（刘福坦，1998；田明，2008），与国际上的供给论相同。上述两种观点忽略了两者互为因果而被同时决定的可能。有学者对美国进行了研究，表明人口和就业被同时决定（simultaneously determined），即互为因果（Steinnes and Fisher，1974；Carlino and Mills，1987；Arauzo-Carod，2007）。

从理论上来讲，如果城乡就业结构发生了转变，而城乡人口转移滞后，城市经济发展就无法雇佣到足够的劳动力，得不到来自乡村劳动力的补充，生产规模的扩大和产业结构的升级就会受到影响；乡村剩余劳动力无法转移出去，人均耕地面积下降，对土地的依赖程度提高，严重制约农民生活水平的提高。虽然城乡就业结构发生了转变，但非农就业主要在乡村，乡村非农产业布局分散，不仅土地严重浪费，而且对环境造成破坏。如果城乡人口结构发生了转变，而城乡就业转移滞后，那么人口会大量流入城市，城市却不能提供足够的就业机会，贫困人口产生；大量人口流入城市，造成农村劳动力的大量流失，尤其是青壮年劳动力的外出造成农村地区劳动力短缺，使农村经济受到影响（田明，2008）。

事实上，城乡转型既是农业人口向非农业人口转化的过程、农村人口向城市人口转化的过程，也是农业用地向非农业用地转化的过程，即就业非农化、人口城市化、土地非农化，三者相互影响，相互作用，发展协调合理配置则会促进城乡健康转型；反之则迟滞城乡转型进程。在中国，由于长期以来注重人口的空间转换而不是职业转换，出现了职业转换滞后于空间转换所导致的不完全的城市化现象，即中国特有的"离土不离乡"或"离乡不离土"的现象，这种现象严重影响资源特别是耕地资源的合理配置，成为现阶段中国转轨与经济发展过程中面临的重大问题（陶然和徐志刚，2005）。

本书在 Carlino-Mills 区域增长模型的基础上，通过引入农地非农化变量，应用两阶段最小二乘法（TSLS）和普通最小二乘法（OLS），利用中国 232 个地级及以上城市层面 1999 年和 2005 年两个时间段的截面数据，对城乡转型与农地非农化的作用机理进行实证研究。

3.3.2 计量模型的构建和方法说明

Carlino-Mills 模型（Carlino and Mills，1987）通过分析人口与就业的相互关系以及人口与就业随外生变量的变化而发生的变化来解释城市经济的增长。该模型用数学公式表述为

$$POP_t^* = \alpha_1 WOR_t + \alpha_2 \Omega^{POP_t} \tag{3-1}$$

$$WOR_t^* = \beta_1 POP_t + \beta_2 \Omega^{WOR_t} \tag{3-2}$$

式中，WOR、POP 分别为就业和人口数量；＊为均衡状态下的就业和人口数量；Ω 为影响就业和人口的外生变量；α、β 为系数，t 为时间。考虑动态因素，人们根据前一期的均衡状态调整人口迁移行为和就业行为，因此，引入分布式滞后模型

$$POP_t - POP_{t-1} = \lambda_P(POP_t^* - POP_{t-1}) \tag{3-3}$$

$$WOR_t - WOR_{t-1} = \lambda_W(WOR_t^* - WOR_{t-1}) \tag{3-4}$$

式中，λ 为调整系数，将式（3-3）和式（3-4）代入式（3-1）和式（3-2）得到：

$$POP_t = \lambda_P\alpha_1 WOR_t + \lambda_P\alpha_2\Omega^P + (1 - \lambda_P)POP_{t-1} \tag{3-5}$$

$$WOR_t = \lambda_W\beta_1 POP_t + \lambda_W\beta_2\Omega^W + (1 - \lambda_W)WOR_{t-1} \tag{3-6}$$

将式（3-5）、式（3-6）整理为

$$\Delta POP_t = \alpha_1 WOR_{t-1} + \alpha_2\Delta WOR + \alpha_3 POP_{t-1} + \alpha_P\Omega^P \tag{3-7}$$

$$\Delta WOR_t = \beta_1 POP_{t-1} + \beta_2\Delta POP + \beta_3 WOR_{t-1} + \beta_W\Omega^W \tag{3-8}$$

人口和就业均为内生变量，任一内生变量受另一内生变量、外生变量及滞后值的影响。我们在 Carlino-Mills 区域增长模型的基础上，通过引入农地非农化变量构建如下模型：

$$\Delta POP_t = \alpha_1 WOR_{t-1} + \alpha_2\Delta WOR + \alpha_3 POP_{t-1} + \alpha_P\Omega^P \tag{3-9}$$

$$\Delta WOR_t = \beta_1 POP_{t-1} + \beta_2\Delta POP + \beta_3 WOR_{t-1} + \beta_W\Omega^W \tag{3-10}$$

$$\Delta RULC_t = \gamma_1 WOR_{t-1} + \gamma_2\Delta WOR + \gamma_3 POP_{t-1} + \gamma_4\Delta POP + \lambda_5\Omega^{RULC}$$
$$\tag{3-11}$$

式中，ΔWOR_t、ΔPOP_t 和 $\Delta RULC_t$ 分别为非农就业人数、城市人口数和农地非农化人数，因此方程（3-9）、方程（3-10）和方程（3-11）分别被称为人口城市化模型、就业非农化模型和农地非农化模型。

人口城市化模型说明人口城市化取决于就业非农化、城市人口的初始状态、就业非农化的变化以及其他外生变量（Ω^W，Ω^P）。其他外生变量包括生活质量指数（lifequa）、基础设施状况（infrastruct）、年平均工资（aver_wage）、人均耕地面积（culandper）、平均受教育年限（capitalEDU）、是否为省会城市（dumy_capital）、是否为沿海城市（dumy_coast）、距离省会城市的距离（dis_capital）、距离最近省会城市的距离（dis_neacapital）以及流动人口。

就业非农化模型说明就业非农化取决于就业非农化、城市人口的初始状态、城市人口的变化以及其他外生变量（Ω^W，Ω^P）的影响。其他外生变量包括产品多样化指数（shop）、基础设施状况（infrastruct）、是否为省会城市

（dumy_capital）、是否为沿海城市（dumy_coast）、距离省会城市的距离（dis_capital）、距离最近省会城市的距离（dis_neacapital）、年平均工资（aver_wage）、人均耕地面积（culandper）、平均受教育年限（capitaledu）以及流动人口（mobpop）。

为避免单一中心模式的局限，除考虑距离省会城市的距离外，还考虑了与最近省会城市的距离因素，由于城市的溢出效应，距离城市越近，城市对就业和人口的吸引力就越大，反之距离城市越远，这种吸引力就越小。是否为省会城市和沿海城市也是很重要的因素，因为这些城市在居住环境以及多样化的生产方面优于其他城市，从而对人口和就业产生正的影响。鲍常勇（2007）对2003年中国286个地级及以上城市的流动人口分析，发现流动人口最多的是北京，有6个省会城市的流动人口超过了100万；从地域选择方面看，近80%的流动人口选择东部沿海经济发达地区的城市。

生活质量作为舒适性指标直接影响人口的变化，可被视为城市的吸引力或向心力。高速公路等基础设施的扩张有利于劳动力的引入，直接影响就业的变化，可被视为城市的吸引力或向心力。

人力资本是经过舒尔茨等一批经济学家开拓研究后才被越来越多的人接受的一个概念，涉及人类作为生产收入的行为者的生产能力。对人力资本的测算一般认为有两种方法：第一种是成本法，测算人力资本形成所需要投资的成本，常用受教育年限来衡量；第二种是收入法，它通过具有各种人力资本水平的工人的劳动力收入差异来测算人力资本投入（李文杰，2006）。劳动力工资越高，受教育年限越长，就业的机会就越多，可被视为城市的吸引力或向心力。

土地资源禀赋对地区的经济发展有重大的影响，人均土地资源的匮乏会导致劳动力的边际农业产出率低下，而在非农产业具有更高的劳动回报率的条件下，大量的追求自身利益最大化的农民会迅速向加工制造业和服务业等非农产业转移。

由于中国城市人口并没有包括进城务工6个月以下的人口，因此本书考虑了流动人口因素，该因素对就业的影响是显而易见的。农地非农化模型中，所有同时影响就业和人口的因素将直接或间接影响农地非农化，就业和人口的初始状态及其变化也影响农地非农化。例如，与城市的距离等接近性因素可能通过人口和就业的变化间接影响农地的非农化，也可能通过可达性直接影响农地非农化。道路越多，交通设施越便利，农地越容易向非农流转。

由于式（3-9）和式（3-10）中内生变量作为解释变量出现，并且变量之间的关系是双向的，因此不宜采用普通最小二乘法。根据潘省初（2007）关于联立方程应用识别的阶条件进行判别的准则，方程（3-9）和方程（3-10）

均为过度识别，而方程（3-11）为不可识别。因此，我们利用两阶段最小二乘法（TSLS）对就业非农化模型和人口城市化模型进行估计。两阶段最小二乘法的具体步骤为：首先，将要估计的方程中作为解释变量的每一个内生变量对联立方程系统中全部前定变量回归；其次，计算这些内生变量的估计值；最后，用第一阶段得出的内生变量的估计值替代方程右端的内生变量，对原方程应用 OLS 法，以得到结构参数的估计值（潘省初，2007）。采用 OLS 法对农地非农化模型进行估计。

3.3.3 变量定义与数据来源

选择的样本是中国 1999 年划分的 232 个地级及以上城市市辖区。上述模型中的 t 为 2005 年，$t-1$ 年为 1999 年。Mills 和 Price（1984）的研究发现人口郊区化 10 年后就是就业的郊区化，Hailu（2002）和 Arauzo-Carod（2007）在研究中取 10 年，考虑到数据的收集问题，我们选用 6 年，当然时期以及时间段的选择可能会对计量结果产生影响。为了消除由于城市规模变动幅度大而产生的异方差问题，我们将数据转换为密度，如 Carlino 和 Mills（1987）用每平方公里、每平方米、每人等。各变量的定义和说明见表 3-1。

表 3-1 变量定义与说明

变 量	表征指标	说 明
WOR_t	2005 年非农产业就业密度	2005 年非农产业就业人数/建成区面积，万人/km²
WOR_{t-1}	1999 年非农产业就业密度	1999 年非农产业就业人数/建成区面积，万人/km²
ΔWOR	非农产业就业密度变化	2005 年总就业密度 – 1999 年就业密度
POP_t	2005 年城市人口密度	2005 年城市人口/建成区面积，万人/km²
POP_{t-1}	1999 年城市人口密度	1999 年城市人口/建成区面积，万人/km²
ΔPOP	城市人口密度变化	2005 年城市人口密度 – 1999 年城市人口密度
$RULC_t$	土地非农化	2005 年耕地密度 – 1999 年耕地密度，其中耕地密度 = 耕地面积/土地总面积，hm²/km²
Dis_Capital	与省会城市的距离	单位为 km
Dis_Neacapital	与最近省会城市的距离	单位为 km
Dumy_Capital	虚拟变量，是否为省会城市	省会城市赋 1，其他城市赋 0
Dumy_Coast	虚拟变量，是否为沿海城市	沿海城市赋 1，其他城市赋 0
$LifeQua_{t-1}$	生活质量	人均住房使用面积，m²/人

变量	表征指标	说　明
Shop_2006	产品多样化	社会商品零售总额/建成区面积，万元/km²
Culandper$_{t-1}$	耕地资源禀赋	人均耕地面积，hm²/人
Infrastruct$_{t-1}$	交通便捷	用道路密度表示，道路密度 = 道路面积/建成区面积，m²/km²
CapitalEDU_2000	人力资本投资	平均受教育年限，年
Aver_Wage$_{t-1}$	劳动力年平均工资	劳动力年平均工资，元
MobPOP	流动人口	暂住人口，万人

人口、就业、劳动力年平均工资、社会商品零售总额、道路面积等数据来源于《中国城市统计年鉴》（2000 年、2006 年）。流动人口为暂住人口，取1999～2005 年的平均值，数据来源于《中国城市建设统计年鉴》（2000～2006年）；人均耕地面积、人均住房使用面积来源于《中国城市建设统计年鉴》（2000 年、2006 年）；与省会城市的距离、与最近省会城市的距离来源于Google 网；是否为沿海城市来源于《中国海洋统计年鉴》（2003 年）；平均受教育年限数据来源于李文杰（2006）。各变量的描述性统计见表 3-2。

表 3-2　变量的描述性统计

	MEAN	STD. DEV.	MINIMUM	MAXIMUM	CASE
Iurbpop	33. 3865	65. 0215	− 39. 7500	532. 7200	232
URBpop_1999	107. 4763	137. 2158	9. 9200	1 262. 4100	232
Itoemp	8. 6003	36. 5458	− 209. 8489	251. 0570	232
Toemp_1999	37. 0929	60. 6237	3. 1261	602. 2762	232
Isecemp	2. 7572	14. 9776	− 82. 9992	109. 8398	232
Secemp_1999	18. 0482	26. 7082	0. 9743	273. 2904	232
Ithiremp	6. 9800	22. 2138	− 86. 8917	171. 8746	232
Thiremp_1999	17. 6124	31. 2879	1. 9010	281. 3681	232
Rulc	− 11. 4407	32. 6190	− 186. 5836	66. 7953	232
Culandper_1999	1. 1953	1. 1066	0. 0500	8. 5000	232
LifeQua	22. 3679	4. 5491	13. 3600	45. 1700	232
Shop	398. 9465	780. 1365	5. 9700	8 561. 9500	232
Infrastruct	1 355. 0787	2 131. 0783	62. 0000	21 490. 0000	232
Dumy_Capital	0. 1261	0. 3327	0. 0000	1. 0000	232
Dumy_Coast	0. 2155	0. 4121	0. 0000	1. 0000	232

	MEAN	STD. DEV.	MINIMUM	MAXIMUM	CASE
Dis_Capital	211. 8218	173. 2112	1. 0000	1 354. 0000	232
Dis_Neacapital	186. 4705	133. 8976	1. 0000	765. 0000	232
Income_Per	19 306. 9553	9 106. 5573	5 394. 0760	133 631. 1000	232
Capitaledu	7. 6653	0. 5334	6. 1300	9. 9900	232
Avermobpop	17. 7680	55. 5936	0. 0000	511. 8300	232
DMobPop	33. 9131	159. 3985	0. 0010	1 942. 2500	232

3.3.4　计量结果分析

计量结果见表3-3～表3-6。由于我们采用的是滞后一期的截面数据，模型的 DW 检验值接近于2，因此模型不存在自相关问题。由于采用截面数据，解释变量取值变动幅度较大，常常发生异方差现象，为此，我们首先利用密度数据，并且控制变量取自然对数。根据残差序列散点图初步观察可能存在的异方差现象，进一步利用 White 检验，$abs * R^2 > \chi^2(\kappa)$（$k$ 为自由度），说明方程均存在异方差。异方差的修正有几种方法：一是异方差稳健推断；二是加权最小二乘法。不管采用哪种方法的修正，古典统计检验 R^2、F 值以及回归系数显著性的 T 统计值均有大幅度的提高，但仍然存在异方差。Mills 和 Price（1984）、Hailu（2002）以及 Arauzo-Carod（2007）的研究也存在异方差现象，因此本书没有进一步对模型重新设定。

表 3-3　计量结果（一）

就业非农化模型（ΔWOR）		人口城镇化模型（ΔPOP）		农地非农化模型（ΔFULC）	
C	− 10. 4225 * （− 1. 7091）	ΔWOR	2. 8849 （1. 3963）	ΔPOP	0. 1483 *** （4. 4170）
ΔPOP	2. 3764 * （1. 9418）	WOR_1999	1. 4949 （1. 1166）	△WOR	0. 0372 （0. 3466）
WOR_1999	0. 0109 （0. 03249）	POP_1999	− 0. 5050 *** （− 2. 8674）	WOR_1999	− 0. 3750 *** （− 4. 0512）
POP_1999	1. 7283 * （1. 8522）	LifeQua	0. 4126 （1. 4643）	POP_1999	0. 0454 （1. 3575）
Shop	− 0. 9000 * （− 1. 9333）	Culandper _1999	− 0. 0221 （− 0. 3685）	LifeQua	0. 1467 （1. 3466）

就业非农化模型 （ΔWOR）		人口城镇化模型 （ΔPOP）		农地非农化模型 （ΔFULC）	
Culandper_1999	0.1158 * (1.7244)	Infrastruct	0.1381 (0.3127)	Shop	− 0.0063 （− 0.2900）
Infrastruct	− 1.5418 * （− 1.7119）	Dumy_ Capital	0.7847 (1.4363)	Culandper_1999	− 0.2485 *** （− 10.9916）
Dumy_ Capital	− 0.7058 ** （− 2.3542）	Dumy_ Coast	− 0.0042 （− 0.03027）	Infrastruct	0.0313 (0.5746)
Dumy_ Coast	− 0.0311 （− 0.6696）	Dis_ Capital	0.0654 (0.3477)	Dumy_ CapitalL	− 0.0188 （− 0.1017）
Dis_ Capital	− 0.2031 ** （− 2.0940）	Income_ Per	− 0.4840 *** （− 2.6126）	Dumy_ Coast	0.0990 * (1.7106)
Income_ Per	1.2232 * (1.8314)	Capitaledu	− 0.3633 （− 0.4671）	Dis_ Capital	0.0278 (0.3562)
Capitaledu	1.1478 (1.4610)	Dis_ Neacapital	− 0.0215 （− 0.1076）	Income_ Per	− 0.0254 （− 0.4566）
Dis_ Neacapital	0.0759 (1.1183)	Avermobpop	− 0.0917 * （− 1.8816）	Capitaledu	− 0.1645 （− 0.6567）
Avermobpop	0.2150 ** (2.0218)			Dis_ Neacapitai	− 0.0078 （− 0.09421）
				Avermobpop	0.0322 * (1.6157)
$AR^2 = 0.74$, DW = 1.79		$AR^2 = 0.66$, DW = 1.68		$AR^2 = 0.65$, DW = 1.80	

注：括号中数字为 T 统计值；* 、** 、*** 分别为 10%、5%、1% 的显著水平

潘省初（2007）认为多重共线性问题是普遍存在的，可通过增加数据、相关分析删除一个或多个共线变量，但轻微的多重共线性问题可不采取措施。在 Eview 软件中点击 Quick-Group-Statistics-Correlations，出现 series list 对话框，输入变量，获得相关系数。相关系数大于 0.50 的仅占 8.60%，说明多重共线性比较轻微。所有模型的解释程度大于 65%，从 T 统计值来看，比较多的解释变量通过了统计检验，而且系数符号与理论预期基本一致，说明这里的估计基本有效。从表 3-4 和表 3-6 进一步看出当模型中的被解释变量不变，部分解释变量发生变化时，其他主要解释变量对被解释变量的作用大小和作用方向基本一致，说明这里的估计是基本有效的。

表 3-4　计量结果（二）

就业非农化模型（ΔWOR^{sec}）		就业非农化模型（ΔWOR^{thir}）	
C	−0.927 3（−1.1637）	C	7.290 0 *** （5.0598）
ΔPOP	0.323 5 ** （2.2527）	ΔPOP	−1.309 8 *** （−4.8588）
WORsec_1999	−0.338 6 *** （−4.0411）	WOR^{thir}_1999	−1.296 3 *** （−11.3769）
POP_1999	0.227 7 ** （1.9793）	POP_1999	−1.027 9 *** （−5.0118）
Shop	−0.124 0 ** （−2.2322）	Shop	0.491 1 *** （4.8499）
Culandper_1999	0.012 30 （1.1497）	Culandper_1999	−0.075 0 *** （−4.3672）
Infrastruct	−0.152 8 （−1.4269）	Infrastruct	1.083 6 *** （5.4303）
Dumy_Capital	−0.140 5 ** （−2.1618）	Dumy_Capital	0.268 0 ** （2.5930）
Dumy_Coast	0.013 53 （0.7108）	Dumy_Coast	0.020 3 （0.8200）
Dis_Capital	−0.034 61 （−1.3167）	Dis_Capital	0.064 9 * （1.7518）
Income_Per	0.135 2 * （1.6750）	Income_Per	−0.770 2 *** （−5.0017）
Capitaledu	0.045 72 （0.3195）	Capitaledu	−0.937 0 *** （−4.3089）
Dis_Neacapital	0.010 34 （0.3822）	Dis_Neacapital	−0.025 15 （−0.7222）
Avermobpop	0.034 27 （2.3786）	Avermobpop	−0.104 9 *** （−4.2874）
AR2 = 0.57，DW = 2.06		AR2 = 0.83，DW = 1.97	
Loglikelihood = 206.29，DW = 2.06		Loglikelihood = 152.72，DW = 1.97	

注：括号中数字为 T 统计值；*、**、*** 分别为 10%、5%、1% 的显著水平；ΔWOR^{sec}、ΔWOR^{thir} 分别为第二产业、第三产业就业密度变化，ΔWOR^{sec} 等于 2005 年第二产业就业密度（万人／km^2）−1999 年第二产业就业密度（万人／km^2），ΔWOR^{thir} 等于 2005 年第三产业就业密度（万人／km^2）−1999 年第三产业就业密度（万人／km^2）

　　就业非农化模型结果表明（表 3-3），控制其他变量后，在 10% 的显著性水平下，城市人口的增加与非农就业的变化显著正相关，这说明随着城镇人口的增长，非农就业得以增加，城镇人口的增长对非农就业的增长具有显著的促进作用。

　　我们将非农就业分为第二产业就业和第三产业就业，进一步分析发现（表 3-4），城市人口的增加与第二产业就业人数的变化存在显著的正相关关系，与第三产业就业人数的变化显著负相关。这说明随着城镇人口的增加，第二产业就业人数得以增加，而第三产业就业人数反而减少，这可能与中国城市第三产业的发展还不成熟有关，中国目前第三产业占 GDP 的比例只有 30% 左右，几乎是世界各国中最低的。该结论与清华大学国情研究中心主任胡鞍钢对"十五"期间中国产业结构调整的判断基本一致。

胡鞍钢指出"十五"期间中国产业结构调整出现了偏差，主要体现在第二产业快速发展，第三产业增长缓慢；第三产业吸纳就业能力减弱。前一期的非农就业与非农就业的增加呈弱正相关，这说明前一期非农就业密度高的城市，非农就业的增长较快，进一步说明非农就业的决策取决于前一期非农就业的决策。前一期城市人口与非农就业的增加显著正相关，这说明前一期城镇人口密度高的城市，非农就业增长快。劳动力年平均工资、平均受教育年限、与最近省会城市的距离、流动人口与非农就业密度变化呈正相关，与预期一致。产品多样化指标、道路密度、是否为省会城市、是否为沿海城市、与省会城市的距离、人均耕地面积与非农就业密度的变化负相关，与预期不一致，这是由不同经济活动行为的差异所致，如这些因素在第二产业就业密度变化模型中与第二产业就业密度变化负相关，而在第三产业就业密度变化模型中与第三产就业密度变化正相关，这可能与2001年中国开始实施"退二进三"的战略有关，即随着城市的扩张，一些企业从城市的繁华地段退出来，进入城市的边缘或周边进行发展。

从表3-4还可以看出，除是否为沿海城市这个变量与非农就业增长是显著正相关，与第二产业就业、第三产业就业增长的符号一致外，其余变量与非农就业增长的符号与第二产业就业增长的符号一致，而与第三产业就业增长的符号不一致。这说明这些变量对第二产业有吸引力的同时对第三产业有排斥作用，或者对第三产业有吸引力的同时对第二产业产生排斥作用，进一步说明第二产业就业和第三产业就业可能并没有形成良性互动，这不但说明第二产业的制度惯性仍在制约第三产业的发展，同时也反映出这一时期产业结构政策效应弱化和产业工具的严重缺乏。

人口城市化模型结果表明（表3-3），控制其他变量以后，非农就业的增长与城镇人口的增长正相关，但并不显著。这个计量结果可用来解释"是人口决定就业，还是就业决定人口"的问题，研究结果显示通过非农就业的增长驱动城镇人口的增长不可靠。非农就业变量可能掩盖了不同经济活动行为的影响，进一步将非农就业分为第二产业就业和第三产业就业进行的分析（表3-5）发现，第二产业就业的增长与城镇人口的增长显著正相关，而第三产业就业的增长与城镇人口的增长显著负相关。这说明第二产业就业的增长对城镇人口增长具有驱动作用，而第三产业就业的增长对城镇人口增长的拉力不足，因此相对于第三产业就业而言，城镇人口的增长主要来自于第二产业就业的驱动。这可能与中国"重工业优先战略"的背景下，第三产业发展缓慢还不成熟有关。

表 3-5　计量结果（三）

人口城镇化模型（ΔPOP）		人口城镇化模型（ΔPOP）	
ΔWOR^{sec}	7.5281 ** (1.9860)	ΔWOR^{thir}	-0.1134 (-0.2092)
WOR^{sec}_1999	3.3839 * (1.7349)	WOR^{thir}_1999	-0.6850 ** (-2.1786)
POP_1999	-0.5765 *** (-4.6473)	POP_1999	-0.7113 *** (-10.8205)
LifeQua	0.3357 (1.1721)	LifeQua	0.6234 ** (2.3424)
Culandper_1999	-0.0164 (-0.2781)	Culandper_1999	-0.0570 (-1.0711)
Infrastruct	0.0961 (0.2793)	Infrastruct	0.7408 *** (5.7132)
Dumy_Capital	0.8193 (1.5812)	Dumy_Capital	0.4188 (0.9420)
Dumy_Coast	-0.1043 (-0.7420)	Dumy_Coast	-0.0229 (-0.1591)
Dis_Capital	0.1829 (0.9130)	Dis_Capital	0.0844 (0.4474)
Income_Per	-0.2576 * (-1.9351)	Income_Per	-0.3313 ** (-2.4522)
Capitaledu	0.6015 (0.9969)	Capitaledu	0.3493 (0.6022)
Dis_Neacapital	-0.0506 (-0.2500)	Dis_Neacapital	-0.0186 (-0.0930)
Avermobpop	-0.1305 *** (-2.7340)	Avermobpop	-0.1063 ** (-2.2505)
$AR^2 = 0.66$, DW = 1.67		$AR^2 = 0.66$, DW = 1.70	

1998～2001 年，中国第三产业增加值占 GDP 的比重由 32.8% 升至 33.6%，仅增加了 0.8 个百分点，不仅远未达到英克尔斯现代化标准（45% 以上）的要求，而且还低于世界低收入国家 37% 的平均水平，更落后于西方发达国家 60%～80% 的水平。2005 年中国城市第三产业就业比重仅为 48.34%，而发达国家在 1980 年该比值达到 56%，香港、东京、汉城、纽约、巴黎、罗马等城市在 19 世纪 80 年代末超过 63%（谢文惠和邓卫，1996）。前一期的城镇人口与城镇人口增长显著负相关，说明前一期城镇人口密度高的城市，城镇人口增长缓慢。由于所研究的城市是地级及地级以上的城市，因此该结论可能与中国从 1980 年开始所主张的"控制大城市规模，合理发展中等城市，积极发展小城市"、"严格控制大城市规模、合理发展中等城市和小城市"等城市发展方针导致的中小城市的迅速发展有关。人均住房使用面积与城市人口的变化显著正相关，这与预期一致，说明人均住房使用面积对城市人口有吸引力。人均耕地面积与城市人口的变化负相关，这说明城镇人口的增长速度随着人均耕地面积的增加而下降，与预期一致，但统计上并不显著。交通便捷程度、是否为省会城市、与省会城市的距离等变量与城市人口的变化正相关，这与预期一致，而是否为沿海城市与城市人口密度变化负相关，说明沿海城市不能用来解释城镇人口的变化，但统计上并不显著。劳动力年平均工资与平均受教育年限与城市人口的变化负相关，说明城市劳动力工资水平并不是吸引城市人口的主

要因素，这两个因素对城市人口生育观念产生影响，该结论与李培和施晓丽（2007）的结论一致。

本书中的流动人口就是暂住人口，即使居住在城市但不是城市人口，不享有城市人口的福利，当前对流动人口疏于管理，会带来社会治安隐患、增加了城市建设和管理的压力等，影响了人口城市化的进程，人口城市化模型中流动人口与人口城市化显著负相关。

农地非农化模型结果表明（表3-6），农地非农化与城市人口变化显著正相关，一般而言，城市化区域和郊区人口压力越大，对非农地的压力就越大，农地非农化加快的区域常常是城市人口变化大的区域，该结论与理论预期一致。从模型回归系数来看，城市人口对农地非农化的影响最大，每增加 1 万人，则耕地减少 $0.14 \sim 0.17 hm^2$，对应的农地非农化面积增加 $0.15 hm^2$ 左右。

表3-6　计量结果（四）

农地非农化模型（ΔFULC）		农地非农化模型（ΔFULC）	
ΔPOP	0.1687*** (5.1473)	ΔPOP	0.1524*** (4.5036)
ΔWOR^{sec}	0.0156 (0.0660)	ΔWORthir	−0.0289 (−0.1574)
WOR^{sec}_1999	−0.7066*** (−3.7790)	WOR^{thir}_1999	−0.6035*** (−3.5241)
POP_1999	0.0059 (0.1844)	POP_1999	0.0490 (1.4132)
LifeQua	0.1052 (0.9364)	LifeQua	0.1892*** (1.7231)
Shop	0.0015 (0.0666)	Shop	−0.0133 (−0.6064)
Culandper_1999	−0.2524*** (−10.9203)	Culandper_1999	−0.2486*** (−10.8865)
Infrastruct	0.0264 (0.4736)	Infrastruct	0.0386 (0.7030)
Dumy_Capital	−0.1027 (−0.5411)	Dumy_Capital	0.0365 (0.1959)
Dumy_Coast	0.0768 (1.3021)	Dumy_Coast	0.1022** (1.7447)
Dis_Capital	0.0037 (0.0469)	Dis_Capital	0.0344 (0.4354)
Iincome_Per	0.0081 (0.1423)	Income_Per	−0.0407 (−0.7203)
Capitaledu	−0.2281 (−0.8916)	Capitaledu	−0.1810 (−0.7169)
Dis_Neacapital	0.0100 (0.1185)	Dis_Neacapital	−0.0093 (−0.1107)
Avermobpop	0.02862 (1.4071)	Avermobpop	0.0331* (1.6431)
$AR^2 = 0.65$，DW = 1.74		$AR^2 = 0.64$，DW = 1.85	

曲福田等（2005）对中国 1995 ~ 2001 年的一项研究表明，每增加 1 万人，则耕地非农化的面积将增加 $0.6 hm^2$。农地非农化与非农就业变化正相关，该结论与理论预期一致，从模型回归系数来看，非农就业人数对农地非农化有一定的影响，每吸引 1 万人就业，则耕地减少 $0.04 hm^2$，对应的农地非农化面积增加 $0.04 hm^2$，远远小于城市人口对农地非农化的贡献，但统计上并不显著，

进一步的分析发现农地非农化与非农就业的这种关系与第二产业密切相关；从农地非农化模型（表3-6）的回归系数来看，第二产业就业人数对农地非农化有一定的影响，但这种影响也远远小于城市人口对农地非农化的影响，该结论与叶嘉安和黎夏（1999）的研究结论一致。

叶嘉安和黎夏的研究显示，人口与用地量的相关系数比工业产值与用地量的相关系数高，说明了人口增长对用地量的需求所起的作用较工业产值增长所起的作用大。农地非农化与第三产业就业密度变化负相关，这可能与中国第三产业的发展不成熟有关，也可能与第三产业用地的集约程度高于第二产业有关，因此加快第三产业的发展不仅能促进城乡经济转型，而且不会增加土地的压力。农地非农化与就业非农化负相关，且统计上显著，而与人口城市化正相关，但统计上并不显著。这说明就业非农化高的城市，农地非农化将有所减缓，而人口城市化高的城市农地非农化则加剧。这与中国当前人口城市化处于快速期相符。农地非农化与人均住房使用面积正相关，人均住房使用面积带动了城市人口的增加，城市人口对土地施加的压力导致农地非农化的增加。农地非农化与人均耕地面积显著负相关，说明人均耕地面积多的区域，农地非农化速度减缓，该结论与理论预期一致，也与曲福田等（2005）的研究结论一致。

农地非农化与高速公路密度正相关，这一结论与闵捷（2007）结论一致，即交通便利的区域提高了就业机会尤其是第三产业就业机会，吸引人口导致农地非农化增加。农地非农化和是否为沿海城市、与省会城市的距离显著正相关，这一结论与理论预期一致。农地非农化与劳动力年平均工资和平均受教育年限负相关，这与理论预期一致。农地非农化和与省会城市的距离负相关，但统计上并不显著。另外，农地非农化与流动人口显著正相关，流动人口通过非农就业直接或间接地影响农地非农化。

上述过程回答的是人口和就业变化之间的关系、人口和就业变化对农地非农化的作用方向和程度。接下来对下述模型利用普通最小二乘法（OLS），分别就农地非农化对人口和就业变化的作用方向和程度进行实证分析。构建的计量模型为

$$\Delta POP_t = \alpha_1 WOR_{t-1} + \alpha_2 \Delta WOR + \alpha_3 POP_{t-1} + \Delta RULC + \alpha_P \Omega^P \quad (3\text{-}12)$$

$$\Delta WOR_t = \beta_1 POP_{t-1} + \beta_2 \Delta POP + \beta_3 WOR_{t-1} + \Delta RULC + \beta_W \Omega^W \quad (3\text{-}13)$$

式中，变量描述同前文。计量结果见表3-7。由于我们采用的是滞后一期的截面数据，模型的 DW 检验值接近于 2，因此模型不存在自相关问题。由于采用截面数据，解释变量取值变动幅度较大，常常发生异方差现象，为此，我们首先利用密度数据，控制变量取自然对数。根据残差序列散点图初步观察可能存在的异方差现象，进一步利用 White 检验，$abs * R^2 > \chi^2(\kappa)$（$k$ 为自由度），说

明方程均存在异方差。异方差的修正有以下几种方法：一是异方差稳健推断；二是加权最小二乘法。通过修正，古典统计检验 R^2、F 值以及回归系数显著性的 t 统计值均有大幅度的提高，但仍然存在异方差。Mills 和 Price（1984）、Hailu（2002）和 Arauzo-Carod（2007）的研究也存在异方差现象，因此没有进一步对模型重新设定。潘省初（2007）认为多重共线性问题是普遍存在的，可通过增加数据、相关分析删除一个或多个共线变量，但轻微的多重共线性问题可不采取措施。在 Eview 软件中点击 Quick-Group-Statistics-Correlations，出现 series list 对话框输入变量，获得相关系数。相关系数大于 0.50 的仅占 8.60%，说明多重共线性比较轻微。所有模型的解释程度大于 70%，从 t 统计值来看，比较多的解释变量和主要考察的变量通过了统计检验，而且系数符号与理论预期基本一致，说明这里的估计基本有效。

表 3-7　计量结果（五）

模型 10（ΔPOP）			模型（ΔWOR）		
变　量	系　数	t 统计值	变　量	系　数	t 统计值
ΔWOR	1.5386	12.3954 ***	ΔPOP	0.2695	12.1559 ***
EMP_1999	0.8919	6.3174 ***	EMP_1999	−0.4830	−9.0731 ***
POP_1999	−1.1071	−9.9031 ***	POP_1999	0.2009	3.6839 ***
ΔRULC	0.6753	4.9946 ***	ΔRULC	0.0795	1.3143
LifeQua	0.6129	2.5353 **	Shop	0.0837	3.1128 ***
Culandper_1999	0.2119	2.2205 **	Culandper_1999	0.1175	2.7614 ***
Infrastruct	0.2887	2.6463	Infrastruct	−0.0728	−1.4943
Dumy_Capital	0.5409	1.4100	Dumy_Capital	−0.1048	−0.6335
Dumy_Coast	−0.0039	−0.0310	Dumy_Coast	−0.0454	−0.8231
Dis_Capital	0.1499	0.8959	Dis_Capital	−0.0527	−0.7445
Income_Per	−0.2768	−2.3498 **	Income_Per	0.0384	0.8045
Capitaledu	0.6689	1.3119	Capitaledu	−0.5106	−2.3633 **
Dis_Neacapital	−0.0721	−0.4057	Dis_Neacapital	0.0286	0.3787
Avermobpop	−0.1188	−2.7981 ***	Avermobpop	0.0187	0.9815
AR^2 = 0.73，DW = 1.92，LOG = −222.58			AR^2 = 0.72，DW = 1.74，LOG = −27.50		

计量结果表明（表 3-7），农地非农化与城市人口变化之间存在显著的正相关关系，随着农地非农化的增加，城市人口增加，每增加一公顷农地的非农化，城市人口增加 0.675 万人；而农地非农化与非农就业变化之间存在正的相关性，但统计上并不显著。非农就业与城市人口变化之间存在显著的正相关关系，但非农就业的提高对城市人口增加的作用要大于城市人口的增加对非农就

业提高的作用。这与表 3-3 的研究结论不一致，可能与内生性的处理相关。表 3-3 的结果是考虑了人口和就业之间的内生性问题；而表 3-7 的结果采用了最小二乘法，没有考虑内生性的问题。当前对加快城市化进程的路径有两种截然不同的观点：一是就业决定人口的需求论。例如，郭克莎（2001）认为通过以就业非农化的发展为基础，加快城市化进程。二是人口决定就业的供给论。例如，刘福坦（1998）认为，人口城市化滞后是当前中国经济的根本问题，调整产业结构要从加速人口城镇化进程做起。针对当前服务业落后的局面，文贯中（2008）认为发展服务业的前提是城市化，没有人口的集中，服务业就搞不起来。本书利用第 2 章的 Granger 因果检验方法进一步分析城乡人口转型与城乡就业转型之间的这种因果关系（表 3-8）。从表 3-6 可看出，城乡就业转型是城乡人口转型的 Granger 原因，与中国"先生产，后生活"的战略相符，即就业非农化决定人口城镇化。这个结果只是说明以前城乡转型的路径，未来可通过加快人口集聚、促进人口城镇化，发挥人口的集聚效应，带动就业非农化的提高，促进城乡快速转型。

表 3-8　城乡人口转型与城乡就业转型的因果关系

零假设	滞后期	样本数	F-Statistic	Probability
RNAEM does not Granger Cause URB URB does not Granger Cause RNAEM	1	55	7.039 ***	0.010
			2.240	0.141
	3	53	2.333 *	0.086
			1.699	0.180
	4	52	2.586 **	0.050
			1.192	0.328
	5	51	4.112 ***	0.004
			0.776	0.572
	6	50	3.285 ***	0.010
			0.814	0.566
IRNAEM does not Granger Cause IURB IURB does not Granger Cause IRNAEM	3	52	3.459 **	0.024
			1.143	0.342
	4	51	5.029 ***	0.002
			0.807	0.527
	5	50	3.703 ***	0.008
			0.656	0.659
	6	49	10.389 ***	0.000
			0.162	0.985

3.4 本章小结

20世纪90年代发展起来的新经济地理学理论开创了在不完全竞争的条件下，从集聚力和扩散力的内生演化来分析空间集聚原因的研究思路。后来的许多追随者不断扩展、整合集聚力和扩散力，甚至包括基于完全竞争理论的自然禀赋的外生因素决定空间集聚的分析，从而成为当前解释人口和经济活动空间集聚较为丰富和系统的理论。但对于聚集力和扩散力理论和实证应用研究还存在很大的发展潜力。

人口和就业的变化是城乡转型最突出的特征，它们通过对空间需求的改变直接或间接地影响农地非农化的过程。城乡转型的过程是集聚力和扩散力相互作用的结果。农地非农化通过对集聚力和扩散力的影响，影响人口和就业的集聚，最终对城乡转型的过程产生影响。城乡转型的快速推进，带来了对住宅以及基础设施、工业厂房、商业办公楼、零售业等建筑空间的需求，从而导致农地的非农化。农地非农化进而通过收入效应、土地增值效应、资源禀赋效应和生态环境效应影响政府、企业和家庭、个人向城市集中的动力或意愿，从而影响城乡转型。

1）城市人口变化、非农就业的变化以及影响它们的因素直接或间接对农地非农化产生影响。城市人口和非农就业对农地非农化存在显著的正的影响，城市人口对农地非农化的影响要大于非农就业对农地非农化的影响；第二产业就业与农地非农化正相关；而第三产就业与农地非农化负相关。这是因为第二产业和第三产业对城市化的作用有显著的不同，前者带来的是城市规模的膨胀和城市数目的增多，主要是城市化在量上的扩张，而第三产业促进的是城市软硬件设施的完善和人民生活水平的提高，主要是城市化在质上的进步，因此通过加快第三产业的发展促进城市化进程不会加剧农地非农化，反而会缓解农地非农化。反过来，农地非农化对城市人口变化产生正的显著的影响，但对就业非农化产生的正的影响统计上并不显著。

2）城市人口的变化与非农就业的变化相互影响，相互作用，虽然非农就业对城市人口的影响要大于城市人口对非农就业的影响，但前者的统计检验并不显著，而后者的检验显著，说明城镇人口决定非农就业显著，而非农就业决定城镇人口并不显著。进一步的分析认为第二产业吸纳城市人口的能力较强，而第三产业对城市人口的吸纳能力较弱。这说明中国城市第三产业的发展还不成熟，因此必须加快第三产业的发展，使第三产业随着城市产业结构的调整逐渐取代工业而成为城市产业的主角，作为城市化的后续动力，通过生产配套性服务的增加、生活消费性服务的增加，带动城市就业机会和人口的增加。

第4章
城乡转型与农地非农化的协调发展

城乡转型与农地非农化的协调发展是转型国家面临的重要战略。许多文献为此献计献策（白南生，2003；曲福田等，2007），地方政府也相继制定了一系列政策措施。例如，在促进城乡转型方面有取消户籍制度、建立社会养老保险保障体系等；在农地非农化的控制方面有农地转用政策、农地征用征收政策以及供地目录政策等。这些文献和政策为本书的研究提供了很多的启发，但仍然是"以土地论土地"，缺乏综合性的土地政策（张新安，2007），"以城乡转型论城乡转型"，缺乏两者的协调。由于农地非农化源于国家大政策或项目用地，归根究底是政府决策行为的结果。基于这个认识，本书在对农地非农化决策的研究文献进行评述的基础上，将成本效益分析法和人口/就业分析的方法结合起来，把它作为农地非农化的理性决策框架。然后，提出政府干预的必要性以及促进两者协调发展的一系列政策建议。

4.1　农地非农化的理性决策方法

4.1.1　国内外研究状况

农地非农化决策是涉及农地什么时候非农化、多少农地非农化、什么质量的农地非农化、在哪里非农化等有关时间、数量、质量和区位变量的决策。无论是在发达国家还是在发展中国家，农地非农化决策一直是一个颇为关注的问题，也是颇为棘手的问题。国外大量文献对此进行了研究（Weisbrod，1964；Shoup，1970；Arrow and fisher，1974；Hodge，1984；Hanemann，1989；Bockstael，1996；Geoghegan et al.，1997）；国内学者张安录（1999）首次系统地提出了农地非农化的科学决策问题，他指出农地非农化决策要注意发展价值的高估与保护价值的低估、众多利益团体的福利、不可逆以及决策者的风险态度等问题。随后，他的学生孙海兵（2006）、黄烈佳（2006）、李晓云（2006）、宋敏和张安录（2008）、崔新蕾和张安录（2008）等作了大量的研究。

1964 年美国经济学家 Weisbrod（1964）在研究个人消费品的集体消费服务及环境资源的效益时指出，当对公共品或劳务的需求不确定时，除了有传统的价格补偿的消费者剩余（conventional price-compensatiing consumer surplus）以外，还有某种效益，他把这种效益称为"选择价值"（option value），即许多人愿意为保留未来对该种公共品或劳务的需求而支付的代价，并且指出私人市场决策通常都会忽略这种"选择价值"的存在，由于农地非农化不可逆，因此一旦流转，这种"选择价值"立即消失。20 世纪 70 年代以来，由于食物问题、环境问题及能源问题的出现，许多富有远见的经济学家，在进行不确定性、不可逆性问题决策分析时，重视"选择价值"的分析，提出了一系列理论决策模型（Shoup，1970；Arrow and Fisher，1974；Hodge，1984；Hane-mann，1989）。

美国加利福尼亚大学的 Shoup（1970）应用考虑了不确定性的选择价值概念系统地分析了农地非农化的时间决策问题，他认为农地非农化的时间决策取决于折现率（discount rate）、财产税、任意临时土地用途的收益，以及最佳最高土地用途未来预期收益的变化，并且指出私人投资或政府土地利用决策必须考虑时间的问题。

美国经济学家、斯坦福大学的 Arrow 和 Fisher（1974）利用选择价值的概念，将不可逆纳入农地城市流转的决策模型中，提出了 AF 模型。他们将整个土地资源开发决策过程分为两个时期，通过比较每一时期农地发展与农地保护期望效益的大小来决定是否进行农地流转。他们指出，在农地流转决策中，由于存在不确定性和不可逆性，决策有可能将未来有价值的方案剔除，而造成错误决策，导致净效益损失。为了消除不确定性，需要收集相关信息，那么这种净效益的损失量会减少。Arrow 和 Fisher 将这种净效益的减少量叫做"准选择价值"，在某种意义也是消除不确定性增加信息的成本。若农地非农化决策不给"准选择价值"足够的重视，决策者会高估农地开发价值或低估农地保护价值，从而加快农地的开发。

针对农地城市流转决策面临的不确定性和不可逆性，英国剑桥大学土地经济系教授霍基（Hodge，1984）提出把最大期望损失最小化作为农地流转的决策标准。Hodge 认为，由于农地保护价值的增长率是不确定的，若决策者根据以往的经验数值来估计增长率，则有可能发生偏差而造成农地保护净收益偏低，故而农地流转与否不能简单地通过非农地预期收益的贴现值是否超过农地预期收益的贴现值这一准则来判断。换句话说，在不考虑农地流转不可逆性和不确定性的情况下，无论做出农地保护决策还是农地发展决策，都有可能是错误的。

上述文献主要基于理论决策模型，并没有实证研究，也没有考虑空间问题。随后的一些文献在这两方面有了突破（Bockstael，1996；Geoghegan et al.，1997；Seong-Hoon，2002）。例如，Seong-Hoon（2003）应用选择价值理论构建农地非农化决策模型，分析了美国西部五大州收益不确定性、空间变量（与市中心距离、与公园的距离）、土地用途管制以及其他社会经济变量对农地开发的影响。研究认为：①农地开发的不确定性越大，农地保护的不确定性越小，农地开发的可能性越小；②与城市中心和公园的距离是影响农地开发的重要的空间变量，距离越近，农地越有可能被开发。

国内学者张安录（1999）首次系统地提出了农地非农化的科学决策问题，他指出农地非农化决策要注意发展价值的高估与保护价值的低估、众多利益团体的福利、不可逆以及决策者的风险态度等问题。随后，他的学生孙海兵（2006）、黄烈佳（2006）、李晓云（2006）、宋敏和张安录（2008）、崔新蕾和张安录（2008）等作了大量的研究。

孙海兵从可持续利用的角度，以社会、经济、生态综合效益为标准，重构农地流转的效益 - 成本核算体系，通过将流转中产生的选择价值与外部性纳入评估范畴，对农地城市流转决策进行了优化。

黄烈佳从资源环境价值观的角度对农地价值的构成进行分析，得出农地不仅具有市场价值，而且具有巨大的非市场价值这一结论，并以此为基础，对传统决策模式进行理论优化。认为要协调农地保护与城市化之间的关系，促进经济社会的可持续发展，农地城市流转的直接决策者必须将农地的非使用价值与外部性纳入决策框架。

李晓云（2007）认为地方政府在决策时不仅应当考虑流转过程中各方的利益，更应考虑社会群体福利的改善和代际之内、代与代之间资源的分配与使用的延续，主张对农地城市流转的外部性和不确定性予以量化，并在决策过程中给予充分重视。

宋敏和张安录（2008）指出应当使农地城市流转决策实现从经济理性、个体理性到社会理性，从完全理性到有限理性的转变，且应把不确定与不可逆理念贯穿到农地城市流转社会理性决策研究的始终。

在实证研究方面，崔新蕾和张安录（2008）在界定选择价值概念的基础上，利用模型假设法和实证分析法测算了武汉市农地流转为综合用地、商业用地、居住用地和工业用地等的选择价值。她指出，科学评估农地资源的选择价值，将其纳入流转成本核算体系，能够减轻市场机制作用的不足给农地城市流转决策带来的影响，减缓城市边缘区农地非农化的速度。

上述文献均基于成本效益方法的分析，增加不可逆、不确定性和外部性等因素对成本效益方法进行改进，从理论到实证，对农地非农化的决策进行了大量的研究，并且获得一致的认识；农地非农化决策必须考虑非市场价值（包括选择价值、馈赠价值、存在价值等），否则会高估农地的开发价值，低估农地保有的价值，导致农地快速非农化。

4.1.2 成本效益分析

成本效益分析的发展可追溯到1808年美国财政部长Albert Gallatin建议比较水资源相关计划的成本效益，到了20世纪初期，美国土地管理局要求灌溉计划应作经济分析，1946年美国联邦河流委员会中的成本效益委员会成立，1952年美国预算局鼓励编制预算应以成本效益分析为参考，在1960年后成本效益分析在联邦政府各项政策设计执行的影响已显著增加，预算管理局制定成本效益分析的评估准则，并提供各机关执行成本效益分析评估联邦计划时的咨询，成本效益分析因此成为必要的评估工具。1970～1980年，成本效益分析的应用水资源的研究扩展到公共政策，如生态保育、空气品质及健康福利等（郭昱莹，1994）。70年代以来，成本效益分析作为考察经济效果的常见方法在发展中国家盛行，被广泛地应用于私人企业和公共部门的决策中。

成本效益分析的基本步骤为：①界定决策对象所涉及的费用和效益；②将发生在未来的费用和效益贴现为现值；③对比贴现后的费用和效益并制定决策。也就是说，成本效益分析使用折现的概念将不同时点的成本、效益按一定的折现率换算成同一时点的成本、效益进行计算，根据计算值的大小来分析一个方案或经济活动。其中，成本是商品经济的价值范畴，人们进行生产经营活动或达到一定目的，就必须耗费一定的资源，其所费资源的货币表现及其对象化被称为成本。随着商品经济的不断发展，成本概念的内涵和外延都处于不断地变化之中，当前主要表现为劳务成本、工程成本、开发成本、资产成本、资金成本、质量成本、环保成本等。效益就是人们在有目的的实践活动中所费与所得的对比关系。所费，即活劳动与物化劳动的消耗和占用；所得，即由上述实践活动带来的有用的结果。公共决策中的效益是一个多层面的综合性概念，有经济效益与社会效益的统一、宏观效益和微观效益的统一、直接效益与间接效益的统一等几个特征。

农地非农化的决策依据离不开开发方案的成本与效益分析、保护方案的成本与效益分析。哪个方案获取的净效益最大，就选择哪个方案。设开发的净效益为Ru，保有农地的净效益为Ra，不考虑时间因素，即静态条件下，若净效益 Ru – Ra > 0（或 Ru/Ra > 1），则选择开发；若净效益 Ru – Ra < 0（或 Ru/Ra < 1），则选择保护；在考虑时间因素，即动态条件下，净效益折现值大于 0（或 Ru/ Ra > 1），则选择开发；净效益折现值小于 0（或 Ru/Ra < 1），则选择保护。然而我们知道，农地除了能够提供粮食、纤维等私人物品外，还可以提供优美的田园风光，调节气候、江水、地表水等多种公共物品，这些效益对市场来讲是一种正的"外部性"效益，尽管开发也具有这种外部性，但相对而言，保有农地的正"外部性"要大，设保有农地的外部性为 Ea，则利用成本效益分析，若净效益 Ru –（Ra + Ea）> 0［或 Ru/（Ra + Ea）> 1］，则选择开发；若净效益 Ru –（Ra + Ea）< 0［或 Ru/（Ra + Ea）< 1］，则选择保护。另外农地非农化决策具有不可逆、不确定特征，一旦流转，其大多数功能将随着流转而消失。这些价值包括选择价值，即保证提供农地优良环境品的保险金；馈赠价值，即代与代之间的资源的分配问题，当前资源保留到下一代的价值；存在价值，即希望自己在有生之年农地资源仍存在的价值。

美国学者 Walsh 等对科罗拉多野生生物保护的非使用价值做出估计，三项价值大约为农地总价值的 40%。霍雅勤和蔡运龙（2003）对甘肃省会宁县耕地总价值进行评估，经济价值仅仅占总价值的一小部分，仅仅占总价值的 2.8%；外在于市场的价值则占有非常高的比重，社会价值占总价值比重为 43.5%；生态服务价值在总价值中所占比重为 53.7%。可见，如果将农地的非使用价值与外部性纳入决策中，农地开发后的社会、经济与生态效益不一定大于保有农地的社会、经济与生态效益。

因此，农地非农化的决策也应考虑这些价值，设这些价值为 NMVa，则若净效益 Ru –（Ra + Ea + NMVa）> 0［或 Ru/（Ra + Ea + NMVa）> 1］，则选择开发；若净效益 Ru –（Ra + Ea + NMVa）< 0［或 Ru/（Ra + Ea + NMVa）< 1］，则选择保护。可见，若不考虑农地的外部性、选择价值等，就会低估农地保有的价值、高估开发价值，使得农地非农化过早过快地开发。

4.1.3 人口/就业分析

人口/就业分析（Taylor，2001）的基本含义就是计算在一定时期一定资源（尤其是土地资源）的约束下，一个方案或经济活动可持续支持的人口数或创造的就业数。也就是说，用一定时期一定资源约束下的人口年或就业年表示这个方案或经济活动的效果。例如，用就业年/1000hm^2 或每公顷每 25 年就业年来表示。一个人口年表示支持 1 个人口 1 年，一个就业年表示 1 个人雇佣 1 年。有的方案或经济活动在前期提供较多的就业机会，但可能在后期提供的就业机会较少；而有的方案或经济活动也许提供的就业机会较少，但能可持续地提供就业机会，因此就业年的数值也可能较高，因此后面的方案可能是一个较优的方案。人口/就业分析的目标就是测算可持续的人口数或就业数，一个方案或经济活动要达到多少人口数或就业数才可行要根据地方标准确定。人口/就业分析方法可用于两个或两个以上方案的比较。假如，一个项目有两种方案，每个方案就业年分别为 500 和 800，利用人口/就业方法分析，得出认为第二种方案为较优方案。

4.1.4 农地非农化的理性决策：成本效益分析与人口/就业分析的整合

成本效益分析以帕累托（Pareto）关于可能改进福利的概念为基础，即一个人得到好处而不造成对其他人损失时的资源分配，在经济上是有效率的。成本效益分析对成本的定义是和效益的定义相一致的，即把成本定义为效益的"牺牲"。项目的任何有用物品的投入都可看做是其他可能产生的效益，视为其机会成本，将有助于寻求最有效的资源分配（王万茂，2000）。许多学者如科莱曼（Kelmna）、库普（Copp）、纳斯鲍穆困（Ussbuam）等对成本效益分析理论提出了批评：①他们认为许多东西难以量化，没有考虑可持续等因素，在促进公平分配方面可能没有多大作用。②成本效益分析的结果并非决策者考虑的唯一因素，从不完全信息获得成本效益分析的结果，可能忽略了某些不易计量的效益或间接产生的效益，甚至会引起完全错误的结果。③成本效益分析折现概念的使用倾向于当代人的利益而较少考虑后代人的利益，除非当代人再投资（reinvested）成功利于后代人。也就是说折现的使用本质上将更大的权重放在当代人的效益上，而不是后代人的效益上，有人认为这是对后代人的不恰当的歧视（莱文和麦克尤恩，2006）。④就业是转型国家、发展中地区一直关心的问题，成本效益分析方法没有直接地分析就业效应。

北京师范大学经济与资源所所长李晓西（2004）指出成本效益分析存在三大误区：传统的经济增长理念使得经济理论自觉和不自觉地把人造的成果重要性放在了高于上帝的或自然之主的创造成果的地位，自觉和不自觉地塑造了一个发展公式，这个公式就是把人造的成果当做分子求其大，而把自然之物当做分母求其小，这是成本效益分析的误区之一；误区之二就是降低成本和追求利润的市场经济的递增，使企业顽强地抵抗着防止和治理污染上的支持的减少，从此来减少他的成本，增加利润；误区之三就是忽视了代际公平的考虑，这是可持续发展的核心。

当前许多文献考虑了农地非农化的不确定性、不可逆性，提出将农地非农化的选择价值、存在价值、馈赠价值等纳入成本效益经济分析的框架。另外，许多学者也提出成本效益分析方法要考虑可持续性，并对成本效益分析方法进行了改进。例如，将环境价值纳入经济分析的框架中，但由于环境价值评估的复杂性，改进的成本效益分析方法应用非常缓慢。De Janvry等（1995）指出成本效益分析方法要考虑可持续性，资本有限使得由成本效益分析方法所选择的最优方案难以成功实施，尤其是发展中地区体制的现实性使得折现理论中的再投资假设不可用或不可能被实现。另外，成本效益分析没有说明谁受益于这个方案或经济活动。发展中地区收入不平等和资本外流现象严重，一个方案或经济活动的货币收入多并不能大幅度地增加当地的人口数或就业数，使当地人们获得好处。通过对净效益的折现分析，一个方案或经济活动并不能很好地说明受影响的人们的生活水平是否维持在某一标准。

人口/就业分析方法直接分析就业问题，用就业可持续性来衡量可持续发展，从而将可持续性（sustainability）融入项目的分析中。因此，人口/就业分析方法可能要比成本效益分析更有优势，因而被提倡广泛应用。但该方法假定维持资本存量的目的是使人民的生活水平不下降，而且就业能够提高福利。的确，可持续发展隐含着人民生活水平的改善，但发展是一个复杂的概念，复杂性远远超过就业范畴，因此用就业可持续性来衡量可持续发展是必要条件，但可能不是充分条件。另外，还要涉及就业类型的划分、就业是否提高福利等问题。

成本效益分析和人口/就业分析两种决策方法均存在不足。成本效益分析方法是以效益的最大化为决策标准，解决的是资源的配置效率问题，没有直接分析就业问题。而人口/就业分析是以支撑的人口数或提供的就业数最大化为决策标准，考虑了资源配置的公平问题、可持续性问题，因此，在非农项目用地决策中，必须整合这两种方法，加强决策的科学性。改进的成本效益分析考虑了农地非农化的经济效益、环境效益，追求净现值的最大化，而人口或就业分析考虑了农地非农化的社会效益，追求项目可持续支持的人口数或就业数的最大化。可以说，农地非农化实质上是一个多目标决策问题。

多目标决策方法有综合效用值法、主目标优化法、目标决策法、层次分析法等（王万茂，2006），其中主目标优化法可以根据当前主要的社会经济问题确定主要目标和次要目标，使主要目标优化，兼顾其他目标。根据当前"农地非农化快于城乡人口转型、城乡就业转型滞后于城乡产业转型"的实际，农地非农化决策的主要目标是可持续支持的人口数或就业数，其决策准则为可持续支持的人口数或就业数的最大化，净现值目标则为农地非农化决策的次要目标。假设有两个目标$f_1(x)$，$f_2(x)$，且$x \in \mathbf{R}$，求$F(x) = [f_1(x), f_2(x)]^T$

的最优值，其中$f_1(x)$为可持续支持的人口数或就业数目标，是最主要目标，则净现值目标将为约束条件$f_2'(x) \leqslant f_2(x) \leqslant f_2''(x)$，因此，多目标决策就化为下列单目标的数学模型：$\max\limits_{x \in \mathbf{R}} f_1(x) R' = \{x \mid f_2'(x) \leqslant f_2(x) \leqslant f_2''(x) x \in \mathbf{R}$

4.2　城乡转型与农地非农化协调发展的政策建议

要促进城乡转型与农地非农化的良性互动，我们不能寄希望于市场机制的自动达成。即便在典型的土地私有制和市场经济国家，也存在城镇化效率损失的问题。例如，由于市场调节的自发性和盲目性，城市人口急剧膨胀，工业畸形发展等，超越了城市的交通、公用设施、住房和环境的容纳能力，导致多种多样的"城市病"。在拉丁美洲国家，人口地理分布极度不平衡，导致资源配置的不合理（靳相木，2007）。由于城镇人口不断增加引起地价不断上扬，人们对土地增值收益的预期也越来越高，不肯轻易让出土地，导致严重的土地囤积问题，地价进一步上涨，生产因此停滞。土地的垄断者聚集了大量的财富，而没有获得土地的人不得不忍受贫穷和饥饿，生产的衰退和贫富差距的日益扩大直接导致了19世纪末期西方国家的工业衰退。可见，完全由市场引导的城镇化，也存在资源配置失衡和低效率问题，城镇化中也存在市场失灵现象。中国土地集体所有制的存在使农民在向城市居民转化的过程中，无法以土地所有者的身份处置其土地而获得一笔在城市安身立业的资本。如果任由市场机制调节农地非农化，那么"要地不要人的城市化"、"农民工"、"两栖农民"等可能全局性、长期性地存在于中国城市化过程中，必然出现城乡转型在空间上的无序、混乱和失调（靳相木，2007）。因此，要通过土地政策，促进土地资源在城乡之间配置格局的调整，影响人口、劳动力等在城乡间的流动与配置，缩小城乡差距，促进城乡转型在时空上快速有序地展开。

4.2.1　完善资源配置的市场机制，促进城乡土地的集约利用

土地资源优化配置的市场机制主要是价格机制、供求机制、利益机制和竞争机制，其中价格、供求机制是土地集约利用的信号机制，利益机制是土地集约利用的动力机制，而竞争机制则是压力机制，各个机制的作用有利于提高土地资源的节约利用和配置效率。土地价格机制是核心机制，中国土地的低效和粗放利用，与现实中土地的价格形成机制未充分体现土地价值、价格杠杆调节手段严重滞后有直接关系。因此，要在竞争性的市场机制下，通过市场供求关系形成合理的土地价格，从而实现土地资源的优化配置。政府及其土地管理部

门首先应该利用地价杠杆，改革征地制度，适当提高土地取得成本。同时，增加公开出让土地的比例，建立合理的价格形成机制和价格体系，并及时进行地价调查，更新基准地价和标定地价成果，为市场交易提供指导。

4.2.2 提高规划师的社会经济敏感性，科学编制规划

在中国，农用地转为成熟的城镇建设用地一般要经过四个过程：土地利用规划、农用地转用、土地征收以及土地开发。土地利用规划过程确定哪些农用地将转换为城镇建设用地以及转换为何种建设用地。农用地转用是指按照土地利用规划和国家规定的批准权限获得批准后，将农用地转变为建设用地的行为。中国《土地管理法》规定，建设占用地涉及农用地的，应当办理农用地转用审批手续。土地征收过程完成土地权利的转变。土地开发过程完成土地的平整、基础设施建设等，即完成土地利用方式的转变。规划是宏观层面上发挥控制作用的纲领性要素，对维护土地利用的全局和长远利益发挥着重要影响。规划是政府对市场的调控手段中最关键的要素，它通过调节供需关系既能实现政府对土地市场的有效控制，又能促进土地合理流转，有效地配置土地资源。目前的规划编制很大程度上强调空间资源配置的规划仍是物质性规划而非综合性规划。城乡社会经济问题一直游离于城市政府与规划师的视野之外，他们较少考虑人口、就业等社会经济问题。

在编制规划时，对土地的用途、城市的配套设施、人口密度、经济结构、资源分布、各项设施的土地需求等都应作明确的规定。

第一，要科学预测土地需求。需求预测的充分程度直接决定土地供给方案的质量。上轮规划实施评价显示，经济快速发展的大城市地区建设用地超标、建设项目布局与规划布局不一致等现象较为普遍，一定程度上反映了规划对需求分析的不充分。因此，仍要坚持供给引导下的需求原则，科学预测需求，体现土地的集约利用与紧凑布局。

第二，要贯穿"刚性与弹性"相结合的理念，确定土地利用供需平衡方案。科学的弹性度可以保障规划更加科学地与社会经济发展实际结合，促进规划落实，而过度弹性则会导致土地利用规划失效。

第三，重视公众参与制度的建立，在编制规划的各个阶段，采取问卷调查、公开征询意见、专家论证、社会听证、公示公告等方式，广泛听取不同意见，保障人民群众参与规划编制的权利，保证规划决策的民主化和科学化，增加规划的社会可接受性和可操作性，从单纯的技术手段向以促进社会公平和社会和谐为目标的公共政策转型，为城乡转型与农地非农化的决策和协调提供依

据。另外，要特别注意农地非农化和城乡转型存在因果关系的地区如东、中部地区的土地利用规划编制。

4.2.3 加强用地决策的科学性，建立非农就业创造的激励机制

在中国，农地非农化决策是一种政府行为。政府作为人民利益的代表，需要考虑多种因素，权衡各个主体之间的利益关系，进行农地非农化决策，其决策是一种多目标的决策。理性的政府不仅要考虑农地非农化的经济效益目标、生态效益目标，还要考虑社会效益目标。当前，土地资源浪费或农地非农化主要源于国家政策或项目用地。例如，根据湖北省国土资源厅网站统计资料，2008年4~11月，湖北省审批建设用地面积4 676.393hm^2，其中占用耕地为2 629.078hm^2,56.22%的新增建设用地来自对耕地的占用。成本效益分析和人口/就业分析两种决策方法均存在不足。成本效益分析方法是以效益的最大化为决策标准，解决的是资源的配置效率问题，没有直接分析就业问题。所有者的行为应当服从管理者的管理目标，不能片面地追求土地收益的最大化，或者地租的最大化，不能追求自己行为的市场化。作为整个国民经济的管理者，他们收取地租的行为要服从管理目标的需要（黄小虎，2008）。而人口/就业分析是以支撑的人口数或提供的就业数最大化为决策标准，考虑了资源配置的公平问题、可持续性问题，因此，在非农项目用地决策中，必须整合这两种方法，加强决策的科学性。一个国家要城市化，要农民进城，就需要创造越来越多稳定的、长期的非农就业岗位，使农民不仅能够进城，而且能够在城市定居（樊纲，2009），农民有稳定的非农就业机会、收入能支撑在城镇的定居和消费是实现城乡转型的重要前提之一。

当前，中国第三产业占国内生产总值的比重为40.1%，低于发达国家50%左右的水平；从业人员所占比重为32.4%，而美国1998年高达81%，印度也大约为55%。因此，必须积极扶持第三产业的发展，其中，应特别注意发展劳动密集型的第三产业，如商业零售、交通运输、各种信息咨询、社区服务、物业管理、家庭服务业等投资少、见效快、就业潜力大的第三产业，接纳由于农村土地改革而大规模转移出来的劳动力。

4.2.4 加快地方政府公共资本品的供给，变"以地生财"为"以地生人"、"以人生财"的机制，加快城乡转型的进程

在城市化快速发展的今天，城市经营被地方政府和学者所推崇。关于城

经营的理论有"生产要素经营论"、"保值增值论"和"竞争论"。其中，"生产要素经营论"是指将与城市建设相关的生产要素推向市场，经过市场交易，为城市积累资本，赢得财政收入。典型的观点是：土地是城市最大的存量资产，是政府最大的财富，城市经营就是最大限度地盘活土地资产，经营土地，简单地说就是卖地，"以地生财"。在这种机制下，地方政府借各种名义进行批地卖地，花样层出不穷。根据国土资源部 2005 年的抽样统计，截至 2004 年 6 月，全国共撤销 4735 个不符合要求的开发区，土地面积高达 24 100km^2，是当时全国城镇建成区面积的 2/3，造成了农地快速的非农化。

公共资本品如运动设施、公园、学校、生态环境等的供给是改善城市交通、人文和生态环境的主要推动力，成为人口、就业集中的集聚力。因此，政府的角色不应只限于推行一些外在的控制政策，如人为限制人口流动，不应仅限于地租收入的最大化。而应当针对城市化过程中的市场失效问题和城市发展最薄弱的环节，采取一些内在措施来促进城市的发展。城市的基础设施是构成城市增长的一个决定因素，政府对城市化施加影响的一个重要渠道便是制定合理的投资政策，从量和质上改善公共基础设施，如公共交通和住房。另外，政府可以提供积极的社会化服务，包括居住和生活基础设施的供应、职业介绍、培训、就业信息提供、医疗、子女教育、安全保障及其他公共服务。地方政府通过加快这些公共资本品的供给，可以提高人们的效用水平，进而提高城市的竞争力，最终吸引更多的人口和劳动力，并达到保值增值的目的，实现"以地生人"、"以人生财"的机制，加快城乡转型的进程。

4.2.5 尊重农民意愿，从推进城镇化进程的角度提高土地征收补偿标准

近年来的征地制度改革，无论是国家层面还是地方层面的创新，都体现了"让利于民"的价值取向，让农民更大程度地参与农地非农化的增值收益分配（靳相木，2007）。2004 年 10 月国务院发布《国务院关于深化改革严格土地管理的决定》，随后，国土资源部出台《关于完善征地补偿安置制度的指导意见》、《关于开展征地统一年产值标准和征地区片综合地价工作的通知》，国务院办公厅转发劳动保障部《关于做好被征地农民就业培训和社会保障工作的指导意见》、2006 年 8 月国务院发布《关于加强土地调控有关问题的通知》。这一系列的决议、行政规章及其配套政策，最核心的就是提高征地补偿标准。

当前对征地补偿（征用补偿或征收补偿）方面的理论研究文献非常多，2004～2008 年有 619 篇，其中有各种补偿方案。那么补偿标准究竟提高到什

么程度农民才满意呢？胡川（2008）对桐城市某村的征地补偿农民意愿的调查显示，有50%的农户希望将征地补偿费提高到每亩5万元左右，有26.7%的为5万～10万元，有20%的为10万～20万元，有3.3%的为20万元以上。当然补偿标准不能完全按照农民的意愿来制定，因为它们本身有很大的局限性，不可能从社会公平的角度出发，用科学的方法来计算。各级政府出台的一系列政策、法律和改革措施，要求地方政府提高补偿标准并解决失地农民就业和社会保障问题。虽然短期内能够奏效一时，但由于较高的监督成本和地方政府的反对，该政策能否持续值得怀疑。而且土地调控中不可避免出现的"一刀切"现象，也不利于各地根据地方经济发展需要而开展城市化和工业化。在补偿标准仍然由政府和开发商主导制定的情况下，即使最新政策将提高征地补偿标准，现在仍然不存在一个良性机制来充分保障农民权益（陶然和徐志刚，2005）。因此，构建农民自愿进城的土地政策组合机制是非常必要的。对于一个想进入城市居住的理性农村家庭来讲，他们城市化的最低经济门槛主要由房租、教育费和日常生活费组成，而经济收入的主要来源是在城市工作的工资、土地非农经济收入和社会保障收入。当城市化的最低经济门槛等于经济收入时，便形成了农民自愿城市化的机制，此时对应的土地非农经济收入即为满意的土地补偿额。

4.2.6 建立、健全社会保障体系，加快人口的集聚和流动

土地是农民生活的重要保障，到城市打工是额外收入来源，即使已经长期转移到城市的农民也大多没有享受到社会保障。当前的社会保障制度，覆盖不到流动转移到城市的农民身上，即使允许户籍变更、完全迁移到城市，这对农民也没有吸引力，很多地方已经放开了户籍限制但并没有大量农民真正向城市迁移。由此分析，一方面，有必要将社会保障制度变革与土地制度调整改革系统结合起来，为向城市迁移的农民落实一定项目的合理水平的社会与就业保障，以此替代土地的最基本保障功能，同时为放弃土地的农民进行一定的合理补贴；另一方面，人口集聚是城乡转型的主要组成部分，城市部门要进一步向进入城市的流动人口开放，让更多的农村人口享受到城市化过程的增值收益，促进流动人口的市民化，逐步实现完全的城市化。

4.3 本章小结

农地非农化归根结底是地方政府行为的决策结果，作为一项公共决策行

为，不能片面地追求土地收益的最大化。将成本收益分析和人口/就业分析方法结合起来作为公共决策的分析方法，即通过技术创新，在不影响经济效益的前提下，支持更多人口和提供更多就业机会的项目为最优项目，从而促进城乡转型与农地非农化的协调发展。政策建议包括：完善资源配置的市场机制，提高城乡土地资源的集约利用；提高规划师的社会经济敏感性，科学编制规划；综合运用决策方法，加强用地决策的科学性，建立非农就业创造的激励机制；加快地方政府公共资本品的供给，变"以地生财"为"以地生人"、"以人生财"的机制，加快城乡转型的进程；尊重农民意愿，从推进城镇化进程的角度提高土地征收补偿标准；建立、健全社会保障体系，加快人口的集聚和流动。

第5章
结论与展望

5.1 结　论

本书构建了城乡转型与农地非农化互动关系的"过程—关系—机理—协调"分析框架，主要结论如下。

1）在从城乡人口转型、城乡就业结构转型和城乡产业结构转型三个角度界定城乡转型的概念，陈述城乡转型的一般规律、农地非农化概念的基础上，全面系统地分析城乡转型与农地非农化的时空过程和特征。中国城乡转型基本符合城乡转型的一般规律：人口城镇化水平不断提高；第一产业就业（产值）比重逐步下降，第二、第三产业就业（产值）比重逐步上升。从年增长率来看，城乡转型的年际差异较大，且具有明显的阶段性特征；城乡转型的空间差异较显著。其中，城乡人口转型的空间差异大于城乡就业转型的空间差异，而且城乡产业转型的空间差异最小。进一步的分析发现城乡转型的空间差异呈现不断缩小的态势。这表明城乡转型具有趋同性，城市规模越大，转型速度越低，城市规模越小，转型速度越高。城乡转型的空间自相关性增强。城乡人口转型、城乡就业转型严重滞后于城乡产业转型。中国农地非农化总体上呈现较强的阶段性和波动性，优质农地非农化、农地非农化的区域指向明显，热点区域明显，区域差异显著，空间自相关性逐渐增强等几大特征。初步揭示了城乡转型和农地非农化之间的正向关系，为后续研究提供了依据。

2）在对研究文献进行综述的基础上，从相关关系、库兹涅茨曲线关系尤其是因果关系三个方面构建了相互关系的研究框架，分别利用 Pearson 相关分析法、最小二乘法以及 Granger 因果检验方法对城乡转型与农地非农化的相互关系进行了系统考察和研究。研究结论为，城乡转型与农地非农化之间存在显著的正相关关系；它们之间的库兹涅茨曲线假说不成立。总体上，城乡转型与农地非农化存在双向因果关系，但从农地非农化到城乡转型的单向因果关系要比从城乡转型到农地非农化的单向因果关系更普遍。其中，发达的东部地区的浙江省存在双向因果关系，中部地区的湖北省存在从土地非农化到人口城镇化的 Granger 原因，而西部地区的贵州省则存在从人口城镇化到农地非农化的 Granger 原因。典型地区浙江、湖北和贵州分别代表城乡转型的早、中、晚期，因此，我们认为这种因果关系可能存在区域性或阶段性特征。

3）将"新经济地理学"理论作为主要的理论基础，分析了城乡转型与农地非农化的互动机理。人口和就业的变化应是影响农地非农化的主要因素，它们通过对空间需求的变化直接或间接地影响农地非农化的过程。而城乡转型最突出的特征是人口和就业的变化，而人口和就业的变化是集聚力和扩散力相互作用的结果。农地非农化通过对集聚力和扩散力的影响，影响人口和就业的集聚，最终对城乡转型的过程产生影响。通过扩展 Carlino-Mills 模型，对城乡转型与农地非农化的互动机理进行了实证研究。研究结论进一步证实了城乡转型与农地非农化之间的相互影响相互作用的关系，城乡转型对农地非农化产生显著的正的影响，其中，城市人口对农地非农化的影响要大于非农就业对农地非农化的影响。反过来，农地非农化对城市人口产生显著的正的影响，但对就业非农化的影响并不显著。

4）农地非农化归根结底是地方政府行为的决策结果，为协调两者的关系，政府干预是必然的，但是政府决策行为的目标重点应该是鼓励农地非农化支撑更多的人口、提供更多的就业和经济增长的机会。因此，仅仅基于成本效益分析的农地非农化决策是不够的，必须与人口/就业分析方法相结合，为协调城乡转型与农地非农化的关系提供长效、有力的工具。

5）加快城乡转型，控制农地非农化，从而促进城乡转型与农地非农化协调发展的 6 大建议：完善资源配置的市场机制，促进城市土地的集约利用；提高规划师的社会经济敏感性，科学编制规划；综合运用决策方法，加强用地决策的科学性，建立非农就业尤其是第三产业就业创造的激励机制；加快地方政府公共资本品的供给，变"以地生财"为"以地生人"、"以人生财"的机制，吸引人，留住人，加快城乡转型的进程；尊重农民意愿，从推进城镇化进程的角度提高土地征收的补偿标准；建立、健全社会保障体系，加快人口集聚和流动。

研究总体认为，当前中国城乡转型的程度还很低，城乡转型的结构性偏差还很严重，还需要大量的土地加快城乡转型的进程，农地非农化是不可避免的，但要与就业的非农化、人口的城市化同步。

5.2 展　　望

本书将城乡转型与农地非农化结合起来，构建了"过程—关系—机理—协调"的理论分析框架，从宏观统计规律和微观机理两个层面对城乡转型与农地非农化的互动关系进行了系统研究。应用 Granger、LLC、IPS、ADF-Fisher 和 PP-Fisher 等因果检验方法，利用中国时序数据、Panel 数据以及处于不同转型阶段的典型地区数据，对城乡转型与农地非农化的因果关系进行了检验。提出了将成本效益分析与人口/就业分析结合起来的农地非农化公共政策决策方法，对有效协调城乡转型与农地非农化的关系、促进城乡良性互动和城乡社会经济的可持续发展具有重要的理论价值和实际意义。本书的研究只是两者关系研究的起点，未来研究需要结合相关理论和方法。

1）城乡转型与农地非农化互动机理的研究是一个很有挑战性的课题。本书只是将"新经济地理学"理论作为主要的理论基础，通过一个简单的图示，分析了城乡转型与农地非农化的互动机理。一个理论和简单的图示虽然有助于我们理解城乡转型与农地非农化的互动机理，但单靠理论和图示仍然难以把握它们之间的相互作用机制。而且通过在微观上模拟人类行为来研究两者的互动机理还需要行为经济学理论。另外，中国幅员辽阔，城乡转型的区域差异显著，不同的研究区域或研究尺度，城乡转型与农地非农化的互动机理可能不同，本书没有分不同的研究区域或研究尺度进行研究。在实证研究中，没有考虑农业部门的发展、空间自相关变量。这是本书的不足，未来的研究需要整合 NEG 理论、行为经济学理论以及空间计量经济学，进一步考虑农业部门的发展、空间自相关变量，区分大、中、小城市，城市地区或乡村地区，调查微观农户的非农化意愿，以更好地模拟两者的关系。

2）使用 RS 技术获取翔实的遥感影像数据，加强空间维的研究。本书主要使用了三类数据：一是土地利用数据；二是社会经济统计数据；三是空间距离数据。前两类数据均为统计数据，空间距离数据来源于 Google 地图，由笔者测量获取。部分统计数据可能在自然空间的分布与在地域行政单位的分布不一致，同时行政区划的调整以及统计口径的不一致使得基于统计数据的研究比较复杂，这些可能会影响本书的研究结论。避免这些问题的途径是使用 RS 技术获取翔实的遥感影像数据，加强空间维的研究。缺乏科学的数据会限制人类行为的空间模拟，在地理领域感兴趣的空间问题、社会科学领域受到限制，但随着空间社会数据获取的可能性的增强，社会科学中的空间问题同样引起了广泛的兴趣。资源空间维的研究将来可能同许多领域时间维的研究一样重要。

3) 城乡转型本身是一个动态的、多层面的社会空间过程，不仅包括人口、就业和产业三个层面，还包括社会、文化、生态、管治等层面，而且对每一个层面的研究都有其特定的研究方法论和理论背景。本书根据中国突出的城乡结构性矛盾，仅从人口、就业和产业三个层面进行了研究，没有对其他方面进行研究，并且这三个层面均被视为衡量城乡转型的变量，没有用特定的学科来审视。

附　录

一　代表性的土地利用现状分类

附表 1　土地利用现状分类（1984 年）

一级	二级	说　明
耕地		种植农作物的土地。包括新开荒地、休闲地、轮歇地、草田轮植地；以种植农作物为主，间有零星果树、桑树或其他树木的土地；耕种三年以上的滩地和海涂；耕地中包括南方宽 <1.0m，北方宽 <2.0m 的沟渠、路、田埂
	灌溉水田	有水源保证和灌溉设施，在一般年景能正常灌溉，用以种植水稻、莲藕、席草等水生作物的耕地，包括灌溉的水旱轮作地。
	望天地	无灌溉工程设施，主要依靠天然降水，用以种植水稻、莲藕、席草等水生作物的耕地，包括无灌溉设施的水旱轮作地
	水浇地	水田、菜地以外，有水源保证和灌溉设施，在一般年景能正常灌溉的耕地
	旱地	无灌溉设施，靠天然降水生长作物的耕地，包括无固定灌溉设施，仅靠引洪灌溉的耕地
	菜地	种植蔬菜为主的耕地，包括温室、塑料大棚用地
园地		种植以采集果、汁、根茎等为主的集约经营的多年生木本和草本作物，覆盖度 >50%，或每亩株数大于合理株数 70% 的土地，包括果树苗圃等用地
	果园	种植果树的园地
	桑园	种植桑树的园地
	茶园	种植茶树的园地
	橡胶园	种植橡胶树的园地
	其他园地	种植可可、咖啡、油棕、胡椒等其他多年生作物的园地

一 级	二 级	说 明
林地		生长乔木、竹类、灌木、沿海红树林等林木的土地。不包括居民绿化用地，以及铁路、公路、河流、沟渠的护路、护岸林
	有林地	树木郁闭度 >30% 的天然、人工林
	灌木林	覆盖度 >40% 的灌木林地
	疏林地	树木郁闭度 10% ~30% 的疏林地
	未成林造林地	造林成活率大于或等于合理造林株数的41%，尚未郁闭但有成林希望的新造林地（一般指造林后不满 3~5 年或飞机播种后不满 5~7 年的造林地）
	迹地	森林采伐、火烧后，5 年内未更新的林地
	苗圃	固定的林木育苗地
牧草地		生长草本植物为主，用于畜牧业的土地
	天然草地	以天然草本植物为主，未经改良，用于放牧或割草的草地，包括以牧为主的疏林、灌木草地
	改良草地	采取灌溉、排水、施肥、松耙、补植等措施进行改良的草地
	人工草地	人工种植牧草的草地，包括人工培植用于牧业的灌木
居民地及工矿用地		城乡居民点、独立居民点以及居民点以外工矿、国防、名胜古迹等企事业单位用地、包括其内部交通、绿化用地
	城镇、市镇建制的居民点	不包括市镇范围内用于农、林、牧、渔业生产用地
	农村居民点	镇以下的居民点用地
	独立工矿用地	居民点以外独立的各种工矿企业、采石场、砖瓦窑、仓库以及其他企事业单位的建设用地，不包括附属于工矿、企事业单位农副业生产基地
	盐田	以经营盐业为目的、包括盐场及附属设施用地
	特殊用地	居民点以外的国防、名胜古迹、风景旅游、墓地、陵园等用地
交通用地		居民点以外的各种道路及其附属设施和民用机场用地，包括护路林
	铁路	铁路路线及站场用地，包括路堤、路堑、道沟、取土坑和护路林
	公路	国家和地方公路，包括路堤、路堑、道沟和护路林
	农村道路	农村南方宽≥1m，北方宽≥2m 的道路
	民用机场	民用机场及其附属设施用地
	港口、码头	专供客、货运船舶停靠的场所，包括海运、河运及其附属建筑物，不包括常年水位以下部分

一级	二级	说　明
水域		陆地水域和水利设施用地，不包括滞洪区和垦殖3年以上的滩地、海涂中的耕地、林地、居民点、道路等
	河流水面	天然形成或人工开挖河流常年水位线以下的面积
	湖泊水面	天然形成的积水区常年水位线以下的面积
	水库面积	人工修建总库容≥10万 m^3，正常蓄水位岸线以下的面积
	坑塘水面	天然形成或人工开挖蓄水量＜10万 m^3 正常水位岸线以下的蓄水面积
	苇地	生长芦苇的土地，包括滩涂上的苇地
	滩涂	包括沿海大潮高潮位与低潮位之间的潮浸地带，河流、湖泊常水位至洪水位间的滩地、时令湖、河洪水位以下的滩地；水库、坑塘的正常蓄水位与最大洪水位间的面积。常年水位线一般按地形图水线求得，或另行调绘
	沟渠	人工修建，用于排灌的沟渠，包括渠槽、渠堤、取土坑、护堤林。指南方宽≥1m，北方宽≥2m的沟渠
	人工建筑物	人工修建，用于除害兴利的闸、坝、堤、水电厂房、扬水站等常年水位线以上的建筑物
	冰川及永久积雪	表层被冰雪常年覆盖的土地
未利用土地		目前还未被利用的土地，包括难利用的土地
	荒草地	树木郁闭度＜10%，表层为土质，生长杂草，不包括盐碱地、沼泽地和裸露地
	盐碱地	表面盐碱聚集，只生长天然耐盐植物的土地
	沼泽地	经常积水或渍水，一般生长湿生植物的土地
	沙地	表层为沙覆盖，基本为无植被的土地，包括沙漠，不包括水系中的沙漠
	裸土地	表层为土质，基本无植被覆盖的土地
	裸岩、石砾地	表层为岩石或石砾，其覆盖面积＞50%的土地
	田坎	主要指耕地中南方宽≥1m，北方宽≥2m的地坎或堤坝
	其他	其他未利用土地，包括高寒荒漠、苔原等

一级类型	二级类型	三级类型	说　明
农用地			直接用于农业生产的土地，包括耕地、园地、林地、牧草地
	耕地		种植农作物的土地，包括熟地、新开发复垦整理地、休闲地、轮歇地、草田轮植地；以种植农作物为主，间有零星果树、桑树或其他树木的土地；平均每年能保证收获一季的已垦滩地和海涂；耕地中包括南方宽＜1.0m，北方宽＜2.0m 的沟渠、路、田埂
		灌溉水田	有水源保证和灌溉设施，在一般年景能正常灌溉，用以种植水稻、莲藕、席草等水生作物的耕地，包括灌溉的水旱轮作地
		望天田	无灌溉工程设施，主要依靠天然降水，用于种植水生作物的耕地，包括无灌溉设施的水旱轮作地
		水浇地	水田、菜地以外，有水源保证和灌溉设施，在一般年景能正常灌溉的耕地
		旱地	无灌溉设施，靠天然降水种植旱作物的耕地，包括没有灌溉设施，仅靠引洪灌溉的耕地
		菜地	常年种植蔬菜为主的耕地，包括大棚用地
	园地		种植以采集果、汁、根茎等为主的集约经营的多年生木本和草本作物，覆盖度＞50%，或每亩株数大于合理株数 70% 的土地
		果园	种植果树的园地
		桑园	种植桑树的园地
		茶园	种植茶树的园地
		橡胶园	种植橡胶树的园地
		其他园地	种植可可、咖啡、油棕、胡椒等其他多年生作物的园地
	林地		生长乔木、竹类、灌木、沿海红树林等林木的土地，不包括居民点绿地，以及铁路、公路、河流、沟渠的护路、护岸林
		有林地	树木郁闭度≥20% 的天然、人工林
		灌木林	覆盖度≥40% 的灌木林地
		疏林地	树木郁闭度 10%～20% 的疏林地
		未成林造林地	造林成活率大于或等于合理造林株数的 41%，尚未郁闭但有成林希望的新造林地（一般指造林后不满 3～5 年或飞机播种后不满 5～7 年的造林地）
		迹地	森林采伐、火烧后，5 年内未更新的林地
		苗圃	固定的林木育苗地

一级类型	二级类型	三级类型	说　明
农用地	牧草地		生长草本植物为主，用于畜牧业的土地
		天然草地	以天然草本植物为主，未经改良，用于放牧或割草的草地，包括以牧为主的疏林、灌木草地
		改良草地	采取灌溉、排水、施肥、松耙、补植等措施进行改良的草地
		人工草地	人工种植牧草的草地，包括人工培植用于牧业的灌木
	其他农用地		耕地、园地、林地、牧草地以外的农用地
		禽畜饲养地	以经营性养殖为目的的禽畜舍及其相应附属设施用地
		设施农业用地	进行工厂化作物栽培或水产养殖的生产设施用地
		农村道路	农村南方宽≥1.0m，北方宽≥2.0m 的村间、田间道路（含机耕路）
		坑塘水面	人工开挖或天然形成的蓄水量 < 10 万 m³（不含养殖水面）的坑塘常水位以下的面积
		养殖水面	人工开挖或天然形成的专门用于水产养殖的坑塘水面及相应附属设施用地
		农田水利用地	农民、农民集体或其他农业企业等自建或联建的农田排灌沟渠及其相应附属设施用地
		田坎	主要指耕地中南方宽≥1.0m，北方宽≥2.0m 的梯田田坎
		晒谷场等用地	晒谷场及上述用地中未包含的其他农用地
建设用地			建造建筑物、构筑物的土地。包括商业、工矿、仓储、公用设施、公共建筑、住宅、交通、水利设施、特殊用地等
	商服用地		商业、金融业、餐饮旅馆业及其相应附属设施用地
		商业用地	商店、商场、各类批发、零售市场及其相应附属设施用地
		金融保险用地	银行、保险、证券、信手、期待、信用社等用地
		餐饮旅馆业用地	饭店、餐厅、酒吧、宾馆、旅馆、招待所、度假村等及其相应附属设施用地
		其他商服用地	上述用地以外的其他商服用地，包括写字楼、商业性办公楼和企业厂区外独立的办公楼用地；旅行社、运动保健休闲设施、夜总会、歌舞厅、俱乐部、高尔夫球场、加油站、洗车场、洗染店、废旧物资回收站、维修网点、照相、理发、洗浴等服务设施用地

一级类型	二级类型	三级类型	说　明
建设用地	工矿仓储用地	工业、采矿、仓储业用地	
		工业用地	工业生产及相应附属设施用地
		采矿地	采矿、采石、采沙场、盐田、砖瓦窑等地面生产用地及尾矿堆放地
		仓储用地	用于物资储备、中转的场所及相应附属设施用地。
	公用设施用地	为居民生活和第二、第三产业服务的公用设施及瞻仰、游憩用地	
		公共基础设施用地	给排水、供电、供燃、邮政、电信、消防、公用设施维修、环卫等用地
		瞻仰景观休闲用地	名胜古迹、革命遗址、景点、公园、广场、公用绿地等
	公共建筑用地	公共文化、体育、娱乐、机关、团体、科研、设计、教育、医卫、慈善等建筑用地	
		机关团体用地	国家机关、社会团体、群众自治组织、广播电台、电视台、报社、杂志社、通讯社、出版社等单位的办公用地
		教育用地	各种教育机构，包括大专院校、中专、职业学校、成人业余教育学校、中小学校、幼儿园、托儿所、党校、行政学院、干部管理学院、盲聋哑学校、工读学校等直接用于教育的用地
		科研设计用地	独立的科研、设计机构用地，包括研究、勘察、设计、信息等单位用地
		文体用地	为公众服务的公益性文化、体育设施用地，包括博物馆、展览馆、文化馆、图书馆、纪念馆、影剧院、音乐厅、少青老年活动中心、体育场馆、训练基地等。
		医疗卫生用地	医疗、卫生、防疫、急救、保健、疗养、康复、医检药检、血库等用地
		慈善用地	孤儿院、养老院、福利院等用地
	住宅用地	供人们日常生活居住的房基地（有独立院落的包括院落）	
		城镇单一住宅用地	城镇居民的普通住宅、公寓、别墅用地
		城镇混合住宅用地	城镇居民以居住为主的住宅与工业生产或商业等混合用地
		农村宅基地	农村村民居住和宅基地
		空间宅基地	村庄内部的空闲旧宅基地及其他空闲土地等

一级类型	二级类型	三级类型	说　明
建设用地	交通运输用地		用于运输通行的地面线路、场站等用地，包括民用机场、港口、码头、地面运输管道和居民点道路及其相应附属设施用地
		铁路用地	铁道线路及场站用地，包括路堤、路堑、道沟及护路林；地铁上部分出入口等用地。
		公路用地	国家和地方公路（含乡镇公路），包括路堤、路堑、道沟、护路林及其他附属设施用地
		民用机场	民用机场及其相应附属设施用地
		港口码头用地	人工修建的客、货运、捕捞船舶停靠的场所及其相应附属建筑物，不包括常水位以下部分
		管道运输用地	运输煤炭、石油和天然气等管道及其相应附属设施地面积用地
		街巷	城乡居民点内道路（含立交桥）公共停车场等
	水利设施用地		用于水库、水工建筑的土地
		水库水面	人工修建总库容≥10万 m^3，正常蓄水位以下的面积
		水工建筑用地	扣除农田水利用地以外的人工修建的沟渠（包括渠槽、渠堤、护堤林）、闸、坝、堤路林、水电站、扬水站等水位岸线以上的水工建筑用地
	特殊用地		军事设施、涉外、宗教、监教、墓地等用地
		军事设施用地	专门用于军事目的的设施用地，包括军事指挥机关和营房等
		使领馆用地	外国政府及国际组织驻华使领馆、办事处等用地
		宗教用地	专门用于宗教活动的庙宇、寺院、道观、教堂等宗教用地
		监教场所用地	监狱、看守所、劳改场、劳教所、戒毒所等用地
		墓葬地	陵园、墓地、殡葬场所及附属设施用地
未利用地			农用地和建设用地以外的土地
	未利用土地		目前还未利用的土地，包括难利用的土地
		荒草地	树木郁闭度＜10%，表层为土质，生长杂草，不包括盐碱地、沼泽地和裸土地
		盐碱地	表层盐碱聚集，只生长天然耐盐植物的土地
		沼泽地	经常积水或渍水，一般只生长湿生植物的土地
		沙地	表层为沙覆盖，基本无植被的土地，包括沙漠，不包括水系中的沙滩
		裸土地	表层为土质，基本无植被覆盖的土地
		裸岩石砾地	表层为岩石或石砾，其覆盖面积≥70%的土地
		其他未利用土地	包括高寒荒漠、苔原等尚未利用的土地

附　录

一级类型	二级类型	三级类型	说 明
未利用地	其他土地	未列入农用地、建设用地的其他水域地	
		河流水面	天然形成或人工开挖河流常水位岸线以下的土地
		湖泊水面	天然形成的积水区常水位岸线以下的土地
		苇地	生长芦苇的土地，包括滩涂上的苇地
		滩涂	沿海大潮高潮位于低潮位之间的潮侵地带；河流、湖泊常水位至洪水间的滩地；时令潮、河洪水位以下的滩地；水库、坑塘的正常蓄水位与最大洪水位间的滩地。不包括已利用的滩涂
		冰川及永久积雪	表层被冰雪常年覆盖的土地

附表3 土地利用现状分类 （GB/T 21010 – 2007）

一级类型	二级类型	说 明	三大地类
耕地		种植农作物的土地，包括熟地、新开发、复垦、整理地，休闲地（轮歇地、轮作地）；以种植农作物（含蔬菜）为主，间有零星果树、桑树或其他树木的土地；平均每年能保证收获一季的已垦滩地和海涂。耕地中还包括南方宽度＜1.0m，北方宽度＜2.0m固定的沟、渠、路和地坎（埂）；临时种植药材、草皮、花卉、苗木等的耕地，以及其他临时改变用途的耕地	农用地
	水田	用于种植水稻、莲藕等水生农作物的耕地。包括实行水生、旱生农作物轮种的耕地	
	水浇地	有水源保证和灌溉设施，在一般年景能正常灌溉，种植旱生农作物的耕地。包括种植蔬菜等的非工厂化的大棚用地	
	旱地	指无灌溉设施，主要靠天然降水种植旱生家作物的耕地，包括没有灌溉设施，仅靠引洪淤灌的耕地	
园地		种植以采集果、叶、根、茎、枝、汁等为主的集约经营的多年生木本和草本作物，覆盖度大于50%或每亩株数大于合理株数70%的土地。包括用于育苗的土地	
	果园	种植果树的园地	
	茶园	种植茶树的园地	
	其他园地	种植桑树、橡胶、可可、咖啡、油棕、胡椒、药材等其他多年生作物的园地	
林地		指生长乔木、竹类、灌木的土地，及沿海生长红树林的土地。包括迹地，不包括居民点内部的绿化林木用地，以及铁路、公路、征地范围内的林木，以及河流、沟渠的护堤林	
	有林地	树木郁闭度≥0.2的乔木林地，包括红树林地和竹林地	
	灌木林地	灌木覆盖度≥40%的林地	
	其他林地	包括疏林地（指树木郁闭度≥0.1且＜0.2的林地）、未成林地、迹地、苗圃等林地	

一级类型	二级类型	说　　明	三大地类
草地	生长草本植物为主的土地		未利用地
	天然牧草地	以天然草本植物为主，用于放牧或割草的草地	
	人工牧草地	人工种牧草的草地	
	其他草地	树林郁闭度＜0.1，表层为土质，生长草本植物为主，不用于畜牧业的草地	
商服用地	主要用于商业、服务业的土地		建设用地
	批发零售用地	主要用于商品批发、零售的用地。包括商场、商店、超市、各类批发（零售）市场，加油站等及其附属的小型仓库、车间、工场等的用地	
	住宿餐饮用地	主要用于提供住宿、餐饮服务的用地。包括宾馆、酒店、饭店、旅馆、招待所、度假村、餐厅、酒吧等	
	商务金融用地	企业、服务业等办公用地，以及经营性的办公场所用地。包括写字楼、商业性办公场所、金融活动场所和企业厂区外独立的办公场所等用地	
	其他商服用地	上述用地以外的其他商业、服务业用地。包括洗车场、洗染店、废旧物资回收站、维修网点、照相馆、理发美容店、洗浴场所等用地	
工矿仓储用地	主要用于工业生产、物资存放场所的土地		
	工业用地	工业生产及直接为工业生产服务的附属设施用地	
	采矿用地	采矿、采石、采砂（沙）场，盐田，砖瓦窑等地面生产用地及尾矿堆放地	
	仓储用地	用于物资储备、中转的场所用地	
住宅用地		主要用于人们生活居住的房基地及其附属设施的土地	
	城镇住宅用地	城镇用于居住的各类房屋用地及其附属设施用地。包括普通住宅、公寓、别墅等用地	
	农村宅基地	农村用于生活居住的宅基地	
公共管理与公共服务用地	用于机关团体、新闻出版、科教文卫、风景名胜、公共设施等的土地		
	机关团体用地	用于党政机关、社会团体、群众自治组织等的用地	
	新闻出版用地	用于广播电台、电视台、电影厂、报社、杂志社、通讯社、出版社等的用地	

一级类型	二级类型	说　明	三大地类
公共管理与公共服务用地	科教用地	用于各类教育，独立的科研、勘测、设计、技术推广、科普等的用地	建设用地
	医卫慈善用地	用于医疗保健、卫生防疫、急救康复、医检药检、福利救助等的用地	
	文体娱乐用地	用于各类文化、体育、娱乐及公共广场等的用地	
	公共设施用地	用于城乡基础设施的用地。包括给排水、供电、供热、供气、邮政、电信、消防、环卫、公用设施维修等用地	
	公园与绿地	城镇、村庄内部的公园、动物园、植物园、街心花园和用于休憩及美化环境的绿化用地	
	风景名胜设施用地	风景名胜（包括名胜古迹、旅游景点、革命遗址等）景点及管理机构的建筑用地。景区内的其他用地按现状归入相应地类	
特殊用地		用于军事设施、涉外、宗教、监教、殡葬等的土地	
	军事设施用地	直接用于军事目的的设施用地	
	使领馆用地	用于外国政府及国际组织驻华使领馆、办事处等的用地	
	监教场所用地	用于监狱、看守所、劳改场、劳教所、戒毒所等的建筑用地	
	宗教用地	专门用于宗教活动的庙宇、寺院、道观、教堂等宗教自用地	
	殡葬用地	陵园、墓地、殡葬场所用地	
交通运输用地		用于运输通行的地面线路、场站等的土地，包括民用机场、港口、码头、地面运输管道和各种道路用地	
	铁路用地	用于铁道线路、轻轨、场站的用地，包括设计内的路堤、路堑、道沟、桥梁、林木等用地	建设用地
	公路用地	用于国道、省道、县道和乡道的用地，包括设计内的路堤、路堑、道沟、桥梁、汽车停靠站、林木及直接为其服务的附属用地	
	街巷用地	用于城镇、村庄内部公用道路（含立交桥）及行道树的用地，包括公共停车场，汽车客货运输站点及停车场等用地	
	农村道路	公路用地以外的南方宽度≥1.0m、北方宽度≥2.0m的村间、田间道路（含机耕道）	农用地

一级类型	二级类型	说　明	三大地类
交通运输用地	机场用地	用于民用机场的用地	建设用地
	港口码头用地	用于人工修建的客运、货运、捕捞及工作船舶停靠的场所及其附属建筑物的用地，不包括常水位以下部分	
	管道运输用地	用于运输煤炭、石油、天然气等管道及其相应附属设施的地上部分用地	
水域及水利设施用地		陆地水域、海涂、沟渠、水工建筑物等用地，不包括滞洪区和已垦滩涂中的耕地、园地、林地、居民点、道路等用地	
	河流水面	天然形成或人工开挖河流常水位岸线之间的水面，不包括被堤坝拦截后形成的水库水面	未利用地
	湖泊水面	天然形成的积水区常水位岸线所围成的水面	
	水库水面	人工拦截汇积而成的总库容≥10 万 m³ 的水库正常蓄水位岸线所围成的水面	建设用地
	坑塘水面	人工开挖或天然形成的蓄水量＜10 万 m³ 的坑塘常水位岸线所围成的水面	农用地
	沿海滩涂	沿海大潮高潮位与低潮位之间的潮浸地带，包括海岛的沿海滩涂。不包括已利用的滩涂	建设用地
	内陆滩涂	河流、湖泊常水位至洪水位间的滩地；时令湖、河洪水位以下的滩地；水库、坑塘的正常蓄水位与洪水位间的滩地。包括海岛的内陆滩地，不包括已利用的滩地	
	沟渠	人工修建，南方宽度≥1.0m、北方宽度≥2.0m 用于引、排、灌的渠道，包括渠槽、渠堤、取土坑、护堤林	农用地
	水工建筑用地	人工修建的闸、坝、堤路林、水电厂房、扬水站等常水位岸线以上的建筑物用地	建设用地
	冰川及永久积雪	表层被冰雪常年覆盖的土地	未利用地
其他土地		上述地类以外的其他类型的土地	
	空闲地	城镇、村庄、工矿内部尚未利用的土地	建设用地
	设施农业用地	直接用于经营性养殖的畜禽舍、工厂化作物栽培或水产养殖的生产设施用地及其相应附属用地，农村宅基地以外的晾晒场等农业设施用地	农用地
	田坎	主要指耕地中南方宽度≥1.0m、北方宽度≥2.0m 的地坎	
	盐碱地	表层盐碱聚集，生长天然耐盐植物的土地	未利用地
	沼泽地	经常积水或渍水，一般生长沼生、湿生植物的土地	
	沙地	表层为沙覆盖、基本无植被的土地。不包括滩涂中的沙漠	
	裸地	表层土质，基本无植被覆盖的土地；或表层为岩石、石砾，其覆盖面积≥70% 的土地	

二　城乡转型与农地非农化的库兹涅茨关系检验

Dependent Variable：LNRULC

Method：Least Squares

Date：01/21/08 Time：11：16

Sample：1982 2007

Included observations：26

Item	Coefficient	Std. Error	t-Statistic	Prob.
C	4. 579 506	1. 204 590	3. 801 715	0. 000 9
URB	4. 769 372	7. 581 000	0. 629 122	0. 535 5
URB2	− 8. 146 135	11. 425 17	− 0. 712 999	0. 483 0
R-squared	0. 053 495	Mean dependent var		5. 231 335
Adjusted R-squared	− 0. 028 810	S. D. dependent var		0. 251 069
S. E. of regression	0. 254 660	Akaike info criterion		0. 210 389
Sum squared resid	1. 491 585	Schwarz criterion		0. 355 554
Log likelihood	0. 264 940	Hannan-Quinn criter.		0. 252 192
F-statistic	0. 649 960	Durbin-Watson stat		0. 874 435
Prob（F-statistic）	0. 531 391			

Dependent Variable：LNRULC

Method：Least Squares

Sample：1982 2007

Included observations：26

Item	Coefficient	Std. Error	t-Statistic	Prob.
C	1. 246 800	5. 707 087	0. 218 465	0. 829 1
URB	37. 168 73	54. 738 67	0. 679 021	0. 504 2
URB2	− 110. 127 4	170. 982 1	− 0. 644 088	0. 526 2
URB3	103. 930 9	173. 850 1	0. 597 819	0. 556 1
R-squared	0. 068 625	Mean dependent var		5. 231 335
Adjusted R-squared	− 0. 058 381	S. D. dependent var		0. 251 069
S. E. of regression	0. 258 294	Akaike info criterion		0. 271 198
Sum squared resid	1. 467 742	Schwarz criterion		0. 464 751
Log likelihood	0. 474 426	Hannan-Quinn criter.		0. 326 934
F-statistic	0. 540 330	Durbin-Watson stat		0. 862 285
Prob（F-statistic）	0. 659 678			

Dependent Variable: LNRULC

Method: Least Squares

Date: 01/21/08 Time: 11: 16

Sample: 1982 2007

Included observations: 26

Item	Coefficient	Std. Error	t-Statistic	Prob.
C	-10.533 54	30.985 37	-0.339 952	0.737 3
URB	191.083 6	401.529 3	0.475 890	0.639 1
URB2	-847.305 5	1912.420	-0.443 054	0.662 3
URB3	1638.251	3967.782	0.412 888	0.683 9
URB4	-1172.106	3028.061	-0.387 081	0.702 6
R-squared	0.075 223	Mean dependent var		5.231 335
Adjusted R-squared	-0.100 925	S. D. dependent var		0.251 069
S. E. of regression	0.263 434	Akaike info criterion		0.341 012
Sum squared resid	1.457 344	Schwarz criterion		0.582 953
Log likelihood	0.566 850	Hannan-Quinn criter.		0.410 682
F-statistic	0.427 045	Durbin-Watson stat		0.854 912
Prob (F-statistic)	0.787 414			

Dependent Variable: LNRULC

Method: Least Squares

Sample: 1982 2007

Included observations: 26

Item	Coefficient	Std. Error	t-Statistic	Prob.
C	2.969 977	1.833 405	1.619 924	0.118 9
NEmU	10.513 10	8.213 627	1.279 958	0.213 3
NEmU2	-11.883 81	9.037 364	-1.314 964	0.201 5
R-squared	0.074 923	Mean dependent var		5.231 335
Adjusted R-squared	-0.005 519	S. D. dependent var		0.251 069
S. E. of regression	0.251 760	Akaike info criterion		0.187 490
Sum squared resid	1.457 817	Schwarz criterion		0.332 655
Log likelihood	0.562 632	Hannan-Quinn criter.		0.229 292
F-statistic	0.931 397	Durbin-Watson stat		0.848 174
Prob (F-statistic)	0.408 362			

Dependent Variable: LNRULC

Method: Least Squares

Sample: 1982 2007

Included observations: 26

Item	Coefficient	Std. Error	t-Statistic	Prob.
C	− 5. 035 034	9. 658 050	− 0. 521330	0. 607 3
NEmU	65. 235 19	65. 331 36	0. 998 528	0. 328 9
NEmU 2	− 134. 229 2	145. 176 7	− 0. 924 592	0. 365 2
NEmU 3	89. 5713 9	106. 077 8	0. 844 393	0. 407 5
R-squared	0. 103 963	Mean dependent var		5. 231 335
Adjusted R-squared	− 0. 018 224	S. D. dependent var		0. 251 069
S. E. of regression	0. 253 346	Akaike info criterion		0. 232 518
Sum squared resid	1. 412 054	Schwarz criterion		0. 426 071
Log likelihood	0. 977 267	Hannan-Quinn criter.		0. 288 254
F-statistic	0. 850 850	Durbin-Watson stat		0. 807 420
Prob（F-statistic）	0. 481 033			

Dependent Variable: LNRULC

Method: Least Squares

Sample: 1982 2007

Included observations: 26

Item	Coefficient	Std. Error	t-Statistic	Prob.
C	20. 470 01	81. 562 83	0. 250 972	0. 804 3
NEmU	− 170. 547 5	751. 446 8	− 0. 226 959	0. 822 7
NEmU 2	670. 196 2	2 557. 905	0. 262 010	0. 795 9
NEmU 3	− 1 111. 324	3 813. 716	− 0. 291 402	0. 773 6
NEmU 4	662. 291 3	2 102. 408	0. 315 016	0. 755 9
R-squared	0. 1081 77	Mean dependent var		5. 231 335
Adjusted R-squared	− 0. 061 694	S. D. dependent var		0. 251 069
S. E. of regression	0. 258 698	Akaike info criterion		0. 304 727
Sum squared resid	1. 405 412	Schwarz criterion		0. 546 668
Log likelihood	1. 038 553	Hannan-Quinn criter.		0. 374 397
F-statistic	0. 636 818	Durbin-Watson stat		0. 798 261
Prob（F-statistic）	0. 641 946			

Dependent Variable: LNRULC

Method: Least Squares

Sample: 1982 2007

Included observations: 26

Item	Coefficient	Std. Error	t-Statistic	Prob.
C	−2. 189 180	7. 259 109	−0. 301 577	0. 765 7
NIndUl	19. 449 38	18. 724 30	1. 038 724	0. 309 7
NIndU2	−12. 647 93	12. 013 12	−1. 052 843	0. 303 3
R-squared	0. 049 958	Mean dependent var		5. 231 335
Adjusted R-squared	−0. 0326 55	S. D. dependent var		0. 251 069
S. E. of regression	0. 255 135	Akaike info criterion		0. 214 119
Sum squared resid	1. 497 159	Schwarz criterion		0. 359 284
Log likelihood	0. 216 448	Hannan-Quinn criter.		0. 255 922
F-statistic	0. 604 724	Durbin-Watson stat		0. 878 515
Prob（F-statistic）	0. 554 682			

Dependent Variable: LNRULC

Method: Least Squares

Date: 01/21/08 Time: 04: 22

Included observations: 26

Item	Coefficient	Std. Error	t-Statistic	Prob.
C	−2. 310 891	93. 138 65	−0. 0248 11	0. 980 4
NIndU	19. 923 08	361. 850 4	0. 055 059	0. 956 6
NIndU2	−13. 259 55	466. 711 7	−0. 028 411	0. 977 6
NIndU3	0. 262 013	199. 866 6	0. 001 311	0. 999 0
R-squared	0. 049 958	Mean dependent var		5. 231 335
Adjusted R-squared	−0. 079 593	S. D. dependent var		0. 251 069
S. E. of regression	0. 260 869	Akaike info criterion		0. 291 042
Sum squared resid	1. 497 159	Schwarz criterion		0. 484 596
Log likelihood	0. 216 449	Hannan-Quinn criter.		0. 346 779
F-statistic	0. 385 622	Durbin-Watson stat		0. 878 459
Prob（F-statistic）	0. 764 414			

Dependent Variable: LNRULC

Method: Least Squares

Sample: 1982 2007

Included observations: 26

Item	Coefficient	Std. Error	t-Statistic	Prob.
C	−1 016. 286	1 565. 736	−0. 649 078	0. 523 3
NIndU	5 281. 005	8 117. 449	0. 650 574	0. 522 4
NIndU2	−10 214. 45	15 730. 70	−0. 649 332	0. 523 2
NIndU3	8 761. 433	13 505. 54	0. 648 729	0. 523 5
NIndU4	−2 812. 213	4 334. 601	−0. 648 782	0. 523 5
R-squared	0. 068 626	Mean dependent var		5. 231 335
Adjusted R-squared	−0. 108 779	S. D. dependent var		0. 251 069
S. E. of regression	0. 264 372	Akaike info criterion		0. 348 120
Sum squared resid	1. 467 740	Schwarz criterion		0. 590 062
Log likelihood	0. 474 440	Hannan-Quinn criter.		0. 417 790
F-statistic	0. 386 833	Durbin-Watson stat		0. 859 993

三　中国 232 个地级及以上城市截面数据（部分数据）

OBS	IDURBPOP	IDTOEMP	IDSECEMP	IDTHIREMP	IDCULAND	URBPOP_ 1999	TOEMP_ 1999	SECEMP_ 1999	THIREMP_ 1999	URBPOP_ 2005	TOEMP_ 2005	SECEMP_ 2005
BEIJING	-0.277 6	-0.057 2	-0.044 4	-0.011 6	0.282 6	861.430 0	425.692 9	156.072 4	267.185 4	1110.600 0	650.430 0	208.740 0
TIANJING	0.017 0	-0.051 3	-0.045 9	-0.004 7	0.361 7	608.590 0	208.039 9	110.205 2	97.040 9	769.600 0	232.820 0	113.400 0
SHIJZ	-0.256 9	-0.181 9	-0.110 0	-0.071 0	0.344 1	185.200 0	67.033 6	33.799 4	32.989 1	224.150 0	66.510 0	30.520 0
TANGSH	0.826 2	0.060 9	0.012 0	0.050 6	-0.011 6	168.800 0	59.796 2	39.257 4	19.774 4	298.950 0	61.820 0	35.260 0
QINHD	-0.002 1	0.017 0	-0.024 2	0.041 3	0.103 7	69.970 0	28.306 5	13.577 4	14.567 0	77.630 0	32.880 0	13.100 0
HANDAN	-0.005 6	0.034 7	-0.035 4	0.070 8	0.371 5	134.890 0	49.581 8	32.505 1	16.948 1	140.850 0	55.510 0	30.470 0
XINGTAI	-0.168 0	0.073 7	-0.046 9	0.120 8	0.499 4	53.480 0	20.066 0	11.869 5	8.178 8	57.870 0	27.020 0	12.470 0
BAODING	-0.237 7	-0.177 5	-0.109 0	-0.066 8	0.296 9	89.060 0	31.131 1	16.408 3	14.577 7	100.710 0	25.960 0	12.170 0
ZHANGJK	0.028 1	-0.141 4	-0.125 3	-0.015 2	0.886 9	84.380 0	33.592 6	20.715 3	12.785 2	86.540 0	22.730 0	11.090 0
CHENGD	-0.196 2	-0.075 0	-0.073 3	-0.000 9	0.587 4	43.640 0	14.010 4	7.326 9	6.620 9	46.140 0	14.360 0	6.220 0
CANGZHOU	-0.029 7	-0.041 6	-0.056 1	0.013 9	0.262 7	46.780 0	17.587 4	8.898 9	8.646 8	49.890 0	17.630 0	7.620 0
LANGF	0.639 8	-0.074 4	-0.022 7	-0.050 3	0.221 9	32.000 0	13.152 5	4.911 0	8.184 8	76.450 0	15.400 0	5.990 0
HENGSHUI	0.271 3	-0.094 4	-0.052 5	-0.042 4	0.647 8	27.600 0	12.874 1	5.252 5	7.594 6	45.230 0	13.440 0	5.000 0
TAIYUAN	-0.570 5	-0.614 2	-0.235 7	-0.283 9	0.728 4	239.200 0	132.951 3	56.634 6	64.803 0	263.040 0	91.700 0	43.830 0
DATONG	-0.079 4	-0.364 6	-0.116 6	-0.161 0	1.360 4	134.990 0	68.410 5	30.536 5	30.752 6	143.820 0	44.050 0	23.760 0
YANGQUAN	-0.337 6	-0.449 8	-0.295 3	-0.080 9	0.767 9	63.860 0	30.687 9	20.526 2	7.876 3	65.640 0	20.600 0	13.990 0

OBS	IDURBPOP	IDTOEMP	IDSECEMP	IDTHIREMP	IDCULAND	URBPOP_1999	TOEMP_1999	SECEMP_1999	THIREMP_1999	URBPOP_2005	TOEMP_2005	SECEMP_2005
CHANGZHI	-0.061 6	-0.387 4	-0.160 2	-0.135 5	0.491 0	62.710 0	34.300 5	15.513 0	14.800 1	67.680 0	19.960 0	9.750 0
JINCHEN	-0.029 3	-0.250 3	0.020 6	-0.063 1	0.251 7	26.680 0	18.988 2	7.205 9	6.578 5	30.410 0	14.920 0	9.050 0
FUHEHT	-0.379 2	-0.142 9	-0.050 0	-0.091 6	2.077 1	108.380 0	41.167 1	14.392 0	26.552 8	109.620 0	41.800 0	14.610 0
BAOT	-0.026 0	-0.109 5	-0.041 7	-0.020 1	1.222 1	138.930 0	76.027 8	38.251 9	31.521 3	135.720 0	62.490 0	33.100 0
WUHAN	0.018 3	0.051 8	0.030 7	0.035 1	0.048 5	40.590 0	11.846 2	7.196 2	3.837 4	43.110 0	15.220 0	9.200 0
CHIFENG	0.093 4	-1.374 4	-0.424 4	-0.384 5	3.125 8	66.080 0	55.522 9	18.499 8	18.519 8	113.700 0	17.720 0	7.700 0
TONGLIAO	1.476 6	-0.202 9	-0.087 1	-0.112 4	0.912 7	29.900 0	18.230 0	7.043 0	10.100 3	80.520 0	13.460 0	4.920 0
SHENYANG	-0.452 0	-1.034 0	-0.411 9	-0.453 7	1.175 3	487.680 0	363.918 9	146.909 2	176.761 7	495.890 0	154.070 0	63.910 0
DALIAN	-0.037 8	0.224 3	0.109 5	0.118 9	0.216 6	270.680 0	111.156 6	48.117 7	61.332 3	281.110 0	170.480 0	76.640 0
ANSHAN	-0.030 9	-0.134 8	-0.136 2	0.001 8	0.291 3	145.500 0	60.764 9	42.419 9	18.132 5	146.170 0	44.420 0	25.280 0
WUXUN	-0.019 4	0.075 9	-0.025 5	0.102 0	0.354 3	142.080 0	47.919 4	31.197 0	16.405 8	140.630 0	55.950 0	28.680 0
BENXI	-0.008 4	-0.239 9	-0.234 3	-0.004 7	0.343 8	96.500 0	46.121 6	31.510 4	14.490 6	96.200 0	32.720 0	18.400 0
DANDONG	-0.101 4	0.053 2	0.020 4	0.037 1	0.305 4	76.180 0	25.455 4	11.130 2	14.098 5	75.190 0	29.730 0	12.850 0
JINZHOU	-0.019 2	-0.049 0	-0.048 6	0.007 4	0.770 0	84.400 0	29.530 0	14.793 9	13.855 1	87.550 0	28.000 0	12.530 0
YINGKOU	-0.449 2	-0.181 3	-0.101 4	-0.072 6	0.482 6	67.290 0	23.746 3	11.290 5	12.018 8	86.280 0	28.330 0	12.060 0
FUXIN	-0.131 7	-0.275 3	-0.277 3	0.002 6	1.885 0	78.390 0	39.303 9	26.256 2	12.922 7	78.180 0	28.000 0	13.710 0
LIAOYANG	-0.038 7	-0.024 0	-0.045 1	0.020 6	0.166 0	71.360 0	25.996 6	15.323 7	10.246 3	71.530 0	25.340 0	12.690 0
PANJING	0.187 3	-0.279 5	-0.109 7	-0.164 0	0.316 7	45.000 0	42.629 0	21.861 6	19.191 0	57.700 0	29.970 0	17.190 0
TIELING	0.014	-0.186	0.009	-0.155	0.877	43.080	19.745	4.829	13.241	43.910	12.210	5.230

OBS	IDURBPOP	IDTOEMP	IDSECEMP	IDTHIREMP	IDCULAND	URBPOP_ 1999	TOEMP_ 1999	SECEMP_ 1999	THIREMP_ 1999	URBPOP_ 2005	TOEMP_ 2005	SECEMP_ 2005
CHAOYANG	-0.091	-0.062	-0.081	0.040	1.082	47.240	12.834	6.343	5.991	48.910	12.440	4.990
HULUD	0.935	0.011	-0.009	0.018	0.280	40.200	22.159	14.553	7.373	94.310	22.970	14.170
CHANGCH	-0.311	-0.040	-0.062	0.025	1.409	298.010	102.667	51.616	50.394	337.220	131.330	56.660
JIELIN	-0.364	-0.247	-0.175	-0.071	0.126	179.250	51.139	29.590	21.327	179.870	34.040	15.790
SIPING	0.335	-0.007	-0.040	0.029	-0.249	47.120	13.191	6.431	6.683	60.030	13.030	4.990
LIAOYUAN	-0.077	0.001	-0.041	0.042	0.726	44.680	11.897	7.314	4.554	47.860	13.580	6.690
TONGHUA	-0.210	-0.051	-0.067	0.018	0.470	45.210	11.256	6.839	4.365	45.620	11.410	5.560
BAISHAN	0.363	-0.230	-0.161	-0.065	0.279	22.880	11.650	7.067	4.435	33.650	6.630	3.470
SONGYUAN	0.466	-0.100	-0.094	-0.004	1.207	31.750	13.743	9.457	4.146	51.890	11.700	7.150
BAICHEN	-0.085	-0.099	-0.115	-0.014	1.172	47.620	11.001	5.070	5.398	50.920	9.060	1.840
HAERB	-0.137	-0.280	-0.195	-0.085	0.843	307.390	181.101	101.351	78.487	398.960	174.840	86.260
QQHE	-0.146	-0.145	-0.093	-0.049	1.788	143.980	51.176	27.180	23.215	142.040	37.940	17.940
JIXI	-0.032	-0.023	-0.022	0.000	1.066	91.990	23.519	14.309	9.068	89.760	21.880	12.720
HEGANG	-0.215	-0.048	-0.034	-0.012	1.791	69.600	19.972	12.096	6.821	68.460	20.550	12.120
SHUANGJSH	-0.021	0.079	0.031	0.050	1.012	51.100	13.173	8.120	4.556	49.950	17.490	9.810
DAQIN	-0.086	-0.078	-0.047	-0.025	0.516	112.930	57.889	32.130	24.882	122.330	56.970	30.940
YICHUN	0.022	-0.034	-0.086	-0.005	0.236	84.080	30.683	22.955	7.609	82.130	23.770	8.840
JIAMUSI	-0.121	-0.056	-0.062	0.011	1.562	82.500	20.714	10.225	9.571	81.930	19.110	7.450
QITAIHE	-0.208	-0.069	-0.030	-0.038	0.222	49.120	15.740	9.859	5.791	51.490	16.310	11.520

附 录

城乡转型与农地非农化的互动关系

174

OBS	IDURBPOP	IDTOEMP	IDSECEMP	IDTHIREMP	IDCULAND	URBPOP_1999	TOEMP_1999	SECEMP_1999	THIREMP_1999	URBPOP_2005	TOEMP_2005	SECEMP_2005
MUDANJ	-0.129	-0.202	-0.133	-0.065	0.260	81.550	25.479	13.564	11.674	78.140	16.580	7.570
HEIHE	-0.297	-0.438	-0.144	-0.238	1.913	18.000	8.472	2.530	5.013	19.000	3.430	0.770
SHANGHAI	-0.049	0.001	-0.021	0.048	0.073	1262.410	602.276	273.290	281.368	1290.140	663.340	259.420
NANJING	-0.696	-0.166	-0.099	-0.066	0.504	371.880	105.709	51.296	53.635	513.390	164.770	69.120
WUXI	-0.146	0.318	0.118	0.201	0.010	213.060	40.754	23.625	16.896	228.490	106.360	49.630
XUZHOU	0.229	-0.101	-0.113	0.015	0.533	112.960	48.063	27.828	19.932	179.880	55.760	26.580
CHANGZHOU	0.855	0.372	0.103	0.269	0.440	89.480	31.201	18.155	12.993	220.770	84.640	37.400
SUZHOU	-0.011	0.050	0.044	0.007	0.347	122.130	33.924	18.341	15.393	225.110	73.160	42.990
NANTONG	0.286	0.115	0.052	0.057	-0.255	79.540	23.263	12.857	10.280	85.360	26.780	14.120
LIANYG	-0.315	-0.113	-0.077	-0.032	0.517	63.860	20.478	10.180	9.893	70.170	21.610	9.110
HUAIYING	1.925	0.088	0.005	0.074	-0.323	74.900	16.005	7.913	8.079	273.210	31.840	12.570
YANCHEN	1.485	0.053	-0.004	0.053	0.064	40.550	15.927	7.738	8.083	152.000	27.090	11.330
YANGZHOU	-0.364	0.066	0.000	0.066	0.066	109.660	20.184	11.652	8.494	115.650	30.220	14.920
ZHENJIANG	0.272	0.049	0.001	0.047	0.222	62.820	19.068	9.798	9.159	102.000	28.050	12.370
TAIZHOU	-0.537	-0.053	-0.064	0.017	0.264	60.570	12.426	7.274	4.837	63.380	16.000	7.620
SUQIAN	3.415	0.242	0.084	0.157	-1.711	25.610	4.158	1.788	2.350	154.070	13.740	5.180
HANGZHOU	-0.128	-0.126	-0.057	-0.067	0.234	185.370	83.782	36.351	47.101	409.520	158.930	68.040
NINGBO	0.871	0.306	0.154	0.156	0.073	88.170	41.873	19.554	21.943	213.410	88.440	42.600
WENZHOU	0.008	0.191	0.085	0.106	0.091	105.360	31.315	16.328	14.938	139.020	63.380	31.400

OBS	IDURBPOP	IDTOEMP	IDSECEMP	IDTHIREMP	IDCULAND	URBPOP_1999	TOEMP_1999	SECEMP_1999	THIREMP_1999	URBPOP_2005	TOEMP_2005	SECEMP_2005
JIAXING	0.245	-0.041	0.016	-0.054	0.341	30.650	14.043	6.913	6.991	80.830	24.390	14.970
HUZHOU	3.127	0.552	0.287	0.266	-0.494	71.250	14.330	6.156	8.108	108.010	19.860	9.740
SHAOXING	-1.678	-0.282	-0.102	-0.180	0.377	59.920	13.382	7.127	6.245	64.840	21.880	15.530
JINHUA	0.480	0.060	0.020	0.041	0.069	44.400	8.851	3.763	5.011	92.160	15.990	6.440
QUZHOU	0.585	-0.123	-0.104	-0.013	0.191	27.760	9.599	5.687	3.750	80.460	11.710	5.390
ZHOUSHAN	-0.260	-0.016	-0.009	-0.004	0.042	69.900	12.045	4.994	6.904	69.110	13.720	5.520
YAIZHOU	-0.324	0.091	0.033	0.059	0.071	135.740	18.515	8.587	9.788	148.750	33.360	14.600
HEFEI	-0.324	-0.101	-0.054	-0.046	0.275	137.950	40.810	18.115	22.509	175.310	50.590	20.450
WUHU	-0.163	-0.099	-0.042	-0.058	0.001	65.880	26.620	13.402	13.218	72.790	26.240	13.990
FENGFU	-0.439	-0.159	-0.086	-0.072	0.583	77.160	19.727	8.977	10.701	90.470	19.460	7.790
HUAINAN	-0.131	-0.178	-0.123	-0.052	0.156	139.300	38.932	24.451	14.044	163.610	31.670	18.770
MAANSHAN	-0.476	-0.242	-0.188	-0.053	0.172	52.930	18.814	13.228	5.553	60.990	16.910	10.710
HUAIBEI	-0.314	-0.295	-0.284	-0.010	0.632	72.880	31.304	21.894	9.362	92.320	30.440	16.810
TONGLING	0.116	-0.065	-0.091	0.028	0.142	35.640	15.512	10.089	4.988	42.760	14.650	7.870
ANQIN	-0.471	-0.138	-0.097	-0.023	0.294	58.180	16.395	7.990	7.310	73.040	20.300	8.450
QUZHOU	0.257	-0.620	-0.276	-0.339	0.313	25.920	19.120	8.592	10.349	51.350	11.320	5.190
FUYANG	-0.168	-0.030	-0.007	-0.018	0.392	143.560	16.768	5.985	10.483	187.240	21.300	7.810
SUZHOU	1.067	-0.043	-0.001	-0.042	0.355	50.960	13.076	4.817	8.119	174.700	15.920	7.260
CHAOHU	0.565	-0.101	-0.045	-0.054	0.369	34.860	9.712	4.085	5.503	86.130	8.270	3.310

附　录

城乡转型与农地非农化的互动关系

176

OBS	IDURBPOP	IDTOEMP	IDSECEMP	IDTHIREMP	IDCULAND	URBPOP_ 1999	TOEMP_ 1999	SECEMP_ 1999	THIREMP_ 1999	URBPOP_ 2005	TOEMP_ 2005	SECEMP_ 2005
FUZHOU	−0.516	−0.102	−0.046	−0.053	0.232	153.770	55.825	25.953	29.395	176.110	77.510	36.280
XIAMEN	−0.329	0.165	0.101	0.067	0.117	134.000	59.680	36.280	22.956	153.220	107.600	65.480
PUTIAN	4.841	0.557	0.405	0.152	−0.050	37.070	8.796	4.409	4.334	203.760	29.170	18.710
SANMING	−0.099	−0.056	−0.079	0.023	0.375	27.730	9.867	6.012	3.769	28.420	9.690	5.010
QUANZHOU	−0.056	0.257	0.160	0.096	0.016	72.000	20.144	12.690	7.416	100.330	43.370	27.220
ZHANGZHOU	−0.999	−0.179	−0.086	−0.089	0.297	51.300	11.050	5.703	5.177	53.360	13.130	7.080
NANPING	1.294	0.083	0.010	0.073	0.310	22.680	8.423	4.636	3.616	48.780	10.110	4.840
LONGYAN	0.543	0.043	0.011	0.033	0.198	26.200	9.932	4.965	4.866	46.730	12.930	6.140
NANCANG	−0.486	−0.130	−0.098	−0.015	0.678	174.680	60.763	28.815	29.602	215.520	80.260	33.200
JINGDZH	−0.253	−0.503	−0.243	−0.128	0.323	40.700	27.600	13.578	9.121	43.970	14.030	7.130
PINGX	−0.881	−0.023	−0.013	−0.011	0.281	77.910	13.730	6.490	7.165	81.820	22.060	10.300
JIUJIANG	0.116	0.203	0.069	0.138	0.148	52.480	14.918	8.086	6.615	59.170	25.220	11.650
XINYU	1.474	0.703	0.254	0.456	0.511	34.270	13.014	7.956	4.798	79.850	33.970	16.300
YINTAN	−0.967	−0.060	−0.013	−0.046	0.654	18.000	3.126	0.974	2.142	19.260	5.740	1.920
GANZHOU	0.013	0.005	0.008	−0.003	0.208	50.870	10.900	4.581	6.289	59.910	12.920	5.690
JINAN	−0.249	0.077	0.024	0.055	0.252	291.270	82.736	36.495	45.833	347.870	134.050	56.680
QINDAO	−0.435	−0.064	−0.027	−0.034	0.603	236.070	94.616	47.472	46.675	265.430	126.140	64.130
ZIBO	−0.406	−0.008	−0.006	−0.001	0.432	281.760	54.010	32.403	21.428	275.560	65.380	38.960
ZAOZH	−1.043	−0.166	−0.093	−0.075	0.368	203.490	33.862	17.806	15.973	209.390	35.710	18.140

OBS	IDURBPOP	IDTOEMP	IDSECEMP	IDTHIREMP	IDCULAND	URBPOP_1999	TOEMP_1999	SECEMP_1999	THIREMP_1999	URBPOP_2005	TOEMP_2005	SECEMP_2005
DONGY	-0.062	0.109	0.007	0.108	0.229	76.010	27.730	21.003	6.303	81.430	40.970	24.530
YANTAI	-0.302	0.093	0.068	0.029	0.232	161.400	40.221	19.503	20.027	176.260	72.860	39.260
HUIFANG	-0.584	-0.092	-0.056	-0.035	0.318	134.270	30.573	17.062	13.434	145.200	37.830	20.600
JINING	-0.480	-0.286	-0.147	-0.139	0.420	103.360	31.530	14.049	17.419	107.030	25.370	10.300
TAIAN	-1.337	-0.138	-0.065	-0.070	0.542	155.260	19.933	8.178	11.560	160.610	23.740	8.950
WEIHAI	-0.482	0.007	0.008	0.001	0.367	53.340	16.636	9.831	6.732	60.650	31.850	19.120
RIZHAO	-1.143	-0.131	-0.049	-0.078	0.310	115.970	16.230	6.910	9.157	120.630	18.580	8.310
LAIWU	-1.601	-0.088	-0.082	-0.002	0.416	123.600	16.284	10.164	5.976	124.380	23.130	12.940
LINQI	-1.852	-0.085	-0.035	-0.049	0.197	182.720	22.221	10.056	12.047	193.190	43.150	20.040
DEZHOU	-0.144	0.066	0.009	0.058	0.508	52.130	12.704	7.281	5.390	58.360	18.480	9.390
LIAOCHEN	-0.747	-0.050	-0.052	0.004	0.097	98.000	13.216	6.044	7.080	102.410	16.320	6.010
ZHENZHOU	-0.372	-0.041	-0.028	-0.012	0.365	222.410	72.707	34.861	37.658	255.550	98.160	45.530
LUOYANG	-0.266	-0.082	-0.091	0.010	0.342	145.800	43.865	26.933	16.895	149.710	44.800	22.050
PINGDSH	-0.292	-0.158	-0.130	-0.027	0.365	89.040	32.549	22.221	10.268	95.290	31.760	20.350
ANYANG	-0.058	-0.064	-0.069	0.005	0.458	75.970	22.677	14.377	8.279	103.170	27.860	15.890
HEBI	-0.363	-0.089	-0.081	-0.008	0.421	51.220	11.925	8.506	3.407	52.810	12.110	7.950
XINXIANG	-0.146	-0.107	-0.103	-0.004	0.315	77.000	26.400	14.926	11.474	87.780	25.710	11.290
JIAOZH	-0.405	-0.100	-0.109	0.010	0.359	77.670	22.867	16.049	6.732	81.120	25.190	15.020
PUYANG	-0.021	-0.040	-0.098	0.061	0.284	44.010	20.650	15.119	5.337	53.510	24.070	15.250
XUCANG	-0.534	-0.334	-0.175	-0.156	0.475	37.030	14.056	6.930	6.979	39.160	9.270	4.110
LUOHE	1.518	-0.085	-0.027	-0.057	0.493	34.320	12.928	6.449	6.443	130.520	18.830	10.090

附 录

城乡转型与农地非农化的互动关系

178

OBS	IDURBPOP	IDTOEMP	IDSECEMP	IDTHIREMP	IDCULAND	URBPOP_1999	TOEMP_1999	SECEMP_1999	THIREMP_1999	URBPOP_2005	TOEMP_2005	SECEMP_2005
SHANMX	-0.326	-0.040	-0.035	-0.004	0.445	28.000	7.840	4.156	3.656	28.500	9.270	4.570
NANYANG	-0.683	-0.067	-0.083	0.014	0.443	166.400	28.268	17.019	11.086	172.580	33.320	16.600
SHANGQIU	-1.339	-0.156	-0.064	-0.091	-0.204	145.500	15.137	5.575	9.466	159.500	15.670	5.420
XINYANG	-0.937	-0.126	-0.061	-0.062	0.123	137.470	16.655	6.676	9.771	137.880	16.210	6.080
WUHAN	1.382	0.223	0.082	0.150	0.298	423.950	204.140	84.956	111.535	801.360	272.900	110.920
HUANGSHI	-0.254	0.054	-0.012	0.069	0.130	65.500	22.818	14.423	8.172	63.200	29.890	16.340
SHIYAN	-0.054	0.025	-0.033	0.059	0.100	48.300	20.983	14.238	6.670	51.610	25.280	14.220
YICANG	-0.163	-0.116	-0.091	-0.007	0.319	76.870	24.556	13.788	9.771	122.230	32.950	16.020
XIANGFAN	1.579	0.018	-0.052	0.069	0.177	90.400	33.738	17.614	15.882	217.310	41.130	17.150
EZHOU	-0.136	0.048	0.035	0.017	0.101	103.330	17.104	9.206	7.601	104.320	20.410	11.410
JINZHOU	0.272	-0.084	-0.081	-0.020	0.257	40.060	15.132	7.970	6.437	64.590	14.810	5.910
XIAOGAN	1.411	0.062	0.053	0.009	0.029	28.300	13.577	4.582	8.138	89.300	16.250	6.880
HUANGGANG	-0.074	-0.056	-0.023	-0.032	0.215	35.320	7.520	2.690	4.589	37.190	6.880	2.390
XIANING	-0.031	-0.015	-0.009	-0.001	0.174	54.960	8.491	3.279	4.950	56.570	8.450	3.150
CHANGSHAN	-0.090	0.029	0.000	0.044	0.250	175.400	68.236	27.958	38.286	208.650	91.580	35.550
ZHUZHOU	-0.216	-0.011	-0.036	0.026	0.241	76.020	26.359	16.778	9.537	78.880	32.760	18.370
XIANGTAN	-0.041	0.043	-0.004	0.048	0.203	68.150	22.334	13.513	8.767	71.780	27.280	14.490
HENGYANG	0.014	0.194	0.068	0.125	0.009	90.000	21.635	11.402	10.218	96.360	36.060	16.680
SHAOYANG	-0.314	-0.106	-0.051	-0.048	0.297	60.000	13.453	6.502	6.670	66.570	13.240	6.430
YUEYANG	0.127	-0.138	-0.063	-0.058	0.071	52.710	31.217	14.771	14.261	95.430	27.460	13.330
CHANGDE	0.067	-0.129	-0.041	-0.058	0.143	132.810	22.572	8.234	12.497	137.980	15.520	6.000
ZHANGJJ	1.077	-0.160	-0.064	-0.089	0.341	16.840	6.676	2.056	4.459	48.190	5.830	1.460

参 考 文 献

安虎森 . 2005 . 空间经济学原理 . 北京：经济科学出版社 .

奥沙利文 . A. 2003 . 城市经济学 . 苏晓燕，常荆沙，朱雅丽译 . 北京：中信出版社 .

白南生 . 2003 . 中国的城市化 . 管理世界，11：78-87.

白仲林 . 2008 . 面板数据的计量经济分析 . 天津：南开大学出版社 .

摆万奇 . 2000 . 深圳市土地利用动态趋势分析 . 自然资源学报，15（2）：113-116.

鲍常勇 . 2007 . 我国 286 个地级及以上城市流动人口分布特征分析 . 人口研究，31（6）：67-
75.

蔡继明，周炳林 . 2005 . 论城市化与耕地保护 . 社会科学，（6）：5-12.

蔡银莺，张安录 . 2004 . 武汉市耕地资源非农化过程的时空变化特征分析 . 中国人口、资源
与环境，14（6）：115-119.

蔡银莺，张安录 . 2004 . 武汉市农地城市流转的基本态势及区域差异 . 国土资源科技管理，
（4）：1-4.

蔡银莺，张安录 . 2006 . 深圳经济增长与耕地资源流失——耕地资源流失库兹涅茨曲线假说
及检验 . 统计与决策，（6）：34-36.

蔡运龙 . 2001 . 土地利用/土地覆被变化研究：寻求新的综合途径 . 地理研究，20（6）：
645-651.

曹培慎，袁海 . 2007 . 城市化动力机制——一个包含制度因素的分析框架及其应用 . 生态经
济（学术版），（1）：75-78.

陈百明，周小萍 . 2007 . 《土地利用现状分类》国家标准的解读 . 自然资源学报，22（6）：
994-1003.

陈波翀，郝寿义 . 2005 . 自然资源对中国城市化水平的影响研究、自然资源学报，20（3）：
394-399.

陈利根，陈会广，曲福田等 . 2004 . 经济发展、产业结构调整与城镇建设用地规模控制——
以马鞍山市为例 . 资源科学，26（6）：137-144.

陈良文，杨开忠 . 2006 . 集聚经济的六类模型：一个研究综述 . 经济科学，（6）：107-116.

陈楠，林宗坚，王钦敏 . 2007 . 人口经济学中的 GIS 与定量分析方法 . 北京：科学出版社 .

陈晓华 . 2008 . 乡村转型与城乡空间整合研究 . 合肥：安徽人民出版社 .

陈欣欣，黄祖辉 . 2003 . 经济发达地区就地转移劳动力向城市迁移的影响因素分析——基于

浙江省农户意愿的调查分析．中国农村经济，（5）：33-40.

陈秀芝，陈会广，陈利根．2004．农地非农化与可持续土地利用规划．西北农林科技大学学报（社会科学版），4（5）：38-41.

陈颐．1998．中国城市化和城市现代化．南京：南京出版社．

陈佑启，杨鹏．2001．国际上土地利用/土地覆盖变化研究的新进展．经济地理，21（1）：95-100.

陈远新．1988．试论我国城市化与土地效率．经济问题，（6）：58-61.

崔功豪，马润潮．1999．中国自下而上城市化的发展及其机制．地理学报，54（2）：106-115.

崔新蕾，张安录．2008．农地城市流转的选择价值研究．中国土地科学，22（7）：13-19.

段杰，李江．1999．中国城市化进程的特点、动力机制及发展前景，（6）：79-83.

樊安群．2005．中国经济转轨阶段论：兼论GDP的科学发展观．北京：中国社会科学出版社．

樊纲．2009-02-17．城市化进程与公共政策研究．光明日报，第10版．

丰雷，魏丽，蒋妍．2008．论土地要素对中国经济增长的贡献．中国土地科学，22（12）：4-10.

冯雨峰．1983．小城镇是我国城市化唯一正确的道路吗．经济地理，（2）：136-140.

冯云廷．2005．城市经济学．大连：东北财经大学出版社．

弗里德曼J．2007．中国城市化研究的四个主题．汤茂林译．现代城市研究，（7）：4-6.

甘红，刘彦随，王大伟．2004．土地利用类型转换的人文驱动因子模拟分析．资源科学，26（2）：88-93.

高书国．2006．中国城乡教育转型模式．北京：北京师范大学出版社．

高铁梅．2009．计量经济分析方法与建模—EViews应用及实例（第二版）．北京：清华大学出版社．

高巍．2007．农地城市流转供给与需求研究．华中农业大学图书馆博士学位论文．

顾朝林，蔡建明，牛亚菲，等．2002．中国城市地理．北京：商务印书馆．

顾朝林，于方涛，李王鸣，等．2008．中国城市化格局·过程·机理．北京：科学出版社．

顾益康，许勇军．2004．城乡一体化评估指标体系研究．浙江社会科学，6：95-100.

郭克莎．2001．城市化的关键在于就业非农化．中国经贸导刊，（16）：11-12.

郭昱莹．1994．决策帮手：成本效益分析之概念与实务．T&D飞讯，（30）：1-18.

郝寿义，王家庭，张换兆．2007．工业化、城市化与农村土地制度演进的国际考察——以日本为例．上海经济研究，1：40-50.

何念如，吴煜．2007．中国当代城市化理论研究．上海：上海人民出版社．

何念如．2006．中国当代城市化理论研究（1979~2005）．上海：复旦大学．

侯学英．2008．中国城市化进程时空差异分析．北京：经济科学出版社．

胡必亮．2008．城镇化与新农村：浙江项东村个案研究．重庆：重庆出版集团．

胡川．2008．基于农民意愿的土地征收补偿标准研究．安徽农业科学，（13）：5613-5615.

胡伟艳，张安录．2007. LUCC 模型研究的动态与趋势．生态经济（学术版），（1）：52-56.

黄烈佳．2006. 农地城市流转及其决策研究．华中农业大学图书馆博士学位论文．

黄宁生．1999. 广东耕地面积变化的空间分布特征及其与经济、人口增长的关系．热带地理，1：29-34.

黄秋昊，蔡运龙．2005. 国内几种土地利用变化模型述评．中国土地科学，19（5）：24-29.

黄小虎．2007. 房地产、城市化与土地集约利用．中国土地，1：23-24.

黄小虎．2008. 政府不能片面追求土地收益最大化．南风窗，（9）：34.

黄小晶．2006. 城市化进程中的政府行为．北京：中国财政经济出版社．

黄征学．2004. 我国耕地流失中的政府行为研究．南开学报，（3）：29-35.

霍雅勤，蔡运龙．2003. 耕地资源价值的评价与重建——以甘肃省会宁县为例．干旱区资源与环境，17（5）：81-85.

季任均，安树伟，母爱英，等．2008. 中国沿海地区乡村—城市转型与协调发展研究．上海：商务印书馆．

简新华，张国胜．2006. 日本工业化、城市化进程中的农地非农化．中国人口、资源与环境，16（6）：95-100.

姜爱林．2001. 论土地政策的概念与特征．国土资源科技管理，18（2）：11-22.

姜爱林．2001. 土地政策基本理论研究．北京：中国大地出版社出版．

姜海．2006. 转型时期农地非农化机制研究．南京农业大学图书馆博士学位论文．

查尔斯·金德尔伯格，布鲁斯·赫里克．1986. 经济发展．张欣译．上海：上海译文出版社．

金东海，秦文利．2004. 论城市化发展的自然资源基础．人文地理，19（4）：64-67.

靳相木，杨学成．2004. 作为制度的村庄和村庄的制度——中国人口城市化问题的一个解释框架．管理世界，（5）：67-75.

靳相木．2007. 地根经济：一个研究范式及其对土地宏观调控的初步应用．杭州：浙江大学出版社．

靳云汇，金赛男．2007. 高级计量经济学（上册）．北京：北京大学出版社．

景普秋．2007. 产业演进与城市化发展研究：中国的实证与应用．北京：经济科学出版社．

柯长青，欧阳晓莹．2006. 基于元胞自动机模型的城市空间变化模拟研究进展．南京大学学报（自然科学版），42（1）：104-111.

克鲁格曼 P．2002. 地理和贸易（中译本）．张兆杰译．北京：北京大学出版社，中国人民大学出版社．

莱文 H M，麦克尤恩 P J．2006. 成本决定效益——成本 - 效益分析方法和应用．金志龙，孙长春，史昱，等译．北京：中国林业出版社，北京希望电子出版社．

李笔戎．1988. 加速城市化是我国社会发展的需要．城市问题，（3）：7-12.

李丹，刘友兆．2003. 我国城市化发展与耕地变动的关系．经济纵横，1：13-15.

李国平，范红忠．2003. 生产集中、人口分布与地区经济差异．经济研究，11：79-93.

李海鹏，叶慧，张俊飚，等．2006. 中国收入差距与耕地非农化关系的实证研究．中国土地科学，20（5）：7-12.

李津奎.2008. 中国：加速城市化的考验. 北京：中国建筑工业出版社.

李孟然.2007a. 节地的根本在于方式转变. 中国土地，6：12-13.

李孟然.2007b. "两税一费"开土地调控新局. 中国土地，2：28-32.

李培，施晓丽.2007. 中国城市经济增长的特征分析. 贵州财经学院学报，（3）：37-41.

李培详.2008. 广东人口城市化与土地城市化关系研究. 安徽农业科学，36（29）：12955-12958.

李强，杨开忠.2007. 城市蔓延. 北京：机械工业出版社.

李强.2003. 影响中国城乡流动人口的推力与拉力因素分析. 中国社会科学，（1）：125-136.

李少星，颜培霞.2007. 自然资源禀赋与城市化水平关系的多尺度考察. 中国人口、资源与环境，17（6）：44-49.

李胜会，冯邦彦.2008. 对国外空间经济学集聚经济理论研究的分析. 经济问题，2：13-19.

李通屏，等. 人口经济学. 北京：清华大学出版社.

李文杰.2006. 基于人力资本视角的区域经济发展失衡研究. 开发研究，（4）：30-33.

李小建，李国平，曾刚，等.2006. 经济地理学. 第二版. 北京：高等教育出版社.

李晓西.2004-01-12. 可持续发展的成本效益分析. http：//www.sina.com.cn.

李晓云.2007. 农地城市流转的参与者决策研究. 华中农业大学图书馆博士学位论文.

李学鑫，罗丽丽，苗长虹.2000. 河南省乡村——城市转型的区域差异研究. 地域研究与开发，19（3）：31-36.

李迅，许顺才，朱文华，等.2000. 21世纪初期我国城市化发展态势与对策的探讨. 城市规划汇刊，（4）：55-62.

李振声.2009. 谈中国的粮食安全（摘要）. http：//economy.guoxue.com/article.php/3383 [2009-05-21].

利维 J M.2003. 现代城市规划. 张景秋译. 北京：中国人民大学出版社.

刘福坦.1998. 出路：推进人口城市化. 城市发展研究，（5）：5-7.

刘红星.1987. 温州市城镇化特点分析和水平预测. 城市规划，（2）：39-43.

刘君德，彭再德，徐前勇.1997. 上海郊区乡村-城市转型与协调发展. 城市规划，5：43-45.

刘丽军.2006. 耕地非农化规模的收敛性. 北京：中国农业科学院.

刘丽军.2007. 基于经济增长的耕地非农化收敛性研究. 北京：中国农业科学院.

刘平辉.2003. 基于产业的土地利用分类及其应用研究. 北京：中国农业大学.

刘文甲.2006. 关注我国土地"过度"非农化. 中国土地，8：26，27.

刘耀彬，李仁东，宋学锋.2005. 中国城市（镇）化与生态环境耦合度分析. 自然资源学报，20（1）：105-112.

刘耀彬.2007. 城市化与资源环境相互关系的理论与实证研究. 北京：中国财政经济出版社.

刘志军.2004.论城市（镇）化定义的嬗变与分歧.中国农村经济，7：58-65.

龙花楼，李秀彬.2001.长江沿线样带土地利用变化时空模拟及其对策.地理研究，6：660-668.

鲁明中，尹昌斌，孙岚.1996.我国经济发展与耕地占用.管理世界，（5）：170-174.

马清裕.1983.我国城镇化的特点及发展趋势的初步分析.经济地理，（3）：126-131.

马晓东.2007.基于 ESDA 的城市化空间格局与过程比较研究.南京：东南大学出版社.

马跃东.1997.河南省城镇化水平初步研究.地域研究与开发，16（2）：48-52.

芒德福 L.2005.城市发展史：起源、演变与前景.宋俊岭，倪文彦译.北京：中国建筑工业出版社.

闵捷，高魏，李晓云，等.2007.农地城市流转微观特征分析——武汉市城郊区的问卷调查.中国农村经济，1：52-58.

闵捷，张安录，吴中元，等.2008.农地城市流转驱动机制的时空尺度效应分析.自然资源学报，23（5）：808-820.

闵捷.2007.农地城市流转特征与规律.华中农业大学图书馆博士学位论文.

母爱英，安树伟，季任钧.2006.我国沿海地区乡村-城市转型与协调发展研究.生产力研究，（6）：112-114.

倪鹏飞，刘高军，宋漩涛.2003.中国城市竞争力聚类分析.中国工业经济，7：34-39.

宁越敏.1998.新城市化进程——90 年代中国城市化动力机制和特征探讨.地理学报，53（5）:470-477.

潘省初.2007.计量经济学.北京：中国人民大学出版社.

彭开丽.2008.农地城市流转的社会福利效应——基于公平和效率理论的实证分析.华中农业大学图书馆博士学位论文.

钱陈.2005.城市化与经济增长的主要理论和模型述评.浙江社会科学，（2）：190-197.

秦润新.2000.农村城市化理论与实践.北京：中国经济出版社.

曲福田，陈江龙，陈会广.2007.经济发展与中国土地非农化.北京：商务印书馆.

曲福田，陈江龙，陈雯.2005.农地非农化经济驱动机制的理论分析与实证研究.自然资源学报，20（2）：231-241.

曲福田，冯淑怡，诸培新，等.2004.制度安排、价格机制与农地非农化研究.经济学（季刊），4（1）：229-248.

曲福田，冯淑怡，俞红.2001.土地价格及分配关系与农地非农化经济机制研究——以经济发达地区为例.中国农村经济，（12）：54-60.

曲福田，吴丽梅.2004.经济增长与耕地非农化的库兹涅茨曲线假说及验证.资源科学，5：61-67.

饶会林.1999.城市经济学.大连：东北财经大学出版社.

森川洋.1989.都市化与都市体系.东京：大明堂发行.

尚启君.1998.农业土地过度非农化与控制途径.江西农业经济，（3）：5，6.

沈迟.1997.关于城市化水平计算方法的探讨.城市规划，1：22.

沈建法 . 2005. 1982 年以来中国省级区域城市化水平趋势 . 地理学报, 60（4）: 607-614.

史晋川, 钱陈 . 2005. 土地稀缺条件下的工业化和城市化: 基于中国转型时期的理论与经验研究 . 第五届经济学年会 .

史晋川 . 2005. 制度变迁与经济发展: "浙江模式" 研究 . 浙江学刊,（2）: 12-14.

史育龙 . 2000. 我国城市化进程对土地资源影响程度的分析 . 中国人口、资源与环境, 10（4）: 45.

舒长根, 王飞军, 吕建星 . 2008. 户籍政策与人口城市化 . 城市问题, 2: 50-53.

宋戈, 吴次芳, 王杨 . 2006. 黑龙江省耕地非农化与经济发展的 Granger 因果关系研究 . 中国土地科学, 20（3）: 32-37.

宋俊岭 . 1994. 城市的性质与本质 . 北京社会科学, 2: 108-114.

宋敏, 张安录 . 2008. 农地城市流转决策研究进展评述 . 资源科学, 30（5）: 673-682.

孙国妤 . 2006. 建国以来土地政策评析 . 吉林大学硕士学位论文 .

孙海兵, 张安录 . 2004. 农地城市流转决策优化研究 . 地域研究与开发, 23（5）: 116-119.

孙海兵 . 2006. 农地外部效益研究 . 华中农业大学博士学位论文 .

孙剑平 . 2002. 经济学: 从浪漫到科学——可持续发展议题的经济学沉思 . 北京: 经济科学出版社 .

谈明洪, 李秀彬, 吕昌河 . 2003. 我国城市用地扩张的驱动力分析 . 经济地理, 23（5）: 635-639.

谈明洪, 吕昌河 . 2005. 城市用地扩展与耕地保护 . 自然资源学报, 1: 54-60.

谭荣, 曲福田 . 2006. 中国农地非农化与农地资源保护: 从两难到双赢 . 管理世界, 12: 50-59.

汤茂林 . 2001. 二战以来世界城市化发展特征 . 城市科学研究,（3）: 42-47.

汤志杰, 陈芬 . 2007. 国外土地政策研究: 价值导向、特征和热点 . 中国地质大学学报（社会科学版）, 7: 68-72.

唐茂华, 陈柳钦 . 2008. 城市化问题研究的宏观视野 . 河北经贸大学学报, 29（4）: 47-51.

陶然, 徐志刚 . 2005. 城市化、农地制度与迁移人口社会保障——一个转轨中发展的大国视角与政策选择 . 经济研究, 12: 45-56.

田莉 . 2008. 有偿使用制度下的土地增值与城市发展——土地产权的视角分析 . 北京: 中国建筑工业出版社 .

田明 . 2008. 中国就业结构转变与城市化 . 北京: 科学出版社 .

汪涛, 饶海斌, 王丽娟, 等 . 2002. Panel Data 单位根和协整分析 . 统计研究, 5: 53-57.

王百川 . 2002. 中国耕地动态变化及环境背景分析 . 中国科学院研究生院（遥感地理研究所）硕士学位论文 .

王春光, 孙晖 . 1997. 中国城市化之路 . 昆明: 云南人民出版社 .

王德, 彭雪辉 . 2004. 走出高城市化的误区——日本地区城市化发展过程的启示 . 城市规划, 11: 29-35.

王放 . 2004. "四普" 至 "五普" 间中国城镇人口增长构成分析 . 人口研究, 28（3）:

60-67.

王开泳，王淑婧，薛佩华 . 2004. 城市空间结构演变的空间过程和动力因子分析 . 云南地理环境研究，16（4）：65-69.

王磊，刘逢媛，李双成，等 . 2008. 耕地非农化格局的演变及其影响因子分析 . 中国土地科学，22（1）：32-38.

王青，陈志刚 . 2007. 我国城市化发展与耕地变化的关系——对国内相关研究的综述 . 生态经济，（2）：135-137.

王万茂 . 2000. 土地利用规划学 . 北京：中国大地出版社 .

王万茂 . 2006. 土地利用规划学 . 北京：科学出版社 .

王振波，朱传耿 . 2007. 中国就业的空间模式及区域划分 . 地理学报，62（2）：191-199.

王忠民 . 2007. 直面土地"过度非农化" . 中国土地，2：20-23.

文贯中 . 2008-08-18. 农民收入、城市化和土地制度 . 经济观察报，第 038 版 .

项俊波 . 2009. 结构经济学——从结构视角看中国经济 . 北京：中国人民大学出版社 .

肖金成，汪阳红，陈龙桂，等 . 2006. 工业化、城镇化过程中土地的管理与使用 . 宏观经济研究，4：7-19.

谢文慧，邓卫 . 1996. 城市经济学 . 北京：清华大学出版社 .

新延利 . 2008. 全国土地利用变更调查报告（2007）. 北京：中国大地出版社 .

信桂新，杨庆媛 . 2007. 城市化过程的机制：重庆市 1985～2005 年城市化演变探讨 . 第三届中国城市发展与土地政策国际研讨会论文集 .

许学强，薛凤旋，阎小培 . 1998. 中国乡村－城市转型与协调发展 . 北京：科学出版社 .

严国芬 . 1988. 对我国城市化动力机制的分析 . 城市规划，（1）：39-41.

严金明 . 2008. 土地调控新定位：人地和谐 . 中国土地，1：34-35.

严岩，赵景柱，王延春，等 . 2005. 中国耕地资源损失驱动力分析 . 生态学杂志，24（7）：817-822.

阎小培，欧阳南江，许学强，等 . 1994. 迈向二十一世纪的城市发展与城市地理学 . 经济地理，14（4）：1-6.

杨国良，彭鹏 . 1996. 农业发展与农地非农化 . 自然资源，1：36-40.

杨树琼 . 2006. 中国经济增长数据可信度检验研究——理论、模型与实证检验 . 北京：经济管理出版社 .

杨宜勇 . 2000. 城市化创造就业机会与城市就业空间分析 . 管理世界，（2）：121-128.

姚洋 . 2004. 土地、制度和农业发展 . 北京：北京大学出版社 .

叶嘉安，黎夏 . 1999. 珠江三角洲经济发展、城市扩张与农田流失研究——以东莞市为例 . 经济地理，19（1）：67-72.

叶裕民 . 2002. 中国城市化之路——经济支持与制度创新 . 北京：商务印书馆 .

易丹辉 . 2002. 数据分析与 Eviews 应用 . 北京：中国统计出版社 .

余亮，柴崎亮介 . 2008. 土地转换因子评价的城乡区位论 . 北京：科学出版社 .

余庆年，赵登辉 . 2001. 江苏省城镇化与土地利用问题、展望与对策 . 南京社会科学，增刊：49-54.

袁志刚，范剑勇 . 2003. 1978 年以来中国的工业化进程及其地区差异分析 . 管理世界，（7）：
　　59-66.

张安录，毛鸿 . 2000. 农地城市流转：途径、方式与特征 . 地理学与国土研究，16（2）：
　　17-22.

张安录 . 1999. 城乡生态交错区农地城市流转与土地价值增值研究 . 华中农业大学学报（社
　　会科学版），（4）：4-6.

张安录 . 2000a. 城乡生态经济交错区土地资源可持续利用与管理研究 . 华中农业大学图书
　　馆博士学位论文

张安录 . 2000b. 城乡相互作用的动力学机制与城乡生态经济要素流转 . 生态经济，4：5-8.

张安录 . 2001. 乡村 – 城市形态转换过程中土地资源的可持续利用 . 中国房地产研究，3：
　　113-133.

张红 . 2005. 房地产经济学 . 北京：清华大学出版社 .

张宏斌，贾生华 . 2001. 农地非农化调控机制分析 . 经济研究，12：50-54.

张建，汪应红，温丹丹，2007. 耕地非农化与收入差距关系的实证研究 . 安徽农业科学，35
　　（22）：6990-6992.

张京详，崔功豪 . 2000. 城市空间结构增长原理 . 人文地理，15（2）：15-18.

张军岩，贾绍风 . 2005. 基于中日比较的人口城镇化对耕地影响机制研究 . 中国人口、资源
　　与环境，15（1）：26-31.

张琦 . 2007. 城市经济学 . 北京：经济日报出版社 .

张润君，张文礼 . 2005. 城镇化应着眼于"三农"问题 . 人民日报网络版 . http：//
　　www. southcn. com/nflr/llzhuanti/gzsn/snjc/200507050680. htm［2005-06-24］.

张涛，李波，人永祥，等 . 2007. 制造业、土地成本与中国城市发展 . 金融研究，（3）：
　　10-24.

张晓峒 . 2008. EViews 实用指南与案例 . 北京：机械工业出版社 .

张晓玲，吴宇哲，关欣，等 . 2008. 城市化视角下的土地利用变化关系研究综述 . 农机化研
　　究，1：242-245.

张新安，刘丽 . 2005. 中国国土资源安全状况分析报告（2003-2004）. 北京：中国大地出版
　　社 .

张新安 . 2007. 中国国土资源安全状况分析（2005～2006）. 北京：中国大地出版社 .

张颖，赵民 . 2003. 论城市化与经济发展的相关性——对钱纳里研究成果的辨析与延伸 . 城
　　市规划汇刊，4：10-19.

张再生 . 1997. 人口城镇化动态分析模型浅探——以山东省淄博市为例 . 人口学刊，1：
　　16-21.

赵红军 . 2006. 交易效率、城市化与经济发展 . 上海：上海人民出版社 .

赵新平，周一星 . 2002. 改革以来中国城市化道路及城市化理论研究述评 . 中国社会科学，
　　（2）：132-138.

赵雪雁 . 2005. 西北地区城市化与区域发展 . 北京：经济管理出版社 .

郑华 . 2004. 中国房地产政策研究——堵漏、体改、维权 . 北京：电子工业出版社 .

中国科学院国情分析研究小组 . 1996. 城市与乡村：中国城乡矛盾与协调发展研究 . 北京：科学出版社 .

中国土地矿产法律事务中心课题组 . 2007. 土地政策参与宏观调控的实践历程 . 中国土地，6：53-56.

周伟林，严冀，等 . 2004. 城市经济学 . 上海：复旦大学出版社 .

周一星，陈彦光 . 2004. 城市地理研究的几个基本问题 . 经济地理，24（3）：289-293.

周一星，王玉华 . 2001. 中国是不是低度城镇化 . 中国人口科学，6：39-46.

周一星，于海波 . 2001. 对我国第五次人口普查城镇化水平的初步分析 . 管理世界，5：193-194.

周一星 . 1995. 城市地理学 . 北京：商务印书馆 .

朱会一，李秀斌 . 2003. 关于区域土地利用变化指数模型方法的讨论 . 地理学报，58（5）：643-650.

朱莉芬，黄季琨 . 2007. 城镇化对耕地影响的研究 . 经济研究，2：137-145.

朱农，曾昭俊 . 2004. 中国城市人口增长的决定因素分析 . 中国人口科学，（5）：9-19.

曾菊新 . 1996. 空间经济：系统与结构 . 武汉：武汉出版社 .

邹玉川 . 1988. 当代中国土地管理 . 北京：当代中国出版社 .

Ahn S. 2002. Determinants and projections of land use in the south Central United States. Southern Journal of Applied Forestry, 26（2）：78-84.

Alig R J. 1986. Econometric analysis of the factors influencing forest acreage trends in the southeast. Forest Science, 32（1）：119-134.

Alonso-Villar O. 2002. Urban agglomeration：knowledge spillovers and product diversity. The Annals of Regional Science, （36）：551-573.

Anas A, Kim I. 1996. General equilibrium models of polycentric urban land use with endogenous congestion and job agglomeration. J Urban Econ, 40：232-256.

Arauzo-Carod J M. 2007. Determinants of population and jobs at a local level. Ann Reg Sci, 41：87-104.

Arrow K J, Fisher A C. 1974. Environmental preservation, uncertainty and irreersibility. The Quarterly Journal of Economics, 88（2）：312-319.

Audretsch D B, Stephan P. 1996. Company- scientist locational links：the case of biotechnology. American Economic Review, 86（4）：641-652.

Audretsch D B, Feldman M P. 1996. R&D spillovers and the geography of innovation and production. American Economic Review, 86（4）：253-273.

Baldwin R E, Forslid R, Martin P, et al. 2003. Economic Geography and Public Policy. Princeton：Princeton University Press.

Banerjee A, Dolado JJ, Hendry DF, et al. 1986. Exploring equilibrium relationships in econometrics through static models: Some Monte Carlo Evidence. Oxford Bulletin of Economics and Statistics, 48: 253-277.

Beeson P E, Eberts R W. 1989. Identifying productivity and amenity effects in interurban wage differentials. Review of Economics and Statistics, (71): 443-452.

Bell K P, Bockstael N E. 2000. Applying the generalized moments estimation approach to spatial problems involving micro-level data. Econ Statist, 82: 72-82.

Bell K P, Boyle K J, Rubin J. 2006. Economics of Rural Land-Use Change. England: Ashgate Publishing Company.

Bhadra D, Brandao A S P. 1993. Urbanization, agricultural development, and land allocation. World Bank Discussion Papers 201.

Bockstael N E. 1996. Modeling economics and ecology: the importance of a spatial perspective. J Agr Econ, 78: 1168-1180.

Brakman S, Garretsen H, van Marrewijk C. 2001. An Introduction to Geographical Economics. Cambridge University Press.

Browder J O. 2002. The urban-rural interface: urbanization and tropical forest cover change. Urban Ecosystems, (6): 21-41.

Brueckner J K, Kim H A. 2001. Land Markets in the Harris-Todaro model: a new factor equilibrating rural-urban migration. Journal of Regional Science, 41 (3): 507-520.

Brueckner J K, Yves Zenou. 1999. Harris-Todaro Models with a land markets. Regional Science of Urban Economics, 29 (3): 317-339.

Carlino G A, Mills E S. 1987. The determinants of county growth. J Reg Sci, 27 (1): 39-53.

Chen Y Q, Yang P. 2001. Recent Progresses of International Study on Land Use and Land Cover Change (LUCC). Economic Geography, 21 (1): 95-100.

Cho S H. 2002. Urbanization under Uncertainty and Land Use Regulations: Theory and Estimation. Oregon: Oregon State University.

Chomitz K, Gray D R. 1996. Land use and deforestation: a spatial model applied to Belize. World Bank Econ, 10: 487-512.

Cruz, de la L J R. 2001. Estimating the Determinants of Land Conversion. Department of Economics, Ateneo de Manila University.

Davis D R, Weinstein D E. 1996. Does economic geography matter for international specialization? Mimeo, National Bureau of Economic Research Working Paper 5706, August.

Davis J C, Henderson J V. 2003. Evidence on the Economy of Urbanization Process. Journal of urban economics, 53: 98-125.

De Janvry A, Sadoulet E, Blas S. 1995. Project evaluation for sustainable rural development: plan sierra in the dominican republic. J. Environ. Econ. Manage, 28: 135-154.

Deacon R, et al. 1998. Research trends and opportunities in environmental and natural resource economics. Environ Resour Econ, 11: 383-397.

Diederiks H A. 1981. Foreword: patterns of urban growth since 1500, mainly in Western European //Schmal H. Patterns of Urban Growth since 1500. London: Croom Helm Ltd. 15.

Ding C R. 2004. Urban spatial development in the land policy reform era: evidence from Beijing. Urban Studies, 41 (10): 1889-1907.

Du H L, Chen B M. 2007. Rationality of farmland occupation by constructions based on decoupling analysis method. Transactions of the CSAE, 23 (4): 52-59.

Esbah H. 2007. Land Use Trends during Rapid Urbanization of the City of Aydin, Turkey. Environ Manage, 39: 443-459.

Firebaugh G. 1979. Strcutual Determinants of Urbanization in Asia and Latin American, 1950-1970. American Sociological Review, 44 (2): 199-215.

Freeman D G. 2001. Sources of fluctuations in regional growth. Ann Reg Sci, 35: 249-266.

Friedman J. 1966. Regional Development Policy: A Case Study of Venezula. Massahusetts: MIT Press

Fujita M, Krugman P. 1995. When is the economy monocentric: von Thiinen and Chamberlin unified. Regional Science and Urban Economics, 25: 505-528.

Fujita M, Krugman P, Veneables A J. 1999. The Spatial Economy: Cities, Regions and International Trade . Cambridge, Massachusetts: MIT Press.

Fujita M, Mori T. 1996. The role of ports in the making of major cities: self- agglomeration and hub-effect. Journal of Development Economics, 49 (1): 93-120.

Fujita M, Mori T. 1997. Structural stability and evolution of urban systems. Regional Science and Urban Economics, (42): 399-442.

Fujita M, Mori T. 1998. On the dynamics of frontier and frontier economies: endogenous growth or the self-organization of a dissipative system? Ann Reg Sci, 32: 39-62.

Fu-chen L, Salih K, Douglass M. 1981. Rural- urban transformation in Asia// Fu- chen L. Rural-urban Telations and Regional Development. Hong Kong: Maruzen.

Geoghegan J, Wainger L, Bockstael N. 1997. Spatial landscape indices in a hedonic framework: an ecological economics analysis using GIS. Ecol Econ, 23: 251-264.

Granger C W J. 1988. Some recent developments in a concept of causality. Journal of Econometrics, 39: 199-211.

Granger C W J. 1969. Investigating causal relation by econometric and cross-sectional method. Econometrica, (37): 424-438.

Haaris J R, Todaro M P. 1970. Migration, unemploymeny and Development: A Two-Sector Analysis. American Economic Review, 60: 126-142.

Hailu Y G, Brown CH. 2005. A Growth-Focused Spatial Econometric Model of Agricultural Land Development in the Northeast. American Agricultural Economics Association Annual Meeting Providence, Rhode Island, July: 24-27.

Hailu Y G, Rosenberger R S. 2004. Modeling Migration Effects on Agricultural Lands: A Growth

Equilibrium Model. Agricultural and Resource Economics Review, 33 (1): 50-60.

Hailu Y G. 2002. Growth Equilibrium Modeling of Urban Sprawl on Agricultural Lands in West Virginia (Master dissertation). West Virginia University.

Hanemann M. 1989. Welfare evaluations in contingent valuation experiments with discrete response data: reply. American Journal of Agricultural Economics, 71 (4): 1057-1061.

Hanson G H. 1998. Market potential, increasing returns and geographic concentration, working paper 6429. http://www.nber.org/papers/w6429.

Hardie I, Parks P, Gottleib P, et al. 2000. Responsiveness of rural and urban land uses to land rent determinants in the US South. Land Economics, 76 (4): 659-673.

Henderson J V, Wang H G. 2005. Aspects of the rural-urban transformation of countries. Journal of economic geography, 5: 23-42.

Henderson J V. 2004. Urbanization, Economic Geography and Growth. Handbook of Economic Growth, Vol. 1. North Holland: P. Aghion and S. Durlauf.

Hodge I. 1984. Uncertainty, irreversibility and the agricultural land. Journal of Agricultural economics, 35 (2): 191-202.

Iliopoulou P. 2006. Panagiotis Stratakis and Andreas Tsatsaris transforamtion of rural patterns in Greece in a European regional development perspective (The Case of Crete). 46th Congress of the European Regional Science Association the 3 rd August 30th CSeptember 2006, Volos, Greece Enlargement, Southern Europe and the Mediterranean.

Irwin E G, Geoghegan J. 2001. Theory, data, methods: developing spatially explicit economic models of land use change. Agriculture, Ecosystems and Environment, 85: 7-23.

Irwin E G, Bockstael N E. 2001. Interacting agents, spatial externalities and the endogenous evolution of residential land use patterns. Journal of Economic Geography, forthcoming.

Kamal S. 1979. Rural-Urban Transformation and Regional Underdevelopment in Malaysia: A Synthesis of Findings Based on a Case Study in Kedah and Kelantan//Salih K. Rural-Urban Transformation and Regional Underdevelopment: The Case of Malaysia. UNCRD Country Monograph. Nagoya: United Nations Centre for Regional Development.

Kline J D, Moses A, Alig R J. 2001. Integrating Urbanization into Landscape-level Ecological Assessments. Ecosystems, 4: 3-18.

Krugman P. 1991. Increasing Returns and Economics Geography. Journal of Political Economy, 99: 482-499.

Kuminoff N V, et al. 2001. Farmland Conversion: Perceptions and Realities. University of California Agricultural Issues Center. Issues Brief no. 16.

Kuznets S. 1955. Economic growth and income inequality. The American Economic Review, 45 (1): 1-28.

Landis J, Zhang M. 1998. The second generation of the California urban futures model. Part 1: model logic and theory.

Landis J. 1995. Imagining land use futures: applying the California urban futures model. J Am Plann Assoc, 61: 438-457.

Lichtenberg E, Ding Ch Ri. 2004. Farmland Preservation in China: Status and Issues for Further Research. Land Lines, 16 (3): 20.

Liu Y S, Wang L J, Long H L. 2008. Spatial-temporal analysis of land-use Conversion in the eastern coastal China during 1996-2005. Geogr Sci, 18: 274-282.

Li-Ta H. 1996. modeling land use change in human-dominated landscapes: A case study of urbanization in an Indiana watershed. (ph. D Disser tation). Purdue University.

Loomis W R J, Gillman R. 1984. Valuing option existence and bequest demand for wilderness. Land Economics, 60 (1): 14-29.

Lu X, Sasaki K. 2008. Urbanization process and land use policy. Ann Reg Sci, 42: 769-786.

Matsuyama K, Takahashi T. 1998. Self-defeating regional concentration. Review of Economic Studies, (65): 211-234.

McGee T G. 2008. Managing the rural-urban transformation in East Asia in the 21st century. Sustain Sci, 3: 155-167.

Mills E S, Price R. 1984. Metropolitan suburbanization and central city problems. J Urban Econ, 15 (1):1-17.

Mojica M N, Bukenya J O. 2006. Causes and trends of land conversion: a study of urbanization in north Alabama. The Southern Agricultural Economics Association. Annual Meeting Orlando, Florida, February 5-8.

Moomaw R L, Shatter A M. 1996. Urbanization and Economic Development: A Bias Toward Large Cities. Journal of Urban Economics, 40 (1): 13-37.

Mori T, Turrini A. 2005. Skills, agglomeration, and segmentation. European Economic Review, (49): 201-225.

Muller M R, Middleton J. 1994. A Markov model of land-use change dynamics in the Nigara Region, Ontario, Canada. Landscape Ecology, 9 (2): 151-157.

Muth R F. 1961. Economic change and rural-urban land conversion. Econometrica, 29 (January): 1-23.

Neary J P. 2001. Of hype and hyperbolas: introducing the new economic geography. Journal of Economic Perspectives, (39): 536-561.

Nethalang S. 1986. A spatial analysis of Factors Influencing Farmland Conversion in the Bangkok Metropolitan Area, Thailand. Oregon State University (ph. D Dissertation).

Njegac D, Toskic A. 1999. Rural diversification and soci-economic transformation in Croatia. GeoJournal, 46: 263-269.

Nzaku K, Bukenya J. 2005. Economic Analysis of Agricultural Land Conversion in the Southeast. Paper presented at the American Agricultural Economics Annual Meeting.

Pacione M. 2003. Quality-of-life research in urban geography. Urban Geography, 24 (4):

314-339.

Pond B, Yeates M. 1993. Rural/urban land concersion: Estimating the direct and indirect impacts. Urban geography, 14 (4): 323-347.

Poudyal N C, Hodges DG, Gordell H K, et al. 2008. The Role of natural resource amenities in attracting retirees: Implication for Economic growth policy. Ecological Economics, 68 (1-2): 240-248.

Reynolds J. 2000. Banization and Land Use Change in Florida and the South. Department of Food and Resource Economics, University of Florida.

Reynolds J. 2001. Land Use Change and Competition in the South. Journal of Agricultural and Applied Economics, 33 (2): 271-281.

Roback J. 1982. Wages, rents, and the quality of life. Journal of Political Economy, University of Chicago Press, 90 (6): 1257-1278.

Robert F E. 1987. C W J Granger Cointegration and error correction: Representation, estimation and testing. Econometrica , 55 (2): 251-276.

Rosenthal S S, Strange W C. 2003. Geography, industrial organization, and agglomeration. Review of Economics and Statistics, 85 (2): 377-393.

Satterthwaite D, Tacoli C. 2003. Integrating Rural Development and Small Urban Centres: An Evolving Framework for Effective Regional and Local Economic Development. March 18-19, Washington DC, World Bank/IFC Headquarters.

Shoup D. 1970. The Optimal Timing of Urban Land Development. Papers of the Regional Science Association, 25: 33-44.

Sklar F H, Costanza R. 1991. the development of dynamic spatial models for landscape ecology: a review and prognosis//Turner M G, Gardner R H. Ouantitative Methods in Land scape Ecology Ecological Studies. Borlin: Springor, 82: 239-288.

Steinnes D N, Fisher W D. 1974. An econometric model of intraurban location. Journal of Regional Science, 14: 65-80.

Steven B, Harry G, Marc S. 2002. New Economic Geography in German: Testing the Helpman-Hanson Model. http: //irs. ub. rug. nl/230295282.

Stock J H, Watson M W. 2007. Introduction to econometrics (second edition) . Shanghai people press.

Suedekum J. 2006. Agglomeration and regional costs of living. Journal of Regional Science, 46 (3):529-543.

Tabuchi T, Thisse J F. 2002. Taste heterogeneity, labor mobility andeconomic geography . Journal of Development Economics, (69): 155-177.

Tabuchi T. 1998. Urban agglomeration and dispersion. Journal of Urban Economics, (44): 333-351.

Taylor D F. 2001, Employment-based analysis: an alternative methodology for project evaluation in developing regions, with an application to agriculture in Yucatan. Ecological Economics, 36:

249-262.

Todaro M P. 1969. A Model for labor migration and urban unemployment in less developed countries. The American Economic Review (AER), 59 (1): 138-148.

Tweeten L. 1998. Competing for Scarce Land: Food Security and Farmland Preservation. Ohio State University Department of Agricultural, Environmental and Development Economics, Occasional Paper ESO#2385.

Unruh G C, Moomaw W R. 1998. An alternative analysis of apparent EKC-type transitions. Ecological Economics, (25): 221-229.

Wegener M. 1994. Operational urban models: state of the art. J. Am. Plann. Assoc. , (60): 17-29.

Weinbord D. 2001. Model evaluation and causality testing in short panels: the case of infrastructure provision and population growth in the Brazilian Amazon. Journal of Regional Science, 41 (4): 639-658.

Weisbrod B A. 1964. Collective- consumption services of individual- consumption goods. Quarterly Journal of Economics, 78: 471-477.

Zhang K H, Song SH F. 2003. Rural-Urban Migration and Urbanization in China: Evidence from Time-Series and Cross-Sectional Analyses. China Economic Review, 14 (4): 386-400.

参
考
文
献